CHRISTIAN JACQ

Christian Jacq est né à I
à treize ans, à travers se
mière fois au pays des p
des études de philosophie
vers l'archéologie et l'é
d'études égyptologiques
thèse : *Le voyage dans l'autre monde selon l'Égypte ancienne.* Parallèlement à sa carrière universitaire, il écrit des ouvrages de fiction dès l'âge de seize ans. Producteur délégué à France Culture, il travaille notamment pour *Les chemins de la connaissance*.

Christian Jacq publie son premier essai, *Le message des bâtisseurs de cathédrales*, en 1974, suivi d'une quinzaine d'autres, dont *L'Égypte des grands pharaons* (1981), qui est couronné par l'Académie française, ainsi que *Le petit Champollion illustré* et *Initiation à l'égyptologie* (1994), qui mettent à la portée de tous des connaissances jusque-là réservées aux spécialistes. Dans le domaine du roman, le premier grand succès de Christian Jacq est *Champollion l'Égyptien* (1987), succès confirmé par *La reine Soleil* (prix Jean d'heurs du roman historique 1988) et *L'affaire Toutankhamon* (prix des Maisons de la Presse 1992).

Créateur de l'Institut Ramsès, Christian Jacq effectue avec son équipe une "description photographique de l'Égypte", destinée à préserver les sites menacés, et mène de fréquentes missions sur le terrain. Il poursuit ainsi une triple carrière d'égyptologue, d'essayiste et de romancier, qui le ramène toujours à l'Égypte ancienne.

DU MÊME AUTEUR
CHEZ POCKET

L'AFFAIRE TOUTANKHAMON
CHAMPOLLION L'ÉGYPTIEN
MAÎTRE HIRAM ET LE ROI SALOMON
POUR L'AMOUR DE PHILAE
LA REINE SOLEIL
BARRAGE SUR LE NIL
LE VOYAGE INITIATIQUE
LA SAGESSE ÉGYPTIENNE
LE MOINE ET LE VÉNÉRABLE
LES ÉGYPTIENNES
LE PHARAON NOIR
LA TRADITION PRIMORDIALE DE L'ÉGYPTE ANCIENNE
LE PETIT CHAMPOLLION ILLUSTRÉ
LA SAGESSE VIVANTE DE L'ÉGYPTE ANCIENNE

Le juge d'Égypte

1 – LA PYRAMIDE ASSASSINÉE
2 – LA LOI DU DÉSERT
3 – LA JUSTICE DU VIZIR

Ramsès

1 – LE FILS DE LA LUMIÈRE
2 – LE TEMPLE DES MILLIONS D'ANNÉES
3 – LA BATAILLE DE KADESH
4 – LA DAME D'ABOU SIMBEL
5 – SOUS L'ACACIA D'OCCIDENT

CHRISTIAN JACQ

Le juge d'Égypte

**

LA LOI DU DÉSERT

PLON

Grande est la Règle, durable son efficacité ; elle n'a pas été perturbée depuis le temps d'Osiris.

L'iniquité est capable de s'emparer de la quantité, mais jamais le mal ne mènera son entreprise à bon port.

Ne te livre pas à une machination contre l'espèce humaine, car Dieu châtie pareil agissement...

Si tu as écouté les maximes que je viens de te dire, chacun de tes desseins ira de l'avant.

L'enseignement du sage Ptah-hotep,
extraits des maximes 5 et 38.

ISBN : 2-266-06549-1

CHAPITRE PREMIER

La chaleur était si écrasante que seul un scorpion noir s'aventurait sur le sable de la cour du bagne. Perdu entre la vallée du Nil et l'oasis de Khargeh, plus de deux cents kilomètres à l'ouest de la cité sainte de Karnak, il accueillait des récidivistes qui purgeaient de lourdes peines de travaux forcés. Quand la température le permettait, ils entretenaient la piste reliant la vallée à l'oasis, sur laquelle circulaient les caravanes d'ânes porteurs de marchandises.

Pour la dixième fois, le juge Pazair présenta sa requête au chef du camp, un colosse prompt à frapper les indisciplinés.

– Je ne supporte pas le régime de faveur dont je bénéficie. Je veux travailler comme les autres.

Mince, assez grand, les cheveux châtains, le front large et haut, les yeux verts teintés de marron, Pazair, dont la jeunesse avait disparu sous l'épreuve, gardait une noblesse imposant le respect.

– Vous n'êtes pas comme les autres.

– Je suis prisonnier.

– Vous n'avez pas été condamné, vous êtes au secret. Pour moi, vous n'existez même pas. Pas de nom sur le registre, pas de numéro d'identification.

– Ça ne m'empêche pas de casser des roches.

– Retournez vous asseoir.

Le chef du camp se méfiait de ce juge. N'avait-il pas étonné l'Égypte en organisant le procès du fameux général Asher, accusé par le meilleur ami de Pazair, le lieutenant Souti, d'avoir torturé et assassiné un éclaireur égyptien, et de collaborer avec les ennemis héréditaires, les bédouins et les Libyens ?

Le cadavre du malheureux n'avait pas été retrouvé à l'endroit qu'avait indiqué Souti. Aussi les jurés, ne pouvant condamner le général, s'étaient-ils contentés de réclamer un supplément d'enquête. Investigation vite avortée, puisque Pazair, tombant dans un traquenard, avait lui-même été accusé de meurtre sur la personne de son père spirituel, le sage Branir, futur grand prêtre de Karnak. Interpellé en flagrant délit, il avait été arrêté et déporté, au mépris de la loi.

Le juge s'assit en scribe dans le sable brûlant. Sans cesse, il songeait à son épouse, Néféret. Longtemps, il avait cru qu'elle ne l'aimerait jamais ; puis le bonheur était advenu, violent comme un soleil d'été. Un bonheur brutalement brisé, un paradis dont il avait été expulsé, sans espoir d'y revenir.

Un vent chaud se leva. Il fit tourbillonner des grains de sable qui fouettèrent la peau. La tête couverte d'une étoffe blanche, Pazair n'y prêta pas attention ; il revivait les épisodes de son enquête.

Petit magistrat venu de province, égaré dans la grande cité de Memphis, il avait eu le tort de se montrer trop consciencieux en étudiant de près un étrange dossier. Il avait découvert l'assassinat de cinq vétérans formant la garde d'honneur du grand sphinx de Guizeh, massacre maquillé en accident ; le vol d'une importante quantité de fer céleste réservé aux temples ; un complot mêlant de hautes personnalités.

Mais il n'était pas parvenu à prouver, de manière définitive, la culpabilité du général Asher, et son intention de renverser Ramsès le grand.

Alors que le juge avait obtenu les pleins pouvoirs afin de relier entre eux ces éléments épars, le malheur avait frappé.

Pazair se souvenait de chaque instant de cette horrible nuit. Le message anonyme lui annonçant que son maître Branir était en danger, sa course éperdue dans les rues de la ville, la découverte du cadavre du sage Branir, une aiguille en nacre plantée dans le cou, l'arrivée du chef de la police qui n'avait pas hésité un instant à considérer le juge comme un meurtrier, la sordide complicité du Doyen du porche, le plus haut magistrat de Memphis, la mise au secret, le bagne et, au bout de la route, une mort solitaire, sans que la vérité fût connue.

La machination avait été organisée à la perfection. Avec l'appui de Branir, le juge aurait pu enquêter dans les temples et identifier les voleurs du fer céleste. Mais son maître avait été éliminé, comme les vétérans, par de mystérieux agresseurs dont les buts demeuraient inconnus. Le juge avait appris qu'une femme et des hommes d'origine étrangère figuraient parmi eux; aussi ses soupçons s'étaient-ils portés sur le chimiste Chéchi, le dentiste Qadash, et l'épouse du transporteur Dénès, un homme riche, influent et malhonnête, mais il n'avait obtenu aucune certitude.

Pazair résistait à la chaleur, au vent de sable, à la nourriture insipide, parce qu'il voulait survivre, serrer Néféret dans ses bras et voir refleurir la justice.

Qu'avait inventé le Doyen du porche, son supérieur hiérarchique, pour expliquer sa disparition, quelles calomnies répandait-on à son sujet?

S'évader était utopique, bien que le camp fût ouvert sur les collines avoisinantes. A pied, il n'irait pas loin. On l'avait emprisonné ici pour qu'il dépérisse. Lorsqu'il serait usé, rongé, quand il aurait perdu tout espoir, il divaguerait, tel un pauvre fou ressassant des incohérences.

Ni Néféret ni Souti ne l'abandonneraient. Ils refuseraient mensonge et calomnie, le chercheraient dans toute l'Égypte. Il devait tenir bon, laisser le temps couler dans ses veines.

*

Les cinq conjurés se réunirent dans la ferme abandonnée où ils avaient coutume de se rencontrer. L'atmosphère était joyeuse, leur plan se déroulait comme prévu.

Après avoir violé la grande pyramide de Khéops et dérobé les insignes majeurs du pouvoir, la coudée en or et le testament des dieux, sans lequel Ramsès le grand perdait toute légitimité, ils se rapprochaient chaque jour de leur but.

L'assassinat des vétérans, gardant le sphinx d'où partait le couloir souterrain qui leur avait permis de s'introduire dans la pyramide, et l'élimination du juge Pazair, étaient des incidents mineurs, à présent oubliés.

– L'essentiel reste à faire, déclara l'un des conjurés. Ramsès tient bon.

– Ne soyons pas impatients.

– Parlez pour vous!

– Je parle pour tous; il nous faut encore du temps pour asseoir les fondations de notre futur empire. Plus Ramsès sera ligoté, incapable d'agir, conscient d'aller vers sa chute, plus notre victoire sera aisée. Il ne peut révéler à personne que la grande pyramide a été mise à sac et que le centre d'énergie spirituelle, dont il est seul responsable, ne fonctionne plus.

– Bientôt, ses forces seront épuisées; il sera contraint de vivre le rituel de régénération.

– Qui le lui imposera?

– La tradition, les prêtres et lui-même! Impossible de se soustraire à ce devoir.

– A la fin de la fête, il devra montrer au peuple le testament des dieux!

– Ce testament qui est entre nos mains.

– Alors, Ramsès abdiquera et offrira le trône à son successeur.

– Celui-là même que nous avons désigné.

Les conjurés savouraient déjà leur victoire. Ils ne

laisseraient pas le choix à Ramsès le grand, réduit au rang d'esclave. Chacun des membres du complot serait rétribué selon ses mérites, tous occuperaient demain une position privilégiée. Le plus grand pays du monde leur appartiendrait ; ils en modifieraient les structures, en changeraient les rouages, et le modèleraient selon leur vision, radicalement opposée à celle de Ramsès, prisonnier de valeurs périmées.

Pendant que le fruit mûrissait, ils développaient leur réseau de relations, de sympathisants et d'alliés. Crimes, corruption, violence... Aucun des conjurés ne les regrettait. La conquête du pouvoir était à ce prix.

CHAPITRE 2

Le couchant rosissait les collines. A cette heure-là, le chien de Pazair, Brave, et son âne, Vent du Nord, devaient apprécier le repas que leur servait Néféret, à l'issue d'une longue journée de travail. Combien de malades avait-elle guéris, logeait-elle dans la petite maison de Memphis, dont le bureau du juge occupait le rez-de-chaussée, ou avait-elle regagné son village de la région thébaine afin d'y exercer son métier de médecin, loin de l'agitation de la ville ?

Le courage du juge faiblissait.

Lui qui avait voué son existence à la justice savait qu'elle ne lui serait jamais rendue. Aucun tribunal ne reconnaîtrait son innocence. A supposer qu'il sortît de ce bagne, quel avenir réserverait-il à Néféret ?

Un vieillard s'assit à côté de lui. Maigre, édenté, la peau basanée et ridée, il poussa un soupir.

– Pour moi, c'est fini. Trop vieux. Le chef m'exempte du transport des pierres. Je m'occuperai de la cuisine. Bonne nouvelle, non ?

Pazair hocha la tête.

– Pourquoi ne travailles-tu pas, toi ? interrogea le vieillard.

– On me l'interdit.

– Qui as-tu volé ?

– Personne.

– Il n'y a que de grands voleurs, ici. Ils ont récidivé tant de fois qu'ils ne sortiront plus du bagne, puisqu'ils ont trahi leur serment de ne pas recommencer. Les tribunaux ne plaisantent pas avec la parole donnée.

– Ont-ils tort, à ton avis ?

Le vieux cracha dans le sable.

– Ça, c'est une drôle de question ! Tu serais du côté des juges ?

– J'en suis un.

La nouvelle de sa libération n'aurait pas davantage étonné l'interlocuteur de Pazair.

– Tu te moques de moi.

– Crois-tu que j'en ai envie ?

– Ça alors, ça alors... Un juge, un vrai juge !

Il le dévisagea, inquiet et respectueux.

– Qu'est-ce que tu as fait ?

– J'ai mené une enquête et l'on veut me clore la bouche.

– Tu dois être mêlé à une drôle d'affaire. Moi, je suis innocent. Un concurrent déloyal m'a accusé de voler du miel qui m'appartenait.

– Apiculteur ?

– J'avais des ruches dans le désert, mes abeilles me donnaient le meilleur miel d'Égypte. Les concurrents sont devenus jaloux ; ils ont organisé un traquenard dans lequel je suis tombé. Au procès, je me suis énervé. J'ai refusé le verdict en ma défaveur, demandé un second jugement et préparé ma défense avec un scribe. J'étais certain de gagner.

– Mais tu as été condamné.

– Mes concurrents ont dissimulé chez moi des objets dérobés dans un atelier. Preuves de la récidive ! Le juge n'a pas poussé son enquête.

– Il a eu tort. A sa place, j'aurais examiné les mobiles des accusateurs.

– Et si tu t'y mettais, à sa place ? Si tu démontrais que les preuves sont fausses ?

– Il faudrait d'abord sortir d'ici.

L'apiculteur cracha de nouveau dans le sable.

– Quand un juge trahit sa fonction, on ne le met pas au secret dans un camp comme celui-ci. On ne t'a même pas coupé le nez. Tu dois être un espion, ou quelqu'un dans ce genre-là.

– Comme tu voudras.

Le vieillard se leva et s'éloigna.

*

Pazair ne toucha pas au brouet habituel. Il n'avait plus le désir de lutter. Qu'avait-il à offrir à Néféret, sinon la déchéance et la honte ? Mieux valait qu'elle ne le revît jamais et qu'elle l'oubliât. Elle conserverait le souvenir d'un magistrat à la foi inébranlable, d'un amoureux fou, d'un rêveur qui avait cru en la justice.

Allongé sur le dos, il contempla le ciel de lapis-lazuli. Demain, il disparaîtrait.

*

Les voiles blanches voguaient sur le Nil. A la tombée du jour, les mariniers s'amusaient à sauter d'un bateau dans l'autre, alors que le vent du nord donnait de la vitesse aux embarcations. On tombait à l'eau, on riait, on s'apostrophait.

Assise sur la berge, une jeune femme n'entendait pas les cris des jouteurs. Les cheveux tirant sur le blond, un visage très pur aux lignes tendres, les yeux d'un bleu d'été, belle comme un lotus épanoui, Néféret invoquait l'âme de Branir, son maître assassiné, et la suppliait de protéger Pazair, qu'elle aimait de tout son être. Pazair dont la mort avait été officiellement proclamée, sans qu'elle parvînt à y croire.

– Puis-je vous parler un instant ?

Elle tourna la tête.

Près d'elle, le médecin-chef du royaume, Nébamon, un quinquagénaire portant beau.

Son plus féroce ennemi.

A plusieurs reprises, il avait tenté de briser sa carrière. Néféret détestait ce courtisan, avide de richesses et de conquêtes féminines, utilisant la médecine comme un pouvoir sur autrui et un moyen de faire fortune.

D'un regard fiévreux, Nébamon admirait la jeune femme dont la robe de lin laissait deviner des formes aussi parfaites qu'émouvantes. Seins fermes et haut placés, jambes longues et fines, pieds et mains délicats ravissaient l'œil. Néféret était lumineuse.

– Laissez-moi, je vous en prie.

– Vous devriez m'accorder davantage de considération; ce que je sais vous intéressera au plus haut point.

– Vos intrigues m'indiffèrent.

– Il s'agit de Pazair.

Elle ne put cacher son émotion.

– Pazair est mort.

– Inexact, ma chère.

– Vous mentez!

– Je connais la vérité.

– Dois-je vous supplier?

– Je vous préfère intraitable et fière. Pazair est vivant, mais accusé d'avoir assassiné Branir.

– C'est... c'est absurde! Je ne vous crois pas.

– Vous avez tort. Le chef de la police, Mentmosé, l'a arrêté et mis au secret.

– Pazair n'a pas tué son maître.

– Mentmosé est persuadé du contraire.

– On veut l'abattre, ruiner sa réputation et l'empêcher de poursuivre son enquête.

– Peu m'importe.

– Pourquoi ces révélations?

– Parce que moi seul suis capable d'innocenter Pazair.

Dans le frisson qui fit tressaillir Néféret, se mêlaient l'espoir et l'angoisse.

– Si vous souhaitez que j'apporte la preuve au Doyen du porche, il faudra devenir mon épouse, Néféret, et oublier votre petit juge. Sa liberté est à ce prix. Auprès de moi, vous serez à votre vraie place. A présent, vous êtes la maîtresse du jeu. Ou bien vous libérez Pazair, ou bien vous le condamnez à mort.

CHAPITRE 3

Se donner au médecin-chef horrifiait Néféret mais, en refusant la proposition de Nébamon, elle devenait le bourreau de Pazair.

Où était-il prisonnier, quels sévices subissait-il ? Si elle tardait trop, la détention le détruirait. Néféret ne s'était pas confiée à Souti, l'ami fidèle de Pazair, son frère en esprit : il aurait tué le médecin-chef sur-le-champ.

Elle décida d'accéder à la requête du maître chanteur, à condition de revoir Pazair. Souillée, désespérée, elle lui avouerait tout avant de s'empoisonner.

Kem, le policier nubien aux ordres du juge, s'approcha de la jeune femme. En l'absence de Pazair, il continuait ses rondes dans Memphis, en compagnie de Tueur, son redoutable babouin, spécialisé dans l'arrestation des voleurs qu'il immobilisait en leur plantant ses crocs dans la jambe.

Kem avait subi l'ablation du nez pour avoir été impliqué dans le meurtre d'un officier, coupable de se livrer au trafic de l'or ; la bonne foi du Nubien reconnue, il était devenu policier. Une prothèse en bois peint atténuait l'effet de la mutilation.

Kem admirait Pazair. Bien qu'il n'éprouvât pas la moindre confiance en la justice, il croyait en la probité du jeune magistrat, cause de sa disparition.

– J'ai la possibilité d'apprendre où se trouve Pazair, déclara Néféret avec gravité.

– Au royaume des morts, d'où personne ne revient. Le général Asher ne vous a-t-il pas communiqué le rapport selon lequel Pazair est mort en Asie, à la recherche d'une preuve ?

– Ce rapport était un faux, Kem. Pazair est vivant.

– On vous aurait menti ?

– Pazair est accusé d'avoir assassiné Branir, mais le médecin-chef Nébamon détient la preuve de son innocence.

Kem prit Néféret par les épaules.

– Il est sauvé !

– A condition que je devienne la femme de Nébamon.

Rageur, le Nubien frappa du poing la paume de sa main gauche.

– Et s'il se moquait de vous ?

– Je veux revoir Pazair.

Kem tâta son nez en bois.

– Vous ne regretterez pas de m'avoir fait confiance.

*

Après le départ des forçats, Pazair s'introduisit dans la cuisine, une construction en bois couverte d'une toile. Il y volerait l'un des morceaux de silex avec lesquels on allumait le feu, et se couperait les veines. La mort serait lente, mais sûre ; en plein soleil, il sombrerait doucement dans une torpeur bienfaisante. Au soir, un surveillant le pousserait du pied et renverserait son cadavre sur le sable brûlant. Pendant ces dernières heures, il vivrait avec l'âme de Néféret, avec l'espoir qu'elle l'assisterait, invisible mais présente, lors de l'ultime passage.

Alors qu'il s'emparait de la pierre tranchante, il reçut un violent coup sur la nuque et s'effondra près d'une marmite.

Une louche en bois à la main, le vieil apiculteur ironisa.

– Le juge devient voleur ! Que comptais-tu faire de ce silex ? Ne bouge pas, ou je frappe ! Verser ton sang et quitter ce maudit endroit par la route de la mauvaise mort ! Stupide, et indigne d'un homme de bien.

L'apiculteur baissa le ton.

– Écoute-moi, juge ; je connais un moyen de sortir d'ici. Moi, je n'aurai pas la force de traverser le désert. Toi, tu es jeune. Je parle, si tu acceptes de te battre pour moi et de faire casser ma condamnation.

Pazair reprit ses esprits.

– Inutile.

– Tu refuses ?

– Même si je m'évade, je ne serai plus juge.

– Redeviens-le pour moi.

– Impossible. On m'accuse de crime.

– Toi ? Ridicule !

Pazair se massa la nuque. Le vieux l'aida à se lever.

– Demain, c'est le dernier jour du mois. Un chariot tiré par des bœufs viendra de l'oasis et apportera des nourritures ; il repartira à vide. Saute à l'intérieur, et quitte-le quand tu verras le premier oued sur ta droite. Remonte son lit jusqu'au pied de la colline ; tu y trouveras une source au cœur d'un bosquet de palmiers. Remplis ton outre. Ensuite, marche vers la vallée et tâche de rencontrer des nomades. Au moins, tu auras tenté ta chance.

*

Le médecin-chef Nébamon avait, pour la seconde fois, vidé les bourrelets graisseux de la dame Silkis, la jeune épouse du riche Bel-Tran, fabricant de papyrus et haut fonctionnaire dont l'influence ne cessait de s'étendre. En tant que chirurgien esthétique, Nébamon exigeait d'énormes honoraires que ses patientes lui versaient sans rechigner. Pierres précieuses, étoffes, denrées alimentaires, mobilier, outillage, bœufs, ânes et chèvres venaient grossir sa fortune à laquelle ne manquait plus qu'un trésor inestimable : Néféret. D'autres étaient aussi belles; mais en elle s'accomplissait une harmonie unique où l'intelligence s'alliait au charme pour faire naître une lumière incomparable.

Comment avait-elle pu tomber amoureuse d'un être aussi falot que Pazair ? Une étourderie de jeunesse qu'elle aurait regrettée sa vie durant si Nébamon n'était intervenu.

Parfois, il se sentait aussi puissant que Pharaon; ne détenait-il pas des secrets qui sauvaient des existences ou les prolongeaient, ne régnait-il pas sur les médecins et les pharmaciens, n'était-il pas celui que suppliaient les hauts dignitaires afin de recouvrer la santé ? Si ses assistants œuvraient dans l'ombre afin de lui procurer les meilleurs traitements, c'était Nébamon, et nul autre, qui en retirait la gloire. Or, Néféret possédait un génie médical qu'il devait exploiter.

Après une opération réussie, Nébamon s'octroyait une semaine de repos dans sa maison de campagne, au sud de Memphis, où une armée de serviteurs satisfaisait ses moindres désirs. Abandonnant les tâches subalternes à son équipe médicale qu'il contrôlait avec fermeté, il préparerait la liste des futures promotions à bord de sa nouvelle barque de plaisance. Il lui tardait de goûter un vin blanc du Delta, qui provenait de ses vignes, et les dernières recettes de son cuisinier.

Son intendant l'avertit de la présence d'une jeune et jolie visiteuse. Intrigué, Nébamon alla jusqu'au porche de son domaine.

– Néféret ! Quelle merveilleuse surprise... Déjeunerez-vous avec moi ?

– Je suis pressée.

– Vous aurez bientôt l'occasion de visiter ma villa, j'en suis sûr. M'apporteriez-vous votre réponse ?

Néféret baissa la tête. L'enthousiasme gagna le médecin-chef.

– Je savais que vous vous rendriez à la raison.
– Accordez-moi du temps.
– Puisque vous êtes venue, votre décision est prise.
– M'accorderez-vous le privilège de revoir Pazair ?
Nébamon fit la moue.
– Vous vous imposez une épreuve inutile. Sauvez Pazair, mais oubliez-le.
– Je lui dois une dernière rencontre.
– A votre guise. Mais mes conditions ne varient pas : vous devez d'abord me prouver votre amour. Ensuite, j'interviendrai. Ensuite seulement. Sommes-nous bien d'accord ?
– Je ne suis pas en position de négocier.
– J'apprécie votre intelligence, Néféret ; elle n'a d'égale que votre beauté.
Il lui prit tendrement le poignet.
– Non, Nébamon, pas ici, pas maintenant.
– Où et quand ?
– Dans la grande palmeraie, près du puits.
– Un endroit qui vous est cher ?
– Je vais souvent y méditer.
Nébamon sourit.
– La nature et l'amour font bon ménage. Comme vous, je goûte la poésie des palmiers. Quand ?
– Demain soir, après le coucher du soleil.
– J'accepte la pénombre pour notre première union ; ensuite, nous la vivrons au grand jour.

CHAPITRE 4

Pazair glissa hors du chariot dès qu'il aperçut l'oued qui serpentait entre des roches, en direction d'une colline battue par les vents. Sa chute sur le sable ne fit aucun bruit; le véhicule poursuivit sa route, dans la poussière et dans la chaleur. Le conducteur, endormi, laissait les bœufs le guider.

Personne ne s'élancerait à la poursuite de l'évadé, puisque la fournaise et la soif ne lui accorderaient aucune chance de survivre. A l'occasion, une patrouille ramasserait ses ossements. Pieds nus, vêtu d'un pagne usé, le juge s'obligea à marcher lentement et à économise son souffle. Çà et là, des ondulations témoignaient du passage d'un céraste, la redoutable vipère du désert dont la morsure était mortelle.

Pazair imagina qu'il se promenait en compagnie de Néféret dans une campagne verdoyante, animée de chants d'oiseaux et parcourue de canaux; le paysage lui parut moins hostile, sa démarche plus légère. Il suivit le lit desséché de l'oued jusqu'au bas d'une colline pentue où, incongrus, trois palmiers s'obstinaient à pousser.

Le juge s'agenouilla et creusa avec ses mains; quelques centimètres au-dessous de la croûte craquelée, la terre était humide. Le vieil apiculteur ne lui avait pas menti. Au terme d'une heure d'efforts interrompus par quelques brèves pauses, il atteignit l'eau. Après s'être désaltéré, il ôta son pagne, le nettoya avec du sable et s'en frotta la peau. Puis il remplit du précieux liquide l'outre dont il s'était muni.

La nuit, il marcha vers l'est. Autour de lui, des sifflements; les serpents sortaient à la tombée du jour. S'il en piétinait un, il n'échapperait pas à une mort atroce. Seul un médecin expert, comme Néféret, connaissait les remèdes. Le juge oublia les dangers et progressa, sous la protection de la lune. Il se gava de la relative fraîcheur nocturne. Lorsque l'aube parut, il but un peu d'eau, creusa le sable, s'en recouvrit, et dormit dans la position du fœtus.

Quand il se réveilla, le soleil commençait à décliner. Les muscles douloureux, la tête en feu, il continua en direction de la vallée, si lointaine, si inaccessible. Sa réserve d'eau épuisée, il devrait compter sur la découverte d'un puits que signalerait un cercle de pierres. Dans l'immense étendue, tantôt plate, tantôt bosselée, il commença à tituber. Les lèvres sèches, la langue gonflée, il était à bout de forces. Qu'espérer, sinon l'intervention d'une divinité bienfaisante?

*

Nébamon se fit déposer à l'orée de la grande palmeraie, et renvoya sa chaise à porteurs. Il savourait déjà cette nuit merveilleuse où Néféret se donnerait à lui. Il eût préféré davantage de spontanéité, mais peu importaient les méthodes utilisées. Il obtenait ce qu'il désirait, comme à son habitude.

Les gardiens de la palmeraie, adossés au tronc des grands arbres, jouaient de la flûte, buvaient de l'eau fraîche et bavardaient. Le médecin-chef s'engagea dans une grande allée, bifurqua sur la gauche et se dirigea vers l'ancien puits. L'endroit était solitaire et paisible.

Elle sembla naître des lueurs du couchant qui orangeaient sa longue robe de lin.

Néféret cédait. Elle, si fière, elle qui l'avait défié, lui

obéirait comme une esclave. Quand il l'aurait conquise, elle lui resterait attachée, oublieuse de son passé. Elle admettrait que seul Nébamon lui offrait l'existence dont elle rêvait sans le savoir. Elle aimait trop la médecine pour se réfugier plus longtemps dans un rôle subalterne ; devenir l'épouse du médecin-chef n'était-il pas le plus enviable des destins ?

Elle ne bougeait pas. Il avança.

– Reverrai-je Pazair ?

– Vous avez ma parole.

– Faites-le libérer, Nébamon.

– C'est mon intention, si vous acceptez d'être à moi.

– Pourquoi tant de cruauté ? Soyez généreux, je vous en supplie.

– Vous moqueriez-vous de moi ?

– J'en appelle à votre conscience.

– Vous serez ma femme, Néféret, parce que je l'ai décidé.

– Renoncez.

Il avança encore et s'arrêta à un mètre de sa proie.

– J'aime vous regarder, mais j'exige d'autres plaisirs.

– Me détruire en fait-il partie ?

– Vous libérer d'un amour illusoire et d'une existence médiocre.

– Une dernière fois, renoncez.

– Vous m'appartenez, Néféret.

Nébamon tendit la main vers elle.

A l'instant où il la touchait, il fut brutalement tiré en arrière et jeté sur le sol. Affolé, il découvrit son agresseur : un énorme babouin, gueule ouverte, l'écume aux lèvres. Il crocha sa main droite, velue et puissante, sur la gorge du médecin, tandis que la droite empoignait les testicules et tirait. Nébamon hurla.

Le pied de Kem se posa sur le front du médecin-chef. Le babouin, sans relâcher ses prises, s'immobilisa.

– Si vous refusez de nous aider, mon babouin vous émascule. Moi, je n'aurai rien vu ; et lui n'aura aucun remords.

– Que voulez-vous ?
– La preuve qui innocente Pazair.
– Non, je...
Le babouin émit un grognement sourd. Ses doigts serrèrent.
– J'accepte, j'accepte !
– Je vous écoute.
Nébamon haletait.
– Lorsque j'ai examiné le cadavre de Branir, je me suis rendu compte que le décès remontait à plusieurs heures, peut-être à une journée entière. L'état des yeux, l'aspect de la peau, la crispation de la bouche, la blessure... Les signes cliniques ne trompaient pas. J'ai consigné mes constatations sur un papyrus. Pas de flagrant délit ; Pazair n'était qu'un témoin. Aucune charge sérieuse contre lui.
– Pourquoi avoir tu la vérité ?
– Une trop belle opportunité... Néféret était enfin à ma portée.
– Où se trouve Pazair ?
– Je... je ne sais pas.
– Bien sûr que si.
Le babouin grogna de nouveau. Terrorisé, Nébamon céda.
– J'ai acheté le chef de la police, afin qu'il ne supprime pas Pazair. Il fallait le garder vivant, pour réussir mon chantage. Le juge est au secret, j'ignore où.
– Connaissez-vous le véritable assassin ?
– Non, je vous jure que non !
Kem ne douta pas de la sincérité de la réponse. Lorsque le babouin menait un interrogatoire, les suspects ne mentaient pas.
Néféret pria, remerciant l'âme de Branir. Le maître avait protégé le disciple.

*

Le maigre dîner du Doyen du porche se composait de figues et de fromages. Au manque de sommeil s'ajoutait l'inappétence. Ne supportant plus la moindre présence, il avait renvoyé son domestique. Qu'avait-il à se reprocher, sinon le désir de préserver l'Égypte du désordre ? Pourtant, sa conscience n'était pas en paix. Jamais, au cours de sa longue carrière, il ne s'était ainsi écarté de la Règle.

Écœuré, il repoussa l'écuelle en bois.

Dehors, des gémissements. Les spectres, d'après les contes des magiciens, ne venaient-il pas torturer les âmes indignes ?

Le Doyen sortit.

Kem tirait par l'oreille le médecin-chef Nébamon, flanqué du babouin.

– Nébamon désire passer aux aveux.

Le Doyen n'aimait pas le policier nubien. Il connaissait son passé de violence, désapprouvait ses méthodes et déplorait son engagement dans les forces de sécurité.

– Nébamon n'est pas libre de ses mouvements. Sa déposition n'aura aucune valeur.

– Pas une déposition, des aveux.

Le médecin-chef tenta de se dégager. Le babouin lui mordit le mollet, sans enfoncer les crocs.

– Prenez garde, recommanda Kem. Si vous l'irritez, je ne le retiendrai pas.

– Allez-vous-en ! ordonna le magistrat, courroucé.

Kem poussa le médecin vers le Doyen.

– Dépêchez-vous, Nébamon. Les babouins ne sont pas patients.

– Je détiens un indice dans l'affaire Pazair, déclara le notable d'une voix enrouée.

– Pas un indice, rectifia Kem, mais la preuve de son innocence.

Le Doyen pâlit.

– Est-ce une provocation ?

– Le médecin-chef est un homme sérieux et respectable.

Nébamon sortit de sa tunique un papyrus roulé et scellé.

– J'ai consigné ici mes constatations, à propos du cadavre de Branir. Le... le flagrant délit est une erreur d'appréciation. J'avais oublié... de vous transmettre ce rapport.

Le magistrat reçut le document avec peu d'empressement ; il eut la sensation de toucher des braises.

– Nous nous sommes trompés, déplora le Doyen du porche. Pour Pazair, il est trop tard.

– Peut-être pas, objecta Kem.

– Vous oubliez qu'il est mort !

Le Nubien sourit.

– Une autre erreur d'appréciation, sans doute. Votre bonne foi aura été abusée.

D'un regard, le Nubien ordonna au babouin de relâcher le médecin-chef.

– Je... je suis libre ?

– Disparaissez.

Nébamon s'enfuit en boitillant. Dans son mollet était imprimée la marque des dents du singe, dont les yeux rouges brillaient dans la nuit.

– Je vous offrirai un poste tranquille, Kem, si vous acceptez d'oublier ces déplorables événements.

– N'intervenez plus, Doyen du porche ; sinon, je ne retiendrai pas Tueur. Bientôt, il faudra dire la vérité, toute la vérité.

CHAPITRE 5

Au cœur du paysage de sable blond et de montagnes noires et blanches, s'éleva un nuage de poussière. Deux hommes à cheval approchaient. Pazair s'était traîné à l'ombre d'un énorme bloc, détaché d'une pyramide naturelle. Sans eau, impossible d'aller plus loin.

S'il s'agissait de la police du désert, elle le ramènerait au bagne. Quant aux bédouins, ils agiraient selon l'humeur du moment : ou bien le torturer, ou l'utiliser comme esclave. A l'exception des caravaniers, nul ne s'aventurait dans ces étendues désertiques. Au mieux, Pazair échangerait le bagne contre la servitude.

Deux bédouins, vêtus d'une robe aux rayures colorées!

Ils portaient des cheveux longs, leur menton s'ornait d'une courte barbe.

– Qui es-tu?

– Je me suis évadé du camp des voleurs.

Le plus jeune descendit de cheval et considéra Pazair avec attention.

– Tu ne sembles pas très robuste.

– J'ai soif.

– L'eau se mérite. Lève-toi et bats-toi.

– Je n'en ai pas la force.

Le bédouin sortit un poignard de son fourreau.

– Si tu n'es pas capable de lutter, tu mourras.

– Je suis juge, pas soldat.

– Juge! Alors, tu ne viens pas du camp des voleurs.

– On m'accuse à tort. Quelqu'un veut ma perte.

– Le soleil t'a rendu fou.

– Si tu me tues, tu seras maudit dans l'au-delà. Les juges des enfers te découperont l'âme en morceaux.

– Je m'en moque!

Le plus âgé bloqua le bras armé.

– La magie des Égyptiens est redoutable. Remettons-le sur pied; ensuite, il nous servira d'esclave.

*

Panthère, la Libyenne blonde aux yeux clairs, ne décolérait pas. A Souti, l'amant fougueux et inventif, avait succédé un mollasson pleurnichard et morose. Ennemie irréductible de l'Égypte, elle était tombée aux mains du lieutenant de char, héros dès sa première campagne d'Asie. Sur un coup de tête, il lui avait rendu une liberté dont elle ne profitait pas, tant elle aimait faire l'amour avec lui. Quand Souti avait été chassé de l'armée, après avoir tenté d'étrangler le général Asher qu'il avait vu assassiner l'un de ses éclaireurs, mais que le tribunal n'avait pu condamner en raison de la disparition du cadavre, le jeune homme n'avait pas perdu son dynamisme.

Pourtant, depuis la disparition de son ami Pazair, il s'enfermait dans le silence, ne mangeait plus, ne la regardait plus.

– Quand renaîtras-tu?

– Quand Pazair reviendra.

– Pazair, toujours Pazair! Ne comprends-tu pas que ses adversaires l'ont éliminé?

– Nous ne sommes pas en Libye. Tuer est un acte si grave qu'il condamne à l'anéantissement. Un criminel ne ressuscite pas.

– Il n'y a qu'une vie, Souti, ici et maintenant! Oublie ces balivernes.

– Oublier un ami ?

L'amour nourrissait Panthère. Privée du corps de Souti, elle dépérissait.

Souti était un homme de belle stature, au visage allongé, au regard franc et direct, et aux longs cheveux noirs ; force, séduction et élégance caractérisaient, d'ordinaire, la moindre de ses attitudes.

– Je suis une femme libre et je n'accepte pas de vivre avec une pierre. Si tu demeures inerte, je m'en vais.

– Eh bien, pars.

Elle s'agenouilla et le prit par la taille.

– Tu ne sais plus ce que tu dis.

– Si Pazair souffre, je souffre ; s'il est en danger, l'angoisse m'étreint. Tu n'y changeras rien.

Panthère dénoua le pagne de Souti. Il ne protesta pas. Jamais corps d'homme n'avait été plus beau, plus puissant, plus harmonieux. Depuis l'âge de treize ans, Panthère avait eu beaucoup d'amants ; aucun ne l'avait comblée, comme cet Égyptien, ennemi juré de son peuple. Elle lui caressa doucement la poitrine, les épaules, effleura les seins, descendit vers le nombril. Ses doigts, légers et sensuels, distillaient le plaisir.

Enfin, il réagit. D'une main vigoureuse, presque hargneuse, il arracha les bretelles de la robe courte. Nue, elle s'allongea contre lui, câline.

– Te sentir, ne faire qu'une avec toi... Je m'en contenterai.

– Pas moi.

Il la renversa sur le ventre et s'étendit sur elle. Alanguie, triomphante, elle reçut son désir comme une eau de jouvence, onctueuse et chaude.

Dehors, on l'appelait. Une voix grave, impérieuse. Souti se précipita à la fenêtre.

– Venez, dit Kem. Je sais où se trouve Pazair.

*

Le Doyen du porche arrosait le petit parterre de fleurs, à l'entrée de sa maison. A son âge, il éprouvait de plus en plus de difficultés à se courber.

– Je peux vous aider ?

Le Doyen se retourna, découvrant Souti. L'ancien lieutenant de charrerie n'avait rien perdu de sa superbe.

– Où se trouve mon ami Pazair ?

– Il est mort.

– Mensonge.

– Un rapport officiel a été rédigé.

– Je m'en moque.

– La vérité vous déplaît, mais nul ne peut la modifier.

– La vérité, c'est que Nébamon a acheté la conscience du chef de la police et la vôtre.

Le Doyen du porche se redressa.

– Non, pas la mienne !

– Alors, parlez.

Le Doyen hésita.

Il pouvait faire arrêter Souti pour injure à magistrat et violence verbale. Mais il avait honte de sa propre conduite. Certes, le juge Pazair lui faisait peur : trop déterminé, trop passionné, trop épris de justice. Mais lui, le vieux magistrat rompu à toutes les intrigues, n'avait-il pas trahi la foi de sa jeunesse ? Le sort du petit juge l'obsédait. Peut-être était-il déjà mort, incapable de résister à l'épreuve de la réclusion.

– Le bagne des voleurs, près de Khargeh, murmura-t-il.

– Donnez-moi un ordre de mission.

– Vous m'en demandez beaucoup.

– Dépêchez-vous, je suis pressé.

*

Souti abandonna son cheval au dernier relais, à l'orée de la piste des oasis. Seul un âne serait capable de supporter la chaleur, la poussière et le vent. Muni de son arc, d'une cinquantaine de flèches, d'une épée, et de deux poignards, Souti se sentait de taille à affronter l'adversaire, quel qu'il fût. Le Doyen du porche lui avait remis une tablette en bois, précisant qu'il devait ramener le juge Pazair à Memphis.

Contre son gré, Kem était resté auprès de Néféret. Nébamon, lorsqu'il se serait remis de ses frayeurs, ne demeurerait pas inactif. Seuls le babouin et son maître protégeraient la jeune femme de manière efficace. Le Nubien, qui souhaitait tant délivrer le juge, admit qu'il devait servir de rempart.

A l'annonce du départ de son amant, Panthère s'était enflammée. S'il demeurait absent plus d'une semaine, elle le tromperait avec le premier venu et proclamerait partout son infortune. Souti n'avait rien promis, sauf de revenir avec son ami.

L'âne portait des outres et des paniers remplis de viande et de poisson séchés, de fruits et de pains qui resteraient moelleux plusieurs jours. L'homme et l'animal s'accorderaient peu de repos, tant Souti était pressé de parvenir au but.

*

En vue du camp, ensemble de baraquements misérables dispersés dans le désert, Souti invoqua le dieu Min, patron des caravaniers et des explorateurs. Bien qu'il jugeât les dieux inaccessibles, mieux valait s'assurer leur concours en certaines circonstances.

Souti réveilla le chef du camp, endormi sous un abri en toile. Le colosse maugréa.

– Vous détenez ici le juge Pazair.

– Connais pas ce nom-là.

– Il n'est pas immatriculé, je sais.
– Connais pas, je vous dis.
Souti lui montra la tablette. Elle ne suscita aucun intérêt.
– Pas de Pazair ici. Des voleurs récidivistes, pas de juge.
– Ma mission est officielle.
– Attendez le retour des prisonniers, vous verrez bien.
Le chef du camp se rendormit.
Souti se demanda si le Doyen du porche ne l'avait pas envoyé dans un cul-de-sac, pendant qu'il faisait supprimer Pazair en Asie. Naïf, une fois de plus!
Il entra dans la cuisine, afin de refaire le plein d'eau. Le cuisinier, un vieillard édenté, s'éveilla en sursaut
– Tu es qui, toi?
– Je viens délivrer un ami. Malheureusement, tu ne ressembles pas à Pazair.
– Quel nom as-tu prononcé?
– Le juge Pazair.
– Qu'est-ce que tu lui veux?
– Le libérer.
– Ben ça... Trop tard!
– Explique-toi.
Le vieil apiculteur s'exprima à voix basse.
– Grâce à moi, il s'est évadé.
– Lui, en plein désert! Il ne résistera pas deux jours. Quel chemin a-t-il pris?
– Le premier oued, la colline, le bosquet de palmiers, la source, le plateau rocheux, et plein est vers la vallée! S'il a l'âme chevillée au corps, il réussira.
– Pazaïr n'a aucune résistance.
– Dépêche-toi de le retrouver; il a promis de m'innocenter.
– Ne serais-tu pas un voleur?
– Très peu, et beaucoup moins que d'autres. Je veux m'occuper de mes ruches. Que votre juge me ramène chez moi.

CHAPITRE 6

Mentmosé reçut le Doyen du porche dans sa salle d'armes où il exposait boucliers, épées et trophées de chasse. Cauteleux, le nez pointu, la voix nasillarde, le chef de la police avait un crâne chauve et rouge qui le démangeait souvent. Plutôt corpulent, il suivait un régime afin de préserver une certaine sveltesse. Présent dans les grandes réceptions, doté d'un considérable réseau d'amitiés, prudent et habile, Mentmosé régnait sans partage sur les différents corps de police du royaume. Nul n'avait pu lui reprocher la moindre erreur ; il veillait avec le plus grand soin sur sa réputation de dignitaire inattaquable.

– Visite privée, mon cher Doyen ?

– Discrète, comme vous les aimez.

– N'est-ce pas la garantie d'une carrière longue et tranquille ?

– Lorsque j'ai mis Pazair au secret, j'ai posé une condition.

– La mémoire me fait défaut.

– Vous deviez déceler le mobile du meurtre.

– N'oubliez pas que j'ai surpris Pazair en flagrant délit.

– Pourquoi aurait-il tué son maître, un sage appelé à devenir le grand prêtre de Karnak, donc son meilleur soutien ?

– Jalousie ou folie.
– Ne me prenez pas pour un faible d'esprit.
– Que vous importe ce mobile ? Nous sommes débarrassés de Pazair, c'est l'essentiel.
– Êtes-vous certain de sa culpabilité ?
– Je le répète : il était penché sur le corps de Branir quand je l'ai interpellé. A ma place, qu'auriez-vous conclu ?
– Le mobile ?
– Vous l'avez vous-même admis : un procès serait du plus mauvais effet. Le pays doit respecter ses juges et avoir confiance en eux. Pazair a le goût du scandale. Son maître Branir a sans doute tenté de le calmer, il s'est emporté et a frappé. N'importe quel jury l'aurait condamné à mort. Vous et moi fûmes généreux envers lui, puisque nous avons sauvegardé sa réputation. Officiellement, il est mort en mission. Pour lui, comme pour nous, n'est-ce pas la plus satisfaisante des solutions ?
– Souti connaît la vérité.
– Comment...
– Kem a fait parler le médecin-chef Nébamon. Souti sait que Pazair est vivant, et j'ai consenti à lui révéler son lieu de détention.
La colère du chef de la police étonna le Doyen du porche. Mentmosé avait la réputation d'un homme pondéré.
– Insensé, complètement insensé ! Vous, le plus haut magistrat de la ville, vous vous inclinez devant un soldat déchu ! Ni Kem ni Souti ne peuvent agir.
– Vous omettez la déclaration écrite de Nébamon.
– Des aveux obtenus sous la torture n'ont aucune valeur.
– Ils étaient bien antérieurs, datés et signés.
– Détruisez-les !
– Kem a demandé au médecin-chef de rédiger une copie, certifiée authentique par deux serviteurs de son domaine. L'innocence de Pazair est établie. Pendant les

heures qui précédèrent le crime, il travaillait à son bureau. Des témoins l'attesteront, j'ai vérifié.

– Admettons... Pourquoi avoir révélé l'endroit où nous le cachions ? Rien ne pressait.

– Pour être en paix avec moi-même.

– Avec votre expérience, à votre âge, vous...

– Justement, à mon âge. Le juge des morts peut m'appeler d'une seconde à l'autre. Dans l'affaire Pazair, j'ai trahi l'esprit de la loi.

– Vous avez pris parti pour l'Égypte, sans vous soucier des privilèges d'un individu.

– Votre discours ne m'abuse plus, Mentmosé.

– Vous m'abandonneriez ?

– Si Pazair revient...

– On meurt beaucoup, au bagne des voleurs.

*

Depuis longtemps, Souti avait entendu le galop des chevaux. Ils venaient de l'est, au nombre de deux, approchaient vite.

Des bédouins en maraude, en quête d'une proie facile.

Souti attendit qu'ils fussent à bonne distance, banda son arc ; un genou en terre, il visa celui de gauche.

Touché à l'épaule, l'homme tomba à la renverse. Son camarade fonça vers l'agresseur. Souti ajusta son tir. La flèche se ficha dans le haut de la jambe. Le bédouin, hurlant de douleur, perdit le contrôle de sa monture, s'effondra et s'assomma sur un rocher. Les deux chevaux tournèrent en rond.

Souti plaça la pointe de son glaive sur la gorge du nomade qui s'était relevé en titubant.

– D'où viens-tu ?

– De la tribu des coureurs de sable.

– Où campe-t-elle ?

– Derrière les roches noires.

– Vous êtes-vous emparé d'un Égyptien, ces jours derniers ?

– Un égaré qui se prétendait juge.
– Comment l'avez-vous traité ?
– Le chef l'interroge.

Souti sauta sur le dos du cheval le plus robuste, et tint le second par les rênes rudimentaires qu'utilisaient les bédouins. Aux deux blessés de savoir survivre.

Les coursiers s'engagèrent sur un sentier bordé de pierrailles, et de plus en plus abrupt ; soufflant par les naseaux, la robe couverte de sueur, ils atteignirent le sommet d'une colline, parsemé de blocs erratiques.

L'endroit était sinistre.

Entre les roches brûlées, noirâtres, se creusaient des cuvettes où le sable tourbillonnait ; elles évoquaient les chaudrons de l'enfer où, la tête en bas, se consumaient les damnés.

Au bas de la pente, le campement des nomades. La tente la plus haute et la plus colorée, au centre, devait être celle du chef. Chevaux et chèvres étaient parqués dans un enclos. Deux sentinelles, l'une au sud, l'autre au nord, surveillaient les environs.

Contrairement aux lois de la guerre, Souti attendit la nuit ; les bédouins, se livrant à la razzia et au pillage, ne méritaient aucun égard. L'Égyptien rampa en silence, mètre par mètre, et ne se releva qu'à proximité de la sentinelle du sud qu'il estourbit d'une manchette sur les vertèbres cervicales. Les coureurs des sables, qui ne cessaient de sillonner le désert à l'affût de la moindre proie, étaient peu nombreux au campement. Souti se faufila jusqu'à la tente du chef, et s'y engouffra par un trou ovale servant de porte. Tendu, concentré, il se sentait prêt à déployer toute sa violence.

Sidéré, il contempla un spectacle inattendu.

Le chef bédouin, allongé sur des coussins, prêtait l'oreille au discours de Pazair, assis en scribe. Le juge semblait libre de tout mouvement.

Le bédouin se releva. Souti bondit sur lui.

– Ne le tue pas, recommanda Pazair, nous commencions à nous entendre.

Souti plaqua son adversaire sur les coussins.

– J'ai interrogé le chef sur sa manière de vivre, expliqua Pazair, et j'ai tenté de lui démontrer qu'il s'égarait. Mon refus de devenir esclave, même au péril de ma vie, l'a étonné. Il voulait savoir comment fonctionne notre justice, et...

– Quand tu ne l'amuseras plus, il t'attachera à la queue d'un cheval. Tu seras traîné sur des pierres coupantes et déchiqueté.

– Comment m'as-tu retrouvé ?

– Comment t'aurais-je perdu ?

Souti ligota et bâillonna le bédouin.

– Sortons vite d'ici. Deux chevaux nous attendent au sommet de la colline.

– A quoi bon ? Je ne peux rentrer en Égypte.

– Suis-moi, au lieu de dire des inepties.

– Je n'en aurai pas la force.

– Tu la trouveras, quand tu sauras que tu es innocenté et que Néféret s'impatiente.

CHAPITRE 7

Le Doyen du porche n'osa pas regarder le juge Pazair.

– Vous êtes libre, déclara-t-il d'une voix brisée.

Le Doyen s'attendait à d'amers reproches, voire à une accusation en bonne et due forme. Mais Pazair se contentait de le fixer.

– Bien entendu, le chef d'inculpation est annulé. Pour le reste, je vous demande un peu de patience... je m'occupe de régulariser au plus vite votre situation.

– Le chef de la police ?

– Il vous présente ses excuses. Lui et moi avons été abusés...

– Nébamon ?

– Le médecin-chef n'est pas vraiment coupable. Une simple négligence administrative... Vous fûtes victime d'un malheureux concours de circonstances, mon cher Pazair. Si vous désirez porter plainte...

– Je réfléchirai.

– Parfois, il faut savoir pardonner...

– Redonnez-moi ma charge sans tarder.

*

Les yeux bleus de Néféret ressemblaient à deux pierres précieuses nées au cœur des montagnes d'or, au pays des dieux ; à son cou, la turquoise la protégeait des maléfices. Une longue robe de lin blanc à bretelles affinait encore sa taille.

En s'approchant, le juge Pazair respira son parfum. Lotus et jasmin embaumaient sa peau satinée. Il la prit dans ses bras, et ils demeurèrent unis de longues minutes, sans pouvoir parler.

– Ainsi, tu m'aimes un peu ?

Elle s'écarta pour le regarder.

Il était fier, passionné, un peu fou, rigoureux, jeune et vieux à la fois, sans beauté superficielle, fragile mais énergique. Ceux qui le croyaient faible, vite abattu, se trompaient lourdement. Malgré son visage sévère, son grand front austère, son caractère exigeant, il avait le goût du bonheur.

– Je ne veux plus être séparée de toi.

Il la serra contre lui. La vie avait une saveur nouvelle, puissante comme le jeune Nil. Une vie pourtant si proche de la mort, dans cette immense nécropole de Saqqara où Pazair et Néféret, main dans la main, progressèrent à pas lents. Ils voulaient se recueillir sans délai sur la tombe de Branir, leur maître assassiné. N'avait-il pas transmis ses secrets de médecin à Néféret et encouragé Pazair à concrétiser sa vocation ?

Ils pénétrèrent dans l'atelier de momification où Djoui, assis par terre, le dos contre un mur blanchi à la chaux, mangeait du porc aux lentilles, bien que cette viande fût interdite pendant les périodes de chaleur. Incirconcis, le momificateur se moquait des prescriptions religieuses ; le visage en longueur, les sourcils épais et noirs qui se rejoignaient au-dessus du nez, les lèvres minces privées de sang, les mains interminables, les jambes grêles, il vivait à l'écart des mortels.

Sur la table d'embaumement, une momie d'homme âgé dont il venait d'inciser le flanc avec un couteau d'obsidienne.

– Je vous connais, dit-il en levant les yeux vers Pazair. Vous êtes le juge qui enquêtez sur la mort des vétérans.

– Avez-vous momifié Branir ?
– C'est mon métier.
– Rien d'anormal ?
– Rien.
– Quelqu'un est-il venu sur la tombe ?
– Depuis l'inhumation, personne. Seul le prêtre chargé du service funéraire est entré dans la chapelle.

Pazair fut déçu. Il espérait que l'assassin, pris de remords, eût imploré le pardon de sa victime afin d'éviter les châtiments de l'au-delà. Même cette menace-là ne l'effrayait pas.

– Votre enquête a-t-elle abouti ?
– Elle aboutira.

Le momificateur, indifférent, planta les dents dans la tranche de porc.

*

La pyramide à degrés dominait le paysage d'éternité. Quantité de tombes regardaient dans sa direction, afin de participer de l'immortalité du pharaon Djeser, dont l'ombre immense gravissait et descendait chaque jour le gigantesque escalier de pierre.

D'ordinaire, sculpteurs, graveurs de hiéroglyphes et dessinateurs animaient d'innombrables chantiers. Ici, l'on creusait un caveau ; là, on en restaurait un autre. Des files d'ouvriers halaient des traîneaux en bois chargés de blocs de calcaire ou de granit, des porteurs d'eau désaltéraient les travailleurs.

En ce jour de fête, où l'on vénérait Imhotep, le maître d'œuvre de la pyramide à degrés, le site était désert. Pazair et Néféret passèrent entre des rangées de tombeaux datant des premières dynasties, entretenus avec soin par l'un des fils de Ramsès le grand. Lorsque le regard se posait sur les noms des défunts écrits en hiéroglyphes, il les ressuscitait, brisant l'obstacle du temps. La puissance du verbe surpassait celle de la mort.

La sépulture de Branir, proche de la pyramide à degrés, avait été construite en belle pierre blanche provenant des carrières de Tourah. L'accès au puits funéraire, qui menait aux appartements souterrains où reposait la momie, avait été obstrué par une énorme dalle, tandis que la chapelle demeurait ouverte aux vivants qui viendraient banqueter en compagnie de la statue et des représentations du défunt, chargées de son énergie impérissable.

Le sculpteur avait créé une magnifique effigie de Branir, l'immortalisant sous l'aspect d'un homme âgé, au visage serein et à la large carrure. Le texte principal, en lignes horizontales superposées, souhaitait la bienvenue au ressuscité dans le bel Occident ; au terme d'un immense voyage, il parvenait parmi les siens, ses frères les dieux, se nourrissait d'étoiles et se purifiait avec l'eau de l'océan primordial. Guidé par son cœur, il marchait sur les chemins parfaits de l'éternité.

Pazair lut à haute voix les formules destinées aux hôtes de la tombe : *Vivants qui êtes sur terre et qui passez près de ce sépulcre, qui aimez la vie et haïssez la mort, prononcez mon nom afin que je vive, dites en ma faveur la formule d'offrande.*

– J'identifierai l'assassin, promit Pazair.

Néféret avait rêvé d'un bonheur paisible, loin des conflits et des ambitions ; mais son amour était né dans la tourmente, et ni Pazair ni elle-même ne connaîtraient la paix avant d'avoir découvert la vérité.

*

Lorsque les ténèbres furent vaincues, la terre s'éclaira. Arbres et herbes reverdirent, les oiseaux jaillirent du nid, les poissons bondirent hors de l'eau, les bateaux montèrent et descendirent le fleuve. Pazair et Néféret sortirent de la chapelle dont les bas-reliefs accueillaient les lueurs de l'aube. Ils avaient passé la nuit auprès de l'âme de Branir qu'ils avaient sentie proche, vibrante et chaleureuse.

Jamais ils ne seraient séparés de lui.

La fête terminée, les artisans revenaient sur le site. Des prêtres célébraient les rites du matin, afin de perpétuer la mémoire des disparus. Pazair et Néféret longèrent la longue chaussée couverte du roi Ounas qui aboutissait à un temple en contrebas; ils s'assirent sous des palmiers, à la lisière des cultures. Une fillette, rieuse, leur apporta des dattes, du pain frais et du lait.

– Nous pourrions rester ici, oublier les crimes, la justice et les hommes.

– Deviendrais-tu rêveur, juge Pazair ?

– On a voulu se débarrasser de moi de la manière la plus vile et l'on ne renoncera pas. Est-il sage d'entreprendre une guerre perdue d'avance ?

– Pour Branir, pour l'être que nous vénérons, nous avons le devoir de nous battre sans penser à nous-mêmes.

– Je ne suis qu'un petit juge, que la hiérarchie déplacera au fond de la plus reculée des provinces. On me brisera sans peine.

– Aurais-tu peur ?

– Je manque de courage. Le bagne fut une épreuve effroyable.

Elle posa la tête sur son épaule.

– Nous sommes ensemble, à présent. Tu n'as rien perdu de ta force, je le sais, je le sens.

Une douce chaleur envahit Pazair. Les douleurs s'estompèrent, la fatigue s'atténua. Néféret était une magicienne.

– Chaque jour, pendant un mois, tu boiras de l'eau recueillie dans un bassin de cuivre. C'est un remède efficace contre la langueur et le désespoir.

– Qui a pu me tendre ce piège, sinon celui qui savait que Branir deviendrait bientôt grand prêtre de Karnak et serait ainsi notre plus fidèle soutien ?

– A qui t'es-tu confié ?

– A ton persécuteur, le médecin-chef Nébamon, afin de l'impressionner.

– Nébamon... Nébamon qui détenait la preuve de ton innocence et me forçait à l'épouser!

– J'ai commis une terrible erreur. En apprenant la prochaine nomination de Branir, il a décidé de faire coup double : l'éliminer et m'accuser du crime.

Une ride creusa le front de Pazair.

– Il n'est pas le seul coupable possible. Lorsqu'il m'a arrêté, le chef de la police, Mentmosé, s'est entendu avec le Doyen du porche.

– Police et magistrature alliées dans le crime...

– Un complot, Néféret, un complot qui réunit des hommes de pouvoir et d'influence. Branir et moi devenions gênants, parce que j'avais réuni des indices décisifs, et qu'il m'aurait permis de poursuivre l'enquête jusqu'à son terme. Pourquoi la garde d'honneur du sphinx a-t-elle été exterminée : voilà la question à laquelle je dois répondre.

– Oublierais-tu le chimiste Chéchi, le vol du fer céleste, Asher le général félon ?

– Je suis incapable de relier suspects et délits.

– Avant tout, soucions-nous de la mémoire de Branir.

*

Souti avait tenu à fêter dignement le retour de son ami Pazair en invitant le juge et sa femme dans une taverne respectable de Memphis, où l'on servait un vin rouge datant de l'an un de Ramsès, de l'agneau grillé de première qualité, des légumes en sauce, et d'inoubliables gâteaux. Boute-en-train, il avait tenté de leur faire oublier pendant quelques heures l'assassinat de Branir.

De retour chez lui, chancelant, le cerveau embrumé, il se heurta à Panthère. La blonde Libyenne l'agrippa par les cheveux.

– D'où viens-tu ?

– Du bagne.

– A moitié ivre ?
– Complètement ivre, mais Pazair est sain et sauf.
– Et moi, tu t'en préoccupes ?
Il la saisit par la taille, la souleva du sol et la maintint au-dessus de sa tête.
– Je suis revenu, n'est-ce pas un miracle ?
– Je n'ai pas besoin de toi.
– Tu mens. Nos corps n'ont pas fini de se découvrir.
Il l'allongea doucement sur le lit, ôta sa robe courte avec la délicatesse d'un vieil amant et la pénétra avec la fougue d'un jouvenceau. Elle hurla de plaisir, incapable de résister à cet assaut qu'elle espérait tant.
Lorsqu'ils reposèrent, côte à côte, haletants et ravis, elle posa la main sur la poitrine de Souti.
– J'avais promis de te tromper pendant ton absence.
– Plein succès ?
– Tu ne le sauras pas. Le doute te fera souffrir.
– Détrompe-toi. Pour moi, seuls comptent l'instant et la jouissance.
– Tu es un monstre !
– T'en plaindrais-tu ?
– Aideras-tu encore le juge Pazair ?
– Nous avons échangé notre sang.
– Est-il décidé à se venger ?
– Il est juge avant d'être homme. La vérité lui importe davantage que ses ressentiments.
– Pour une fois, écoute-moi. Ne l'encourage pas et, s'il persiste, tiens-toi à l'écart.
– Pourquoi cet avertissement ?
– Il s'attaque à trop forte partie.
– Qu'en sais-tu ?
– Un pressentiment.
– Que me caches-tu ?
– Quelle femme saurait te tromper ?

*

Le bureau du chef de la police ressemblait à une ruche bourdonnante. Mentmosé ne cessait d'aller et de venir, distribuait des ordres parfois contradictoires, pressait ses employés de transporter les rouleaux de papyrus, les tablettes en bois et les plus minimes archives accumulées depuis son entrée en fonction. Les yeux fiévreux, Mentmosé grattait son crâne chauve et pestait contre la lenteur de sa propre administration.

Alors qu'il sortait dans la rue afin de vérifier le chargement d'un chariot, il se heurta au juge Pazair.

– Mon cher juge...

– Vous me contemplez comme si j'étais un fantôme.

– Quelle idée! J'espère que votre santé...

– Le bagne l'a ébranlée, mais mon épouse me remettra vite sur pied. Vous déménagez?

– Les services de l'irrigation ont prévu une crue très abondante. Je dois prendre des précautions.

– Ce quartier n'est pas inondable, me semble-t-il.

– On n'est jamais trop prudent.

– Où vous installez-vous?

– Eh bien... chez moi. C'est provisoire, bien entendu.

– C'est surtout illégal. Le Doyen du porche a-t-il été averti?

– Notre cher Doyen est très fatigué. L'importuner eût été inconvenant.

– Ne devriez-vous pas interrompre ce transfert de dossiers?

– La voix de Mentmosé devint nasillarde et aiguë.

– Vous êtes peut-être innocent du crime dont on vous a accusé, mais votre position demeure incertaine et ne vous autorise pas à me donner des ordres.

– C'est exact, mais la vôtre vous oblige à m'aider.

Les yeux du chef de la police se plissèrent, comme ceux d'un chat.

– Que voulez-vous?

– Examiner de près l'aiguille en nacre qui a tué Branir.

Mentmosé se gratta le crâne.

– En plein déménagement...

– Il ne s'agit pas d'archives, mais de pièce à conviction. Elle doit figurer dans un dossier avec le message qui m'a trompé : « Branir est en danger, venez vite. »

– Mes hommes ne l'ont pas retrouvé.

– Et l'aiguille ?

– Un instant.

Le chef de la police s'éclipsa.

L'agitation se calma. Des porteurs de papyrus posèrent leur fardeau sur les étagères et reprirent leur souffle.

Mentmosé réapparut une dizaine de minutes plus tard, la mine assombrie.

– L'aiguille a disparu.

CHAPITRE 8

Dès que Pazair but l'eau guérisseuse contenue dans une coupelle en cuivre, Brave en demanda sa part. Haut sur pattes, muni d'une longue queue recourbée à volonté, de grandes oreilles tombantes qui se redressaient à l'approche du repas, le cou orné d'un collier en cuir rose et blanc où était inscrit « Brave, compagnon de Pazair », le chien lapa le liquide bénéfique, bientôt suivi de l'âne du juge, répondant au doux nom de Vent du Nord. Coquine, le singe vert de Néféret, bondit sur le dos de l'âne, tira la queue du chien et se réfugia derrière sa maîtresse.

– Dans ces conditions, comment me soigner ?

– Ne vous plaignez pas, juge Pazair. Vous avez le privilège d'être soigné à domicile et en permanence par un médecin consciencieux.

Il l'embrassa dans le cou, à l'endroit précis où il la faisait frissonner. Néféret eut le courage de le repousser.

– La lettre.

Pazair s'assit en scribe, et déroula sur ses genoux un papyrus de belle qualité, large d'une vingtaine de centimètres. Étant donné l'importance du message, il n'utiliserait que le recto du document. A gauche, la partie enroulée ; à droite, l'extrémité déployée. Afin de donner un caractère auguste au texte, il écrirait en lignes verticales, séparées par un trait bien droit, tracé de sa plus belle encre, avec un calame dont la pointe était affinée à la perfection.

Sa main ne trembla pas.

Au vizir Bagey, de la part du juge Pazair.

Puissent les dieux protéger le vizir, Rê l'illuminer de ses rayons, Amon préserver son intégrité, Ptah lui donner la cohérence. J'espère que votre santé est excellente, et que votre prospérité ne se dément pas. Si je fais appel à vous, en ma qualité de magistrat, c'est afin de vous tenir informé de faits d'une exceptionnelle gravité. Non seulement je fus inculpé à tort de l'assassinat de Branir le sage et déporté dans un bagne de voleurs, mais encore l'arme du crime a-t-elle disparu, alors que le chef de la police, Mentmosé, en disposait.

Juge de quartier, je crois avoir mis en évidence le comportement suspect du général Asher et démontré que les cinq vétérans affectés à la garde d'honneur du sphinx ont été supprimés.

En ma personne, c'est la justice entière qui a été bafouée. On a tenté de se débarrasser de moi, avec la complicité active du chef de la police et du Doyen du porche, afin d'étouffer mon enquête et de préserver des comploteurs qui poursuivent un but que j'ignore.

Mon sort personnel m'importe peu, mais je veux identifier le ou les coupables de la mort de mon maître. Qu'il me soit aussi permis de formuler des inquiétudes pour le pays; si tant de morts atroces demeurent impunies, le crime et le mensonge ne seront-ils pas bientôt les nouveaux guides du peuple? Seul le vizir possède la capacité d'extirper les racines du mal. C'est pourquoi je sollicite son intervention, sous le regard des dieux, et en jurant sur la Règle que mes propos sont véridiques.

Pazair data, apposa son sceau, roula le papyrus, le ficela et le ferma avec un cachet d'argile. Il écrivit son nom et celui du destinataire. Dans moins d'une heure, il le remettrait au postier qui le déposerait dans la journée au bureau du vizir.

Le juge se releva, inquiet.

– Cette lettre peut signifier notre exil.

– Aie confiance. La réputation du vizir Bagey n'est pas usurpée.

– Si nous nous trompons, nous serons à jamais séparés.

– Non, car je partirai avec toi.

*

Dans le jardinet, personne.

La porte de la petite maison blanche étant ouverte, Pazair entra. Ni Souti, ni Panthère, en dépit de l'heure tardive. Peu de temps avant le coucher du soleil, les amants auraient dû prendre le frais sous la tonnelle, près du puits.

Pazair, intrigué, traversa la pièce principale. Enfin, quelques bruits. Ils ne provenaient pas de la chambre à coucher, mais de la cuisine en plein air, située à l'arrière de la demeure. Sans aucun doute, Panthère et Souti travaillaient !

La blonde Libyenne fabriquait du beurre, mélangé à du fenugrec et à du carvi, qu'elle conserverait dans la partie la plus fraîche de la cave, sans l'additionner d'eau ni de sel afin qu'il ne brunisse pas.

Souti préparait de la bière. Avec la farine d'orge moulue et malaxée, il avait pétri une pâte, cuite superficiellement dans des moules disposés autour d'un foyer. Les pains ainsi obtenus macéraient dans une eau sucrée avec des dattes ; après fermentation, il fallait brasser et filtrer le liquide, puis le transvaser dans une jarre enduite d'argile, indispensable pour la conservation.

Trois jarres étaient fichées dans les trous d'une planche surélevée et pourvues d'un bouchon en limon séché.

– Tu te lances dans l'artisanat ? demanda Pazair.

Souti se retourna.

– Je ne t'avais même pas entendu ! Oui, Panthère et moi avons décidé de faire fortune. Elle fabriquera du beurre, moi de la bière.

Excédée, la Libyenne repoussa le corps gras, s'essuya les mains dans une étoffe brune et disparut sans saluer le juge.

– Ne lui en veux pas, c'est une colérique. Oublions le beurre. Heureusement, il y a la bière ! Goûte-moi ça.

Souti sortit la plus grosse jarre de son trou, ôta le bouchon, et disposa le tuyau relié à un filtre qui ne laisserait passer que le liquide et retiendrait les parcelles de pâte en suspension.

Pazair aspira, mais s'interrompit presque aussitôt.

– Aigre !

– Comment, aigre ? J'ai suivi la recette à la lettre.

Souti aspira à son tour, et cracha.

– Infect ! J'abandonne la fabrication de la bière, ce n'est pas un métier pour moi. Où en es-tu ?

– J'ai écrit au vizir.

– Risqué.

– Indispensable.

– Tu ne résisteras pas au prochain bagne.

– La justice triomphera.

– Ta crédulité est touchante.

– Le vizir Bagey agira.

– Pourquoi ne serait-il pas corrompu et compromis, comme le chef de la police et le Doyen du porche ?

– Parce qu'il est le vizir Bagey.

– Ce vieux morceau de bois est inaccessible à toute forme de sentiment.

– Il privilégiera l'intérêt de l'Égypte.

– Les dieux t'entendent !

– Cette nuit, j'ai revécu l'horrible moment où j'ai vu l'aiguille en nacre enfoncée dans le cou de Branir. C'est un objet précieux, d'un coût élevé, que seule une main experte pouvait manier.

– Une piste ?

– Une simple idée, peut-être dépourvue d'intérêt. Approuverais-tu une visite au principal atelier de tissage de Memphis ?

– Moi, en mission ?

– Les femmes y sont très belles, paraît-il.
– En aurais-tu peur ?
– L'atelier ne se trouve pas dans ma juridiction. Mentmosé profiterait du moindre faux pas.

*

Monopole royal, le tissage employait un grand nombre d'hommes et de femmes. Ils travaillaient sur des métiers de basse lisse, constitués de deux rouleaux sur lesquels s'enroulaient les fils de la chaîne, et de haute lisse, formée d'un cadre rectangulaire posé verticalement, le fil de chaîne s'enroulant sur le rouleau supérieur, et la toile sur le rouleau inférieur. Certains tissus dépassaient vingt mètres de long, leur hauteur variant d'un mètre vingt à un mètre quatre-vingts.

Souti observa un tisserand, les genoux remontés sur la poitrine, qui achevait un galon pour la tunique d'un noble ; il accorda davantage d'attention aux jeunes filles qui boudinaient et enroulaient en pelote des fibres de lin rouies. Leurs collègues, non moins séduisantes, disposaient une chaîne sur l'ensouple supérieure d'un métier posé à plat, avant d'entrecroiser deux séries de fils tendus. Une fileuse utilisait un bâton couronné d'un disque de bois qu'elle manœuvrait avec une dextérité stupéfiante.

Souti ne passa pas inaperçu ; son visage allongé, son regard direct, ses longs cheveux noirs, son allure empreinte d'élégance et de force, laissaient peu de femmes indifférentes.

– Que cherchez-vous ? demanda la fileuse, qui mouillait les fibres afin d'obtenir un fil mince et résistant.

– J'aimerais m'entretenir avec le directeur de l'atelier.

– La dame Tapéni ne reçoit que les visiteurs recommandés par le palais.

– Jamais d'exception ? murmura Souti.

Émue, la fileuse abandonna son outil.

– Je vais voir.

L'atelier était vaste et propre. L'inspection du travail l'exigeait. La lumière pénétrait par des lucarnes rectangulaires percées au-dessous du toit plat, la circulation d'air était obtenue grâce à une disposition savante de fenêtres oblongues. L'hiver, on travaillait au chaud; l'été, au frais. Les spécialistes qualifiés, après plusieurs années d'apprentissage, percevaient un salaire élevé, sans discrimination entre hommes et femmes.

Alors que Souti souriait à une tisserande, la fileuse réapparut.

– Veuillez me suivre.

La dame Tapéni, dont le nom signifiait « la souris », siégeait dans une immense pièce où étaient disposés métiers, chaînes, bobines de fil, aiguilles, bâtons de fileuses et autres instruments nécessaires à la pratique de son art. Petite, les cheveux noirs, les yeux verts, la peau brune, très vive, elle régnait sur les ouvriers avec une poigne de militaire. Sa douceur apparente cachait un autoritarisme souvent pénible. Mais les produits qui sortaient de son atelier étaient d'une beauté telle qu'aucune critique ne pouvait lui être adressée. Célibataire à trente ans, Tapéni ne songeait qu'à son métier. Famille et enfants lui apparaissaient comme des obstacles à la poursuite d'une carrière.

Dès qu'elle vit Souti, elle prit peur.

Peur de tomber stupidement amoureuse d'un homme à qui il suffisait de paraître pour séduire. Sa crainte se transforma aussitôt en un autre sentiment, excitant à souhait : l'attrait irrésistible de la chasseresse pour sa proie. Sa voix fut caressante.

– De quelle manière puis-je vous aider?

– Il s'agit d'une affaire... privée.

Tapéni renvoya ses assistantes. Le parfum du mystère décuplait sa curiosité.

– A présent, nous sommes seuls.

Souti fit le tour de la pièce et s'arrêta devant une

rangée d'aiguilles en nacre disposées sur une planchette recouverte de tissu.

– Elles sont superbes. Qui est autorisé à les manier ?

– Vous intéresseriez-vous à mes secrets de métier ?

– Ils me passionnent.

– Inspecteur du palais ?

– Rassurez-vous : je cherche une personne qui a utilisé ce type d'aiguille.

– Une maîtresse enfuie ?

– Qui sait ?

– Les hommes s'en servent aussi. J'espère que vous n'êtes pas...

– Que vos craintes soient dissipées.

– Comment vous appelez-vous ?

– Souti.

– Votre profession ?

– Je voyage beaucoup.

– Marchand et un peu espion... vous êtes très beau.

– Vous êtes ravissante.

– Vraiment ?

Tapéni tira le loquet en bois qui faisait office de verrou.

– Trouve-t-on ces aiguilles dans n'importe quel atelier ?

– Seuls les plus grands en possèdent.

– La liste des utilisateurs est donc limitée.

– Certes.

Elle s'approcha, tourna autour de lui, toucha ses épaules.

– Tu es fort. Tu dois savoir te battre.

– Je suis un héros. Accepteriez-vous de me donner des noms ?

– Peut-être. Es-tu si pressé ?

– Identifier le propriétaire d'une aiguille comme celle-là...

– Tais-toi un peu, nous en parlerons plus tard. J'accepte de t'aider, à condition que tu sois tendre, très tendre...

Elle posa ses lèvres sur celles de Souti qui, après une brève hésitation, fut obligé de répondre à l'invitation. La politesse et le sens de la réciprocité comptaient parmi les valeurs intangibles de la civilisation. Ne pas refuser un cadeau figurait parmi les impératifs de la morale de Souti.

La dame Tapéni enduisit le sexe de son amant d'une pommade à base de graines d'acacia pilées avec du miel ; le sperme stérilisé, elle jouirait en toute quiétude de ce magnifique corps d'homme, en oubliant le bruit des métiers à tisser et les récriminations des ouvriers.

« Enquêter pour Pazair, songea Souti, ne présente pas que des dangers. »

CHAPITRE 9

Le juge Pazair et son policier, le Nubien Kem, se donnèrent l'accolade. Le colosse noir était accompagné de son babouin au regard si inquisiteur qu'il effrayait les passants. Ému aux larmes, le Nubien tâta la prothèse en bois qui remplaçait son nez coupé.

– Néféret m'a tout raconté. Si je suis libre, c'est grâce à vous deux.

– Le babouin s'est montré persuasif.

– Des nouvelles de Nébamon ?

– Il se repose dans sa villa.

– Il reprendra l'offensive.

– Qui en doute ? Il faudra vous montrer plus prudent.

– A condition d'être encore juge. J'ai écrit au vizir : ou il s'occupe de l'enquête et me confirme dans mes fonctions, ou il estime ma requête insolente et irrecevable.

Rougeaud, joufflu, les bras chargés de papyrus, le greffier Iarrot entra dans le bureau du juge.

– Voilà ce que j'ai traité en votre absence ! Dois-je reprendre le travail ?

– J'ignore mon sort futur, mais je déteste les dossiers en attente. Tant qu'on ne me l'interdit pas, j'apposerai mon sceau. Comment se porte votre fille ?

– Un début de rougeole, et une bagarre avec un odieux petit garçon qui l'a griffée au visage. J'ai porté plainte contre les parents. Par bonheur, elle danse de mieux en mieux. Mais ma femme... quelle harpie!

Bougon, Iarrot rangea les papyrus dans les bonnes cases.

– Je ne quitte plus mon bureau avant la réponse du vizir, indiqua Pazair.

– Je vais rôder du côté de chez Nébamon, déclara le Nubien.

*

Néféret et Pazair avaient pris la décision de ne jamais habiter la maison de Branir. Là où le malheur avait frappé, nul ne devait résider. Ils se contenteraient de la petite demeure de fonction, dont la moitié était occupée par les archives du juge. S'ils en étaient chassés, ils retourneraient dans la région thébaine.

Néféret se levait plus tôt que Pazair qui aimait travailler tard. Après s'être lavée et maquillée, elle nourrissait le chien, l'âne et la guenon verte. Brave, qui souffrait d'une petite infection à une patte, était soigné avec de la boue du Nil dont les vertus désinfectantes agissaient vite.

La jeune femme posait sa trousse médicale sur le dos de Vent du Nord; avec un sens inné de l'orientation, l'âne la guidait dans les ruelles du quartier où des malades requéraient son intervention. Ils la rétribuaient en remplissant de nourritures variées les paniers que l'âne portait avec une satisfaction évidente. Riches et pauvres ne vivaient pas dans des quartiers séparés; des terrasses arborées dominaient de petites maisons en briques séchées, de vastes villas entourées de jardins côtoyaient des ruelles animées où circulaient bêtes et gens. On s'apostrophait, on négociait, on riait, mais Néféret n'avait guère le temps de participer aux discussions et aux réjouissances. Après trois jours d'une lutte incertaine, elle chassait enfin une fièvre maligne du corps d'une fillette qu'avaient envahi les démons de la nuit. La petite malade pouvait absorber du lait de nourrice conservé dans un vase en forme d'hippopotame, la marche de son cœur était bonne, le pouls régulier. Néféret orna son cou d'un collier de fleurs et ses oreilles de boucles légères; le sourire de sa patiente fut la plus belle des récompenses.

Quand elle rentra, harassée, Souti discutait avec Pazair.

– J'ai vu la dame Tapéni, supérieure du principal atelier de tissage de Memphis.

– Résultats?

– Elle accepte de m'aider.

– Une piste sérieuse?

– Pas encore. De nombreuses personnes ont pu utiliser ce type d'aiguille.

Pazair baissa les yeux.

– Dis-moi, Souti... Cette dame Tapéni est-elle jolie?

– Pas désagréable.

– Ce premier contact fut-il seulement... amical?

– La dame Tapéni est indépendante et affectueuse.

Néféret se parfuma et leur versa à boire.

– Cette bière-là est sans risques, indiqua Pazair; ce n'est peut-être pas le cas de ta liaison avec Tapéni.

– Tu songes à Panthère? Elle comprendra les besoins de l'enquête.

Souti embrassa Néféret sur les deux joues.

– N'oubliez pas, l'un et l'autre, que je suis un héros!

*

Dénès, transporteur riche et renommé, aimait se reposer dans la salle de séjour de sa somptueuse villa de Memphis. Sur les murs, des fleurs de lotus; au sol, des dalles de couleur, évocation de poissons s'ébattant dans un étang. Dans une dizaine de paniers dispersés sur des guéridons, des grenades et du raisin. Lorsqu'il revenait des docks, où il contrôlait le départ et l'arrivée de ses bateaux, il aimait déguster du lait caillé salé et boire de l'eau tenue au frais dans une aiguière en terre cuite. Allongé sur des coussins, il se faisait masser par une servante et raser par son barbier personnel qui égalisait les poils de son fin collier de barbe blanche. Le visage carré, lourd, Dénès cessait de donner des ordres lorsque intervenait son épouse Nénophar ; plantureuse et imposante, vêtue à la dernière mode, elle possédait les trois quarts de la fortune du couple. Aussi, lors de leurs nombreux affrontements, Dénès jugeait-il préférable de céder.

Cet après-midi-là, nulle dispute. Dénès avait sa tête des mauvais jours et n'écoutait même pas le discours enflammé de Nénophar, qui pestait contre le fisc, la chaleur et les mouches.

Quand un serviteur introduisit le dentiste Qadash, Dénès se leva et l'embrassa.

– Pazair est revenu, déclara le praticien, très sombre.

Larmoyant, le front bas, les pommettes saillantes, il frottait ses mains rouges en raison d'une mauvaise circulation sanguine. Sur son nez, des veinules violettes, prêtes à éclater. Les cheveux blancs en désordre, Qadash s'agitait.

Lui et son ami Dénès avaient souffert des soupçons du juge et subi ses attaques, sans qu'il parvînt à démontrer leur culpabilité.

– Que s'est-il passé ? Un rapport officiel proclamait le décès de Pazair !

– Calme-toi, recommanda Dénès. Il est revenu, mais n'ose plus entreprendre une quelconque action contre nous. Sa détention l'a brisé.

– Qu'en sais-tu ? protesta Nénophar, qui se fardait en prélevant un onguent dans le creux d'une cuillère dont le manche représentait un nègre allongé, les mains liées derrière le dos. Ce petit juge est un acharné. Il se vengera.

– Je ne le crains pas.

– Parce que tu es aveugle, comme d'habitude !

– Ta position à la cour nous permet d'être informés en permanence sur les menées de Pazair.

La dame Nénophar, qui animait avec fougue une équipe d'agents commerciaux chargés de vendre des produits égyptiens à l'étranger, avait obtenu les postes d'intendante des étoffes et d'inspectrice du Trésor.

– L'appareil judiciaire n'a aucun rapport avec les exigences économiques, objecta-t-elle. Et s'il remonte jusqu'au vizir ?

– Bagey est aussi raide qu'intraitable. Il ne se laissera pas manipuler par un magistrat ambitieux, dont le seul but est de faire scandale afin d'accroître sa notoriété.

L'arrivée du chimiste Chéchi interrompit la conversation. Petit, la lèvre supérieure ornée d'une moustache noire, renfermé au point de se confiner des jours entiers dans le silence, il se déplaçait comme une ombre.

– Je suis en retard.

– Pazair est à Memphis ! révéla Qadash en bredouillant.

– Je suis au courant.

– Qu'en pense le général Asher ?

– Il est aussi surpris que vous et moi. Nous avions accueilli avec joie l'annonce de la mort du petit juge.

– Qui l'a fait libérer ?

– Asher l'ignore.

– Quelles mesures compte-t-il prendre ?

– Je n'ai pas eu droit à ses confidences.

– Le programme d'armement ? interrogea Dénès.

– Il se poursuit.

– Une expédition en vue ?

– Le Libyen Adafi a fomenté quelques troubles près de Byblos, mais les forces de maintien de l'ordre ont suffi à stopper la révolte de deux villages.

– Asher garde donc la confiance de Pharaon.

– Tant que sa culpabilité n'aura pas été prouvée, le roi ne peut démettre un héros qu'il a lui-même décoré et nommé chef de ses instructeurs de l'armée d'Asie.

La dame Nénophar passa autour de son cou un collier d'améthystes.

– La guerre fait souvent bon ménage avec le commerce. Si Asher prévoit une campagne contre la Syrie ou la Libye, avertissez-moi sans délai. Je changerai mes circuits commerciaux et saurai me montrer généreuse envers vous.

Chéchi s'inclina.

– Vous oubliez Pazair! protesta Qadash.

– Un homme seul contre des forces qui l'écraseront, ironisa Dénès. Continuons à ruser.

– Et s'il comprend?

– Laissons agir Nébamon. Notre brillant médecin-chef n'est-il pas le premier concerné?

*

Nébamon prenait une dizaine de bains chauds par jour dans une grande cuve en granit rose où ses serviteurs versaient un liquide aromatisé. Puis il s'enduisait les testicules d'une pommade calmante qui, peu à peu, apaisait la douleur.

Le maudit babouin de Kem, le policier nubien, lui avait presque arraché sa virilité. Deux jours après l'agression, une kyrielle de boutons avait affligé la peau délicate des bourses. Redoutant une suppuration, le médecin-chef s'était isolé dans la plus belle de ses villas, après avoir annulé les opérations de chirurgie esthétique promises aux beautés vieillissantes de la cour.

Plus il haïssait Pazair, plus il aimait Néféret. Elle s'était moquée de lui, certes, mais il ne lui en gardait pas rancune. Sans ce juge médiocre, pernicieux à force d'obstination, la jeune femme aurait cédé et serait devenue son épouse.

Nébamon n'avait jamais échoué. Il souffrait dans sa chair de cet insupportable affront.

Le meilleur allié de Nébamon demeurait Mentmosé. La position du chef de la police, qui avait détruit le message destiné à attirer Pazair chez son maître et l'arme du crime, devenait des plus délicates. Une enquête serrée démontrerait au moins son incompétence. Mentmosé, qui avait intrigué sa vie durant afin d'obtenir son poste, ne supporterait pas une révocation.

Tout n'était donc pas perdu.

*

Le général Asher en personne dirigeait l'exercice des soldats d'élite qui, dès qu'ils en recevraient l'ordre, partiraient pour l'Asie. Petit, un visage de rongeur, les cheveux ras, les épaules couvertes de poils noirs et raides, les jambes courtes, la poitrine barrée d'une cicatrice, il prenait un réel plaisir à voir souffrir des hommes chargés de sacs remplis de pierres, obligés de ramper dans le sable et la poussière, et de se défendre contre un agresseur armé d'un couteau. Sans pitié, il éliminait les vaincus. Les officiers ne jouissaient d'aucune prérogative; eux aussi devaient prouver leurs aptitudes physiques.

– Que pensez-vous de ces futurs héros, Mentmosé ?

Le chef de la police, engoncé dans un manteau de laine, supportait mal la fraîcheur de l'aube.

– Félicitations, général.

– La moitié de ces imbéciles est inapte au service, et l'autre ne vaut guère mieux ! Notre armée est trop riche et trop paresseuse. Nous n'avons plus le goût de la victoire.

Mentmosé éternua.

– Auriez-vous pris froid ?

– Les soucis, la fatigue...

– Le juge Pazair ?

– Votre aide me serait précieuse, général.

– En Égypte, personne ne peut s'attaquer à la justice. Dans d'autres pays, nous aurions davantage de libertés.

– Un rapport affirmait qu'il était mort en Asie...

– Banale erreur administrative, dont je ne suis pas

responsable. Le procès que Pazair m'a intenté n'a pas abouti, et j'ai été maintenu dans mes fonctions. Le reste ne m'intéresse pas.

– Vous devriez être plus circonspect.

– Ce petit juge n'est-il pas disqualifié ?

– Les charges retenues contre lui ont été abandonnées. Ne pourrions-nous envisager ensemble... une solution ?

– Vous êtes policier, je suis soldat. Ne mélangeons pas les genres.

– Dans notre intérêt respectif...

– Mon intérêt consiste à me tenir le plus loin possible de ce juge. A plus tard, Mentmosé ; mes officiers m'attendent.

CHAPITRE 10

La hyène traversa le faubourg du sud, jeta son sinistre cri, descendit la berge, et se désaltéra dans le canal. Des enfants hurlèrent, apeurés. Leurs mères les rentrèrent dans les maisons et claquèrent la porte. Personne ne s'attaqua à la bête, énorme et sûre d'elle. Même les chasseurs expérimentés n'osèrent s'en approcher. Satisfaite, la hyène regagna le désert.

Chacun se souvint de l'antique prophétie : lorsque les bêtes sauvages boiront au fleuve, l'injustice régnera et le bonheur fuira le pays.

Le peuple murmura, et sa plainte mille fois reprise d'un quartier à l'autre parvint aux oreilles de Ramsès le grand. L'invisible commençait à parler ; en s'incarnant dans le corps d'une hyène, il désavouait le roi aux yeux du pays. Dans toutes les provinces, on s'inquiéta du mauvais présage, et l'on s'interrogea sur la légitimité du règne.

Bientôt, Pharaon devrait agir.

*

Néféret nettoyait la chambre avec un balai court ; à genoux, elle tenait ferme le manche rigide et, d'un poignet souple, agitait de longues fibres de jonc assemblées par écheveaux.

– La réponse du vizir ne vient pas, constata Pazair, assis sur un siège bas.

Néféret posa la tête sur les genoux du juge.

– Pourquoi te tourmenter sans cesse? L'inquiétude te ronge et t'affaiblit.

– Que va tenter Nébamon contre toi?

– Ne me protégeras-tu pas?

Il lui caressa les cheveux.

– Tout ce que je désire, je le trouve auprès de toi. Comme cette heure est belle! Quand je dors à tes côtés, une éternité de bonheur m'inonde. En m'aimant, tu as élevé mon cœur. Tu es en lui, tu le remplis de ta présence. Ne sois jamais loin de moi. Quand je te regarde, mes yeux n'ont plus besoin d'autre lumière.

Leurs lèvres s'unirent, avec la douceur d'un premier émoi.

Ce matin-là, Pazair descendit à son bureau avec beaucoup de retard.

*

Néféret s'apprêtait à partir en consultation lorsqu'une jeune femme essoufflée courut vers elle.

– Attendez, je vous prie! clama Silkis, l'épouse du haut fonctionnaire Bel-Tran.

L'âne, chargé de la trousse médicale, consentit à demeurer immobile.

– Mon mari souhaiterait voir d'urgence le juge Pazair.

Bel-Tran, fabricant et vendeur de papyrus, avait été remarqué pour ses qualités de gestionnaire et élevé au rang de trésorier principal des greniers, puis de sous-directeur du Trésor. Pazair l'ayant secouru pendant une période difficile, il lui vouait reconnaissance et amitié. Silkis, beaucoup plus jeune que lui, avait été cliente du médecin-chef Nébamon qui avait réussi à affiner son visage et ses fortes hanches. Bel-Tran tenait à se montrer aux côtés d'une épouse digne des plus belles dames d'Égypte, fût-ce au prix de la chirurgie esthétique. La peau claire, les traits plus fins, Silkis ressemblait à une adolescente aux formes épanouies.

– S'il acceptait de venir avec moi, je l'emmènerai au siège du Trésor où Bel-Tran le recevra, avant de partir pour le Delta. Auparavant, j'aimerais bénéficier de vos soins.

– De quoi souffrez-vous ?

– D'affreuses migraines.

– Que mangez-vous ?

– Beaucoup de sucreries, je l'avoue. J'adore le jus de figues, je raffole du jus de grenade et je nappe mes pâtisseries de jus de caroube.

– Les légumes ?

– Je les aime moins.

– Davantage de légumes, moins de sucreries. Vos migraines devraient s'atténuer. Localement, vous appliquerez une pommade.

Néféret lui prescrivit un remède composé de tige de roseau, de genévrier, de sève de pin, de baies de laurier et de résine de térébinthe, broyés et réduits en une masse compacte, additionnée de graisse.

– Mon mari vous rétribuera largement.

– A sa guise.

– Accepteriez-vous de devenir notre médecin ?

– Si ma thérapie vous convient, pourquoi pas ?

– Mon mari et moi en serons très heureux. Puis-je emmener le juge ?

– A condition de ne pas le perdre.

*

Plus Bel-Tran travaillait vite, plus on lui confiait de dossiers épineux et délicats. Sa prodigieuse mémoire des chiffres et sa capacité de calculer à une vitesse sidérante le rendaient indispensable. Quelques semaines après sa prise de fonction parmi les hauts fonctionnaires du Trésor, il bénéficiait d'une promotion et devenait l'un des proches collaborateurs du Directeur de la Maison de l'or et de l'argent, en charge des finances du royaume. On ne tarissait pas d'éloges sur son compte; précis, rapide, méthodique, travailleur acharné, il dormait peu, était le premier arrivé dans les locaux du Trésor et le dernier parti. D'aucuns lui promettaient une carrière fulgurante.

Bel-Tran était entouré de trois scribes à qui il dictait des courriers administratifs quand son épouse introduisit Pazair. Il lui donna une vigoureuse accolade, termina la tâche en cours, congédia les scribes et pria sa femme de lui préparer un copieux déjeuner.

– Nous avons un cuisinier, mais Silkis est intraitable sur la qualité des produits. Son avis est décisif.

– Vous paraissez très affairé.

– Je n'imaginais pas que mes nouvelles fonctions seraient si exaltantes. Mais parlons plutôt de vous!

Les cheveux très noirs plaqués sur un crâne rond par un onguent odorant, l'ossature lourde, les mains et les pieds potelés, Bel-Tran parlait vite et s'agitait sans cesse. Il semblait incapable de jouir d'un moment de repos, traversé par dix projets et mille soucis.

– Vous avez vécu un calvaire. Je n'ai été informé que très tard et n'ai pu intervenir d'aucune manière.

– Je ne vous le reproche pas. Seul Souti pouvait me tirer de ce mauvais pas.

– Les coupables, d'après vous?

– Le Doyen du porche, Mentmosé et Nébamon.

– Le Doyen devra démissionner. Le cas de Mentmosé est plus délicat; il jurera qu'il a été abusé. Quant à Nébamon, il se terre dans son domaine, mais n'est pas homme à renoncer. N'oubliez-vous pas le général Asher? Il vous hait. Lors du procès, vous avez failli détruire sa réputation; sa puissance demeure néanmoins intacte et son influence n'a pas diminué. N'est-ce pas lui, dans l'ombre, qui manipule des pantins?

– J'ai écrit au vizir pour lui demander de poursuivre l'enquête.

– Excellente idée.
– Il n'a pas encore répondu.
– Je suis confiant. Bagey n'acceptera pas de voir la justice ainsi bafouée. En s'attaquant à vous, vos ennemis se heurteront à lui.
– Même s'il me retire l'affaire, même si je ne suis plus juge, j'identifierai l'assassin de Branir. Je m'estime responsable de sa mort.
– Qu'allez-vous imaginer ?
– J'ai été trop bavard.
– Ne vous torturez pas ainsi.
– M'accuser de meurtre sur sa personne était le coup le plus cruel que l'on pouvait me porter.
– Ils ont échoué, Pazair ! Je tenais à vous voir pour vous assurer de mon soutien. Quelles que soient les épreuves futures, je suis avec vous. Ne souhaiteriez-vous pas déménager, habiter une demeure plus spacieuse ?
– J'attends la réponse du vizir.

*

Kem, même dans son sommeil, demeurait sur le qui-vive. De ses années d'enfance et d'adolescence passées dans les lointaines contrées de Nubie, il avait gardé l'instinct du chasseur. Combien de ses camarades, trop sûrs d'eux, avaient péri dans la savane, lacérés par les griffes d'un lion ?

Le Nubien se réveilla en sursaut et tâta son nez en bois ; parfois, il rêvait que la matière inerte se transformait en chair palpitante. Mais l'heure n'était pas aux illusions ; des hommes montaient l'escalier. Le babouin, lui aussi, avait ouvert les yeux. Kem vivait entouré d'arcs, d'épées, de poignards et de boucliers ; aussi s'équipa-t-il en un instant, alors que deux policiers enfonçaient la porte du logement. Il assomma le premier, le babouin le second ; mais une vingtaine d'autres agresseurs les suivirent.

– Enfuis-toi! ordonna le Nubien à son singe.

Le babouin lui offrit un regard où se mêlaient le dépit et la promesse d'une vengeance. Échappant à la meute, il passa par une fenêtre, sauta sur le toit de la maison voisine et disparut.

Kem, luttant avec la dernière énergie, fut difficile à maîtriser; renversé sur le dos, garrotté, il vit entrer Mentmosé.

Le chef de la police passa lui-même une entrave en forme d'amande creuse autour des poignets ficelés.

– Enfin, dit-il en souriant, nous tenons l'assassin.

*

Panthère broya des débris de saphir, d'émeraude, de topaze et d'hématite, tamisa la poudre obtenue avec un crible en jonc fin, puis la versa dans un chaudron sous lequel elle alluma un feu de bois de sycomore. Elle ajouta un peu de résine de térébinthe afin d'obtenir un onguent de luxe, dont elle formerait un cône; elle en graisserait perruques, coiffes et cheveux, et se parfumerait le corps entier.

Souti surprit la blonde Libyenne alors qu'elle se penchait sur sa mixture.

– Tu me coûtes cher, diablesse, et je n'ai pas encore trouvé le moyen de faire fortune. Je ne peux même plus te vendre comme esclave.

– Tu as couché avec une Égyptienne.

– Comment le sais-tu?

– Je le sens. Son odeur te souille.

– Pazair m'a confié une enquête délicate.

– Pazair, encore Pazair! T'a-t-il ordonné de me tromper?

– J'ai conversé avec une femme remarquable, en charge du principal atelier de tissage de la ville.

– Qu'a-t-elle de si... remarquable? Ses fesses, son sexe, ses seins, son...

– Ne sois pas vulgaire.

Panthère se jeta sur son amant avec une telle violence qu'elle le plaqua contre un mur et lui coupa la respiration.

– Dans ton pays, n'est-ce pas un crime d'être infidèle ?

– Nous ne sommes pas mariés.

– Bien sûr que si, puisque nous vivons sous le même toit !

– En raison de tes origines, il nous faudrait un contrat. Je déteste la paperasse.

– Si tu ne la quittes pas immédiatement, je te tuerai.

Souti renversa la situation. Ce fut au tour de la Libyenne d'être plaquée contre le mur.

– Écoute-moi bien, Panthère. Personne ne m'a jamais dicté ma conduite. Si je dois en épouser une autre pour remplir mes devoirs d'ami, je le ferai. Ou tu le comprends, ou tu t'en vas.

Ses yeux se dilatèrent, mais aucune larme n'en sortit. Elle le tuerait, c'était certain.

*

De sa plus belle écriture, le juge Pazair s'apprêtait à rédiger une seconde missive au vizir, afin de mieux souligner la gravité des faits et de solliciter une intervention urgente de la part du premier magistrat d'Égypte, lorsque le chef de la police entra dans son bureau.

Mentmosé avait une mine réjouie.

– Juge Pazair, je mérite vos félicitations !

– Pour quelle raison ?

– J'ai arrêté l'assassin de Branir.

Sans quitter la posture de scribe, Pazair observa Mentmosé.

– L'affaire est trop grave pour se prêter à la plaisanterie.

– Je ne plaisante pas.

– Son nom ?

– Kem, votre policier nubien.
– Grotesque.
– Cet homme est une brute! Souvenez-vous de son passé. Il a déjà tué.
– Vos accusations sont d'une extrême gravité. Sur quelle preuve se fondent-elles?
– Témoin oculaire.
– Qu'il comparaisse devant moi.
Mentmosé parut gêné.
– C'est malheureusement impossible, et surtout, inutile.
– Inutile?
– Le procès a été organisé et la justice rendue.
Pazair se leva, interloqué.
– Je possède un document signé du Doyen du porche.
Le juge lut le papyrus. Kem, condamné à mort, avait été enfermé dans un cachot de la grande prison.
– Le nom du témoin n'apparaît pas.
– C'est sans importance... Il a vu Kem tuer Branir, et l'a déclaré sous serment.
– Qui est-il?
– Oubliez-le. L'assassin sera châtié, c'est l'essentiel.
– Vous perdez votre sang-froid, Mentmosé! Autrefois, vous n'auriez même pas osé me montrer un document aussi misérable.
– Je ne comprends pas...
– Le jugement a été rendu hors de la présence de l'accusé. Cette illégalité entraîne l'annulation de la procédure.
– Je vous apporte la tête du coupable, et vous me parlez de technique judiciaire!
– De justice, rectifia Pazair.
– Pour une fois, soyez raisonnable! Certains scrupules sont stériles.
– La culpabilité de Kem n'est pas établie.
– Peu importe. Qui regrettera un nègre mutilé et criminel?

Si Pazair n'avait été revêtu de sa dignité de juge, il n'aurait pas contenu la violence qui l'enflammait.

– Je connais mieux la vie que vous, continua Mentmosé. Certains sacrifices sont nécessaires. Votre fonction vous oblige à songer d'abord au royaume, à son bien-être et à sa sécurité.

– Kem les menacerait-il ?

– Ni vous ni moi n'avons intérêt à soulever certains voiles. Osiris accueillera Branir dans le paradis des justes, et le crime sera puni. Que souhaitez-vous de plus ?

– La vérité, Mentmosé.

– Illusion !

– Sans elle, l'Égypte mourrait.

– C'est vous qui disparaîtrez, Pazair.

*

Kem ne redoutait pas la mort, mais souffrait de l'absence de son babouin. Privé d'un frère, après tant d'années de travail en commun, il ne pouvait plus échanger avec lui des regards complices et tenir compte de ses intuitions. Il se réjouissait, néanmoins, de sa liberté préservée. Lui était enfermé dans une sorte de cave au plafond bas où régnait une chaleur étouffante. Pas de jugement, une condamnation immédiate, et une exécution sommaire : cette fois, il n'échapperait pas à ses ennemis. Pazair n'aurait pas le temps d'intervenir et ne pourrait que déplorer la disparition du Nubien, que Mentmosé maquillerait en accident.

Kem n'éprouvait aucune estime envers la race humaine. Il la jugeait corrompue, vile et sournoise, juste bonne à servir de pâture au monstre qui, près de la balance du jugement dernier, dévorait les damnés. L'un de ses seuls bonheurs était d'avoir connu Pazair ; par son attitude, il affirmait l'existence d'une justice à laquelle Kem ne croyait plus depuis longtemps. Avec Néféret, sa compagne pour l'éternité, il s'engageait dans un combat perdu d'avance, sans se soucier de son destin. Le Nubien eût aimé l'aider jusqu'au bout, jusqu'au désastre final où le mensonge, comme d'ordinaire, l'emporterait.

La porte de la cellule s'ouvrit.

Le Nubien se redressa et bomba le torse. Il ne donnerait pas au bourreau l'image d'un homme abattu. D'un coup de reins, il sortit de sa prison, écartant le bras tendu vers lui.

Ébloui par le soleil, il crut que ses yeux le trompaient.

– Ce n'est pas...

Pazair coupa la corde qui entravait les poignets de Kem.

– J'ai brisé l'acte d'accusation, en raison de ses nombreuses illégalités. Vous êtes libre.

Le colosse prit le juge dans ses bras, au risque de l'étouffer.

– Vos ennuis ne sont-ils pas assez nombreux ? Vous auriez dû m'oublier dans ce cul-de-basse-fosse.

– L'incarcération affaiblirait-elle vos facultés ?

– Mon singe ?

– En fuite.

– Il reviendra.

– Il est également disculpé. Le Doyen du porche a reconnu le bien-fondé de mes protestations et désavoué le chef de la police.

– Je tordrai le cou de Mentmosé.

– Vous vous rendriez coupable de meurtre. Nous avons mieux à faire, notamment identifier le mystérieux témoin oculaire qui est à l'origine de votre arrestation.

Le Nubien leva ses poings serrés vers le ciel.

– Celui-là, laissez-le-moi !

Le juge ne répondit pas. Kem se sentit animé d'une joie sauvage lorsqu'il retrouva son arc, ses flèches, son gourdin et son bouclier en bois revêtu d'une peau de bœuf.

– Le babouin est un tueur, ajouta-t-il, rieur. Lui, aucune loi ne l'arrêtera.

*

Devant le sarcophage pillé de Khéops, Ramsès le grand se recueillit. La gorge serrée, la poitrine douloureuse, l'homme le plus puissant du monde était devenu l'esclave d'une bande d'assassins et de voleurs. En s'emparant des emblèmes sacrés de la royauté, en le privant de la grande magie d'État voulue par les dieux, ils rendaient son pouvoir illégitime et le condamnaient à abdiquer, tôt ou tard, en faveur d'un intrigant qui détruirait l'œuvre entreprise depuis tant de dynasties.

Ce n'était pas seulement à sa personne que les criminels s'attaquaient, mais à l'idéal de gouvernement et aux valeurs traditionnelles qu'il incarnait. Si des Égyptiens figuraient au nombre des coupables, ils n'avaient pas agi seuls; Libyens, Hittites ou Syriens leur avaient insufflé le plus maléfique des projets afin de faire tomber l'Égypte de son piédestal et de l'ouvrir aux influences étrangères au point de la rendre dépendante.

De Pharaon en Pharaon, le testament des dieux avait été transmis et conservé intact. Aujourd'hui, des mains impures le détenaient et des cerveaux diaboliques le manipulaient. Longtemps, Ramsès avait espéré que le ciel le protégerait et que le peuple demeurerait ignorant du drame, jusqu'à ce qu'il décelât une solution.

Mais l'étoile du grand monarque commençait à pâlir.

La crue prochaine serait insuffisante. Bien sûr, les réserves des greniers royaux nourriraient les provinces les plus défavorisées et aucun Égyptien ne mourrait de faim. Mais des cultivateurs seraient contraints de quitter leurs champs, et l'on murmurerait que le roi n'avait plus la capacité d'écarter le malheur, à moins qu'il ne célébrât une fête de régénération, au cours de laquelle dieux et déesses lui réinsuffleraient une énergie nouvelle. Une énergie réservée au dépositaire du testament légitimant son règne.

Ramsès le grand implora la lumière dont il était le fils; il ne céderait pas sans combattre.

CHAPITRE 11

Le manche en bois de son rasoir bien en main, le barbier passa la lame de cuivre sur les joues, le menton et le cou du juge Pazair, assis sur un tabouret, devant sa demeure, à côté de Vent du Nord qui observait la scène d'un œil placide, tandis que Brave dormait entre les pattes de l'âne.

Comme tous les barbiers, celui-là était bavard.

– Si vous vous faites aussi beau, c'est qu'on vous a convoqué au palais.

– Comment vous le cacher ?

Pazair ne précisa pas qu'il venait de recevoir une réponse fort brève du vizir qui le mandait sans délai en cette belle matinée d'été.

– Une promotion ?

– Peu probable.

– Que les dieux vous soient favorables ! Il est vrai qu'un bon juge est leur allié.

– C'est préférable, en effet.

Le barbier plongea sa lame dans une coupe à pied contenant de l'eau additionnée de natron. Il s'écarta de son client, contempla son œuvre et, avec délicatesse, rasa quelques poils rebelles sous le menton.

– Les émissaires de Pharaon ont transmis de curieux décrets, ces jours derniers ; pourquoi Ramsès le grand tient-il à réaffirmer qu'il est l'unique rempart contre le malheur et les cataclysmes ? Personne n'en doute, dans le pays. Enfin, personne... On murmure quand même que sa puissance décline. La hyène qui boit au fleuve, la mauvaise crue, des pluies dans le Delta à cette saison... Ce sont des signes tangibles du mécontentement des dieux. Certains estiment que Ramsès devrait célébrer une fête de régénération afin de retrouver la plénitude de son pouvoir magique. Quel moment magnifique ! Quinze jours de repos, distribution de nourritures, la bière à volonté, des danseuses dans les rues... Pendant que le roi sera enfermé dans le temple avec les divinités, nous prendrons du bon temps !

Les décrets royaux avaient intrigué Pazair. Quel obscur adversaire redoutait Ramsès ? Il avait le sentiment que le monarque se tenait sur la défensive, sans nommer l'adversaire, visible ou invisible, qu'il combattait. Pourtant, l'Égypte demeurait calme ; aucun signe de déstabilisation, sinon ce mystérieux complot que Pazair avait démantelé, au moins en partie. Mais de quelle manière le vol du fer céleste mettait-il en péril le trône de Pharaon ?

Restait le général Asher, que le témoignage de Souti désignait comme un traître et un allié des Asiatiques, toujours prêts à envahir l'Égypte, terre de toutes les richesses. Même s'il occupait l'une des plus hautes fonctions militaires, serait-il désireux de soulever des troupes contre le souverain ? L'hypothèse paraissait invraisemblable. Le félon se souciait d'avantages personnels, non du poids d'un gouvernement qu'il serait incapable d'assumer.

Depuis l'assassinat de son maître Branir, Pazair perdait pied. Il raisonnait dans le vide, se sentait ballotté comme le chargement d'un âne. Lui qui avait établi un dossier solide contre le général Asher et ses probables complices manquait de clairvoyance, tant il était obsédé par le visage martyrisé de l'être vénéré dont on avait tranché l'existence.

– Vous êtes parfait, estima le barbier. Au palais,

parlez un peu de moi ; j'aimerais bien raser quelques nobles.

Le juge opina du chef.

A son tour, Néféret le considéra.

Cheveux peignés, corps lavé et parfumé, pagne d'une blancheur lumineuse, l'examen fut concluant.

– Es-tu prêt ? demanda-t-elle.

– Il le faut bien. Ai-je l'air apeuré ?

– De l'extérieur, non.

– La lettre du vizir ne comportait aucun encouragement.

– Ne t'attends à aucune bienveillance, tu ne seras pas déçu.

– S'il me démet, j'exigerai que l'enquête soit poursuivie.

– Nous ne laisserons pas impunie la mort de Branir.

L'expression souriante de son inflexible volonté le rassura.

– J'ai peur, Néféret.

– Moi aussi. Mais nous ne reculerons pas.

*

Les neuf amis de Pharaon, coiffés d'une lourde perruque noire et vêtus d'une longue robe blanche plissée, agrémentée d'un nœud à la hauteur du nombril, s'étaient réunis la matinée durant, sur convocation du vizir Bagey. A l'issue de débats plutôt vifs, l'unanimité avait été obtenue. Le porteur de la Règle, le surintendant de la Double Maison blanche, le préposé aux canaux et directeur des demeures de l'eau, le surintendant des écrits, le surintendant des champs, le directeur des missions secrètes, le scribe du cadastre et l'intendant du roi, après des échanges de vues approfondis, avaient adopté la surprenante proposition du vizir, d'abord estimée irréaliste, voire dangereuse. Mais l'urgence de la situation et son caractère dramatique justifiaient une décision rapide et inhabituelle.

Quand Pazair fut annoncé, les neuf amis s'installèrent dans la grande salle d'audience, aux murs nus et blancs, où ils prirent place sur des banquettes en pierre, de part et d'autre de Bagey, assis sur une chaise au dossier bas.

A son cou, l'imposant cœur en cuivre, le seul bijou rituel qu'il s'autorisait. Sous ses pieds, une peau de panthère évoquant la sauvagerie maîtrisée.

Le juge Pazair s'inclina devant l'auguste assemblée et flaira le sol. Les visages glacés des neuf amis ne présageaient rien de bon.

– Relevez-vous, ordonna Bagey.

Pazair resta debout, face au vizir. Supporter le poids de neuf regards dépourvus d'indulgence fut une épreuve redoutable.

– Juge Pazair, admettez-vous que seule la pratique de la justice maintient la prospérité de notre pays ?

– Telle est ma conviction la plus profonde.

– Si l'on n'agit pas selon la justice, si elle est considérée comme un mensonge, les rebelles relèveront la tête, la famine sévira et les démons rugiront. Est-ce encore votre conviction ?

– Vos paroles expriment la vérité que je vis.

– J'ai reçu vos deux lettres, juge Pazair, et je les ai communiquées à ce conseil afin que chacun de ses membres soit juge de votre conduite. Estimez-vous avoir été fidèle à votre mission ?

– Je ne crois pas l'avoir trahie. J'ai souffert dans ma chair, j'ai eu le goût du désespoir et de la mort dans ma bouche mais ces souffrances sont insignifiantes, comparées à l'outrage infligé à la fonction de juge. On l'a souillée, on l'a foulée aux pieds.

– Quand vous saurez que le chef de la police, Mentmosé, et le Doyen du porche ont été nommés par cette assemblée, et avec mon approbation, maintiendrez-vous vos accusations ?

Pazair avala sa salive.

Il était allé trop loin. Même fort de l'évidence, même

muni de preuves irréfutables, un petit juge ne devait pas s'attaquer aux notables. Le vizir et son conseil prenaient fait et cause pour leurs collaborateurs directs.

– Quoi qu'il m'en coûte, je maintiens mes accusations. J'ai été déporté à tort, le chef de la police n'a procédé à aucune vérification sérieuse, le Doyen du porche a écarté la vérité au profit du mensonge. Ils ont voulu m'éliminer, afin que l'enquête sur l'assassinat de Branir, la mort mystérieuse des vétérans et la disparition du fer céleste ne fût pas poursuivie. Vous, les neuf amis de Pharaon, aurez entendu cette vérité et ne l'oublierez pas. La corruption est sortie de sa tanière et a gangrené une partie de l'État. Si les membres malades ne sont pas coupés, elle gagnera le corps entier.

Pazair ne baissa pas les yeux et soutint le regard du vizir que peu d'hommes avaient osé affronter.

– La précipitation et l'intransigeance égarent le meilleur des juges, indiqua Bagey. De ces deux chemins, lequel adopteriez-vous : réussir votre vie ou servir la justice ?

– Pourquoi s'opposeraient-ils ?

– Parce que l'existence d'un homme s'accorde rarement avec la loi de Maât.

– La mienne lui fut offerte par serment.

Le vizir observa un long silence. Pazair sut qu'il allait prononcer une sentence sans appel.

– Le porteur de la Règle, l'intendant du roi et moi-même avons examiné les faits, procédé aux interrogatoires et abouti aux mêmes conclusions. Le Doyen du porche a effectivement commis de lourdes fautes. En raison de son âge, de son expérience, et des services rendus à la justice, nous le condamnons à l'exil dans l'oasis de Khargeh, où il finira ses jours dans la solitude et le recueillement. Jamais il ne reviendra dans la vallée. Êtes-vous satisfait ?

– Pourquoi le malheur d'un juge déchu me réjouirait-il ?

– Condamner est un devoir.

– La poursuite de l'enquête en est un autre.

– Je la confie au nouveau Doyen du porche. Vous, Pazair.

Le juge pâlit.

– Mon jeune âge...

– La dignité de « Doyen » n'implique pas l'ancienneté, mais la compétence que cette assemblée vous reconnaît. Redouteriez-vous le poids de cette charge au point d'y renoncer ?

– Je ne m'attendais pas...

– Le destin frappe en un instant, aussi vif que le crocodile qui s'élance vers le fleuve. Votre réponse ?

Pazair éleva ses mains jointes en signe de respect et d'acceptation, et s'inclina.

– Juge du porche, déclara Bagey, vous n'avez aucun droit. Seuls comptent vos devoirs. Que Thot guide votre pensée et oriente votre jugement, car seul un dieu préserve l'homme des turpitudes. Connaissez votre rang, soyez-en fier, ne vous en vantez pas. Placez votre honneur au-dessus de la foule, soyez silencieux et utile à autrui. Ne lâchez pas la corde du gouvernail, soyez un pilier dans votre fonction, aimez le bien, détestez le mal. Ne proférez aucun mensonge, ne soyez ni léger ni confus, n'ayez pas le cœur avide. Explorez les profondeurs des êtres que vous jugerez, grâce à l'œil de Rê, la lumière céleste. Tendez le bras droit et ouvrez la main.

Pazair obéit.

– Voici votre bague à cachet. Elle authentifiera les documents sur lesquels vous apposerez votre sceau. Désormais, vous siégerez à la porte du temple afin d'y rendre la justice, et d'y protéger les faibles. Vous ferez respecter l'ordre dans Memphis, veillerez à ce que les impôts soient dûment acquittés, à la bonne marche des travaux des champs, et à la livraison des denrées. Si nécessaire, vous siégerez dans la plus haute cour de justice. En toutes circonstances, ne vous contentez pas de ce que vous entendez et percez le secret des cœurs.

– Puisque vous voulez la justice, qui s'occupera du

chef de la police, Mentmosé, dont la fourberie est impardonnable ?

– Que votre enquête précise ses fautes.

– Je vous promets de ne céder à aucune passion, et de prendre le temps nécessaire.

Le porteur de la Règle se leva.

– Je confirme la décision du vizir au nom du conseil. A partir de cet instant, le Doyen du porche Pazair sera reconnu comme tel dans toute l'Égypte. Lui seront attribués une demeure, des biens matériels, des domestiques, des bureaux et des fonctionnaires.

Le surintendant de la Double Maison blanche se leva à son tour.

– Conformément à la loi, le Doyen du porche sera responsable, sur ses biens, de toute décision inique. Si réparation est due à un plaignant, il s'en acquittera lui-même, sans recours aux finances publiques.

Le vizir émit une plainte insolite.

Chacun se tourna vers lui. Bagey porta la main à son côté droit, s'agrippa au dossier de sa chaise, tenta en vain de se retenir et s'affala, inanimé.

*

Quand Néféret vit accourir Pazair, le front couvert de sueur et les yeux angoissés, elle crut qu'il s'était enfui du palais.

– Le vizir vient d'avoir un malaise.

– Le médecin-chef est-il auprès de lui ?

– Nébamon est souffrant. Aucun de ses assistants n'ose intervenir sans son autorisation.

La jeune femme prit son horloge à main qu'elle fixa à son poignet, et posa sa trousse sur le dos de Vent du Nord. L'âne prit le bon chemin.

Bagey était étendu sur des coussins.

Néféret l'ausculta, écouta la voix du cœur dans sa poitrine, dans ses veines et dans ses artères. Elle décela deux courants, l'un qui chauffait le côté droit du corps, l'autre qui glaçait le côté gauche. Le mal était profond, et s'étendait à l'organisme entier. En utilisant sa clepsydre de poignet, elle calcula le rythme du cœur et le temps de réaction des principaux organes.

Les courtisans attendaient le diagnostic avec anxiété.

– Une maladie que je connais et que je traiterai, déclara-t-elle. Le foie est atteint, la veine porte obstruée. Les artères hépatiques et le canal cholédoque, qui relient le cœur au foie, sont en mauvais état. Ils ne donnent plus assez d'eau et d'air et véhiculent un sang trop épais.

Néféret fit boire au malade de la chicorée, cultivée dans les jardins des temples. La plante aux larges fleurs bleues, qui se fermaient à midi, possédait de nombreuses vertus curatives; mélangée à une petite quantité de vin vieux, elle traitait nombre d'affections du foie et de la vésicule. Le médecin magnétisa l'organe bloqué; le vizir s'éveilla, très pâle, et vomit.

Néféret lui demanda d'absorber plusieurs coupes de chicorée, jusqu'à ce qu'il conservât le liquide; le corps du patient se rafraîchit enfin.

– Le foie est ouvert et lavé, constata-t-elle.

– Qui êtes-vous? demanda Bagey.

– Docteur Néféret, l'épouse du juge Pazair. Vous devrez surveiller votre alimentation, précisa-t-elle d'une voix calme, et boire quotidiennement de la chicorée. Afin d'éviter un engorgement aussi grave, qui vous terrasserait, vous absorberez une potion à base de figues, de raisin, de fruits entaillés du sycomore, de graines de bryone, de fruits du perséa, de gomme, et de résine. Je vous préparerai moi-même ce mélange qu'il faut exposer à la rosée et filtrer au petit matin.

– Vous m'avez sauvé la vie.

– J'ai fait mon devoir, et nous avons eu de la chance.

– Où exercez-vous?

– A Memphis.

Le vizir se leva. Malgré des jambes lourdes et une forte migraine, il fit quelques pas.

– Le repos est indispensable, estima Néféret, en l'aidant à s'asseoir. Nébamon vous...
– C'est vous qui me soignerez.

*

Une semaine plus tard, le vizir Bagey, tout à fait rétabli, remit au nouveau Doyen du porche une stèle en calcaire sur laquelle étaient gravées trois paires d'oreilles, l'une bleu foncé, l'autre jaune, et la dernière vert pâle. Ainsi étaient évoqués le ciel de lapis-lazuli où régnaient les étoiles des sages, l'or qui formait la chair des divinités, et la turquoise de l'amour ; ainsi étaient manifestés les devoirs du juge principal de Memphis : être à l'écoute des plaignants, respecter la volonté des dieux, se montrer bienveillant sans faiblesse.

Entendre était la base de l'éducation, entendre demeurait la vertu majeure d'un magistrat. Grave, concentré, Pazair reçut la stèle, éleva le bloc de calcaire à hauteur de ses yeux, face à tous les juges de la grande cité, réunis pour féliciter le nouveau Doyen.

Néféret pleura de joie.

CHAPITRE 12

Située au centre d'un quartier modeste, composée de petites demeures blanches à deux étages où logeaient artisans et petits fonctionnaires, la demeure attribuée au Doyen du porche émerveilla le jeune couple. Terminée quelques jours auparavant, et destinée à un dignitaire qui ne perdrait pas au change, elle n'avait jamais été habitée. Tout en longueur, couronnée d'un toit plat, elle comprenait huit pièces aux murs décorés de peintures représentant des oiseaux multicolores s'ébattant dans des fourrés de papyrus.

Pazair n'osa pas entrer. Il s'attarda dans la basse-cour, où un employé gavait des oies; des canards barbotaient dans une pièce d'eau, agrémentée de lotus bleus. A l'abri d'une cabane, deux garçons, chargés de jeter du grain à la volaille, dormaient à poings fermés. Le nouveau maître du domaine ne les réveilla pas. Néféret se réjouissait, elle aussi, de disposer d'une telle richesse. Elle contempla la terre grasse qu'aéraient des vers dont les déjections formaient un excellent fumier pour les céréales. Aucun paysan ne les tuait, sachant que les lombrics assuraient la fertilité du sol.

Brave fut le premier à gambader dans le magnifique jardin, aussitôt suivi de Vent du Nord. L'âne s'accroupit sous un grenadier, dont la beauté était la plus durable, puisqu'une fleur s'ouvrait quand l'ancienne tombait. Le chien préféra un sycomore, dont le bruissement des feuilles évoquait la douceur du miel. Néféret caressa les fins rameaux et les fruits mûrs, tantôt rouge, tantôt turquoise, et attira son mari près d'elle, sous l'ombre de l'arbre, abri de la déesse du ciel. Ils contemplèrent, ravis, une allée de figuiers, importés de Syrie, et un pavillon de roseaux où ils goûteraient la splendeur des couchants.

Leur quiétude fut de courte durée; Coquine, le petit singe vert de Néféret, poussa un cri de douleur et sauta dans les bras de sa maîtresse. Penaude, elle lui tendit la patte où s'était enfoncée une épine d'acacia. La blessure ne devait pas être considérée à la légère; lorsque le corps étranger demeurait sous la peau, il provoquait, à la longue, une hémorragie interne qui avait dérouté bien des médecins. Sans recevoir d'ordre, Vent du Nord se leva et s'approcha. Néféret sortit de sa trousse un scalpel, ôta l'écharde avec une infinie douceur, et enduisit la plaie d'une pommade composée de miel, de coloquinte, d'os de seiche broyé et d'écorce de sycomore réduite en poudre. Si une petite infection se déclarait, elle la traiterait avec du sulfure d'arsenic. Mais Coquine ne semblait pas à l'agonie; sitôt délivrée de l'épine, elle grimpa à un palmier-dattier, en quête d'un fruit mûr.

– Si nous entrions? suggéra Néféret.

– L'affaire devient sérieuse.

– Que veux-tu dire?

– Nous nous sommes mariés, certes, mais nous ne possédions rien. La situation a changé.

– Te lasserais-tu déjà?

– N'oublie jamais, docteur, que c'est moi qui suis venu t'arracher à ta quiétude.

– Mes souvenirs diffèrent; n'est-ce pas moi qui t'ai remarqué la première?

– Nous aurions dû être assis côte à côte, entourés d'une foule de parents et d'amis, et voir défiler devant nous chaises, coffres à vêtements, vases, objets de toilette, sandales, que sais-je encore! Tu aurais été amenée en palanquin, vêtue d'habits de fête, au son des flûtes et des tambourins.

– Je préfère ce moment où nous sommes tous les deux, sans bruit et sans faste.

– Dès que nous aurons franchi le seuil de cette villa, nous en serons responsables. La hiérarchie me reprocherait de n'avoir pas rédigé un contrat qui protégera ton avenir.

– Ta proposition est-elle honnête?

– Je me conforme à la loi. Moi, Pazair, je t'apporte tous mes biens, à toi, Néféret, qui garderas ton nom. Puisque nous avons décidé de vivre ensemble sous le même toit, donc d'être mariés, je te devrai réparation en cas de séparation. Un tiers de ce qui aura été acquis par nous, à partir de ce jour, te reviendra d'office, et je devrai te nourrir et t'habiller. Pour le reste, le tribunal jugera.

– Je dois avouer au Doyen du porche que je suis follement amoureuse d'un homme et que j'ai la ferme intention de rester unie avec lui jusqu'à mon dernier souffle.

– Peut-être, mais la loi...

– Tais-toi, et visitons.

– Auparavant, une rectification : c'est moi qui suis follement amoureux de toi.

Enlacés, ils franchirent le seuil de leur nouvelle existence.

Dans la première pièce, petite et basse, réservée au culte des ancêtres, ils se recueillirent longuement en vénérant l'âme de Branir, leur maître assassiné. Puis ils découvrirent la salle de réception, les chambres, la cuisine, les toilettes pourvues de canalisations en terre cuite et d'un cabinet équipé d'un siège en calcaire.

La salle de bains les émerveilla. De part et d'autre de la dalle de calcaire, posée dans un angle, deux bancs de briques sur lesquels se tenaient serviteurs et servantes pour verser de l'eau sur qui désirait une douche. Des carreaux de calcaire recouvraient les murs de briques, afin qu'elles ne soient pas exposées à l'humidité. Une légère pente, menant à l'orifice d'une canalisation en poterie, profondément enterrée, permettait à l'eau de s'écouler.

La chambre, bien aérée, comportait une moustiquaire qui surmontait un grand lit en ébène massif, aux pieds en forme de pattes de lion. Sur les côtés, la face joviale du dieu Bès, chargé de protéger le sommeil et d'offrir des rêves heureux aux dormeurs. Époustouflé, Pazair s'attarda sur le sommier en cordes végétales tressées, d'une qualité exceptionnelle. Les croisillons, nombreux, avaient été disposés avec une science parfaite pour supporter un poids élevé pendant de nombreuses années.

A la tête du lit, une robe de lin blanc, le tissu de la mariée qui serait aussi son linceul.

– Jamais je n'aurais cru dormir une seule nuit dans un pareil lit.

– Pourquoi attendre ? interrogea-t-elle, mutine.

Elle déploya le précieux tissu sur le sommier, ôta sa robe, et s'étendit, nue, heureuse d'accueillir sur elle le corps de Pazair.

– Cette heure est si douce que je ne l'oublierai jamais ; par ton regard, tu la rends éternelle. Ne t'éloigne pas de moi ; je t'appartiens comme un jardin que tu enrichiras de fleurs et de parfums. Quand nous formons un seul être, la mort n'existe plus.

*

Dès le lendemain matin, Pazair regretta sa petite maison de juge débutant et comprit pourquoi le vizir Bagey se contentait d'un logement modeste en centre-ville. Certes, les brosses et les balais en roseaux étaient nombreux et favorisaient un nettoyage approfondi, mais encore fallait-il une main experte pour les manier. Ni lui ni Néféret n'avaient le temps de s'adonner à cette tâche, et il était hors de question de solliciter le jardinier ou le préposé à la basse-cour qui ne sortiraient pas de leur emploi spécialisé! Et personne n'avait songé à engager une femme de ménage.

Néféret et Vent du Nord partirent tôt pour le palais; le vizir souhaitait une consultation avant sa première audience. Sans greffier, sans bureau installé, sans domestiques, le Doyen du porche se sentit tout à fait égaré à la tête d'un domaine trop grand pour lui. En nommant l'épouse « maîtresse de maison », les sages ne s'étaient pas trompés.

Le jardinier lui conseilla une femme d'une cinquantaine d'années qui louait ses services aux propriétaires en détresse; pour six jours de travail, elle n'exigea pas moins de huit chèvres et de deux robes neuves! Saigné à blanc, certain de mettre en péril l'équilibre financier du couple, le Doyen du porche fut contraint d'accepter. Jusqu'au retour de Néféret, il vivrait dans l'embarras.

*

Souti ouvrit des yeux ébahis et tâta les murs.

– Ils ont l'air vrai.

– La construction est récente, mais de bonne qualité.

– Je croyais être le plus grand farceur d'Égypte, mais tu me dépasses de mille coudées. Qui t'a prêté cette villa?

– L'État, répondit Pazair.

– Tu ne continues pas à prétendre que tu es le nouveau Doyen du porche?

– Si tu ne me crois pas, écoute Néféret.

– Elle est ta complice.

– Rends-toi au palais.

Souti fut ébranlé.

– Qui t'a nommé?

– Les neuf amis de Pharaon, le vizir à leur tête.

– Ce vieux pisse-froid de Bagey aurait renvoyé ton

prédécesseur, l'un de ses estimés collègues, à la réputation sans failles ?

– Les failles existaient. Bagey et le haut conseil ont agi selon la justice.

– Un miracle, un rêve...

– Ma requête fut entendue.

– Pourquoi t'avoir nommé, toi, à un poste aussi important ?

– J'y ai réfléchi.

– Conclusions ?

– Supposons qu'une partie du haut conseil soit convaincue de la culpabilité du général Asher, et l'autre non ; n'est-il pas astucieux de confier une enquête de plus en plus dangereuse au juge qui a soulevé le premier voile ? Lorsqu'une certitude sera acquise, dans un sens ou dans l'autre, il sera facile soit de me désavouer, soit de me féliciter.

– Tu es moins stupide qu'il n'y paraît.

– Cette attitude ne me choque pas, elle est conforme au droit égyptien. Puisque j'ai initié l'affaire, à moi de parachever mon travail. Sinon, je ne serais qu'un provocateur. De quoi me plaindrais-je ? On me donne des moyens que je n'espérais pas. L'âme de Branir me protège.

– Ne compte pas sur les morts. Kem et moi t'assurerons une meilleure protection.

– Me crois-tu menacé ?

– De plus en plus exposé. D'ordinaire, le Doyen du porche est un homme âgé, prudent, décidé à ne prendre aucun risque et à jouir de ses privilèges. En somme, tout le contraire de toi.

– Qu'y puis-je ? Le destin a choisi.

– Je ne suis peut-être pas le plus fou des deux, mais ça me plaît. Tu arrêteras l'assassin de Branir, et je m'offrirai la tête d'Asher.

– La dame Tapéni ?

– Une superbe maîtresse ! Elle ne vaut pas Panthère, mais quelle imagination ! Hier après-midi, nous sommes tombés du lit au moment crucial. Une femme ordinaire se serait accordé une pause, mais pas elle. J'ai dû me montrer à la hauteur, bien que je fusse en dessous.

– Mon admiration t'est acquise. Dans un domaine moins convivial, que t'a-t-elle appris ?

– Tu n'es pas un spécialiste de la séduction. Si je lui pose des questions trop brutales, elle se refermera comme une belle-de-nuit à midi. Nous avons commencé à évoquer les dames illustres qui pratiquent l'art du tissage. Certaines sont des virtuoses de l'aiguille. La piste est bonne, je le sens !

*

Elle revint enfin, précédée de Vent du Nord. Brave accueillit l'âne avec des jappements de joie, et les deux compagnons dégustèrent l'un une côte de bœuf, l'autre de la luzerne fraîche. Coquine n'avait plus faim ; son ventre était si rempli de fruits volés dans le verger qu'elle s'accordait une longue sieste.

Néféret était lumineuse. Ni la fatigue ni les soucis n'avaient de prise sur elle. Souvent, Pazair se sentait indigne de son épouse.

– Comment va le vizir ?

– Beaucoup mieux, mais il faudra le soigner jusqu'à la fin de ses jours. Son foie et sa vésicule biliaire sont en piteux état, et je ne suis pas certaine d'éviter le gonflement de ses jambes et de ses pieds lorsqu'il sera fatigué. Il devrait beaucoup marcher, ne pas rester assis des journées entières, prendre l'air de la campagne.

– Tu lui demandes l'impossible. T'a-t-il parlé de Nébamon ?

– Le médecin-chef est souffrant. L'intervention du babouin policier semble avoir laissé des traces.

– Serait-il convenable de s'apitoyer ?

Le braiment de Vent du Nord les interrompit. La pitance n'était pas assez abondante.

– Je suis débordé, avoua Pazair. J'ai bien engagé une femme de ménage temporaire à prix d'or, mais je me perds dans cette grande maison. Nous n'avons pas de cuisinier, le jardinier n'en fait qu'à sa tête, et je ne comprends rien à l'usage des multiples brosses. Mes dossiers sont à l'abandon, je n'ai pas de greffier, je...

Néféret l'embrassa.

CHAPITRE 13

Vêtu d'un pagne à devanteau empesé et d'une superbe chemise plissée à manches longues, Bel-Tran félicita Néféret et Pazair avec chaleur.

– Cette fois, je vais vous aider de la manière la plus directe. J'ai été chargé de la réorganisation des bureaux de l'administration centrale. En tant que Doyen du porche, vous êtes prioritaire.

– Il m'est impossible d'accepter le moindre privilège.

– Ce n'en est pas un. Il ne s'agit que d'une disposition réglementaire qui vous permettra d'avoir sous la main l'ensemble de vos dossiers. Nous travaillerons côte à côte, dans des locaux vastes et spacieux. Ne m'empêchez pas, je vous en prie, de plaider pour notre efficacité commune !

La rapide ascension de Bel-Tran stupéfiait les courtisans les plus blasés, mais aucun ne la critiquait. Il dépoussiérait les services enracinés dans la routine, se débarrassait de fonctionnaires paresseux ou incompétents, faisait face aux mille et un problèmes techniques qui surgissaient jour après jour. Doté d'un enthousiasme communicatif, il rudoyait volontiers ses subordonnés. Des fils de familles nobles déploraient ses origines modestes, mais acceptaient de lui obéir, sous peine d'être renvoyés dans leurs foyers. Aucun obstacle ne rebutait Bel-Tran ; il prenait sa mesure, s'y attaquait avec une énergie inépuisable, et finissait par le démanteler. A son actif, une remarquable remise en ordre des prélèvements de l'impôt bois, auquel avaient longtemps échappé de grands propriétaires terriens, oublieux du bien public. A cette occasion, Bel-Tran n'avait pas manqué de rappeler la judicieuse intervention de Pazair. Lorsque se présentait une difficulté insoluble, Bel-Tran en devenait le réceptionnaire obligé.

Pazair reconnaissait avoir un allié de poids. Grâce à lui, il éviterait bien des chausse-trapes.

– Mon épouse se porte beaucoup mieux, confia Bel-Tran à Néféret. Elle vous est très reconnaissante et vous considère comme une amie.

– Ses migraines ?

– Moins fréquentes. Lorsqu'elles se déclenchent, nous appliquons votre pommade : efficacité remarquable ! Malgré vos recommandations, Silkis demeure gourmande. Je cache le jus de grenade et le miel, mais elle se procure en cachette du jus de caroube, ou même de figues. Comme vous, l'interprète des rêves l'a mise en garde contre l'abus de sucre.

– Aucune médecine ne remplace la volonté.

Bel-Tran grimaça.

– Depuis une semaine, mes orteils sont douloureux. J'éprouve même quelque peine à me chausser.

Néféret examina les pieds petits et potelés.

– Vous ferez bouillir de la graisse de bœuf et des feuilles d'acacia, préparerez une pâte et l'appliquerez sur les endroits sensibles. Si le remède ne vous soulage pas, alertez-moi.

La femme de chambre demanda Néféret qui s'adaptait à merveille à son rôle de maîtresse de maison. Bientôt, elle installerait son cabinet dans l'une des ailes de la villa. Au palais, sa réputation grandissait ; la guérison du vizir lui valait un titre de gloire que lui enviaient les médecins de la cour, toujours paralysés par l'absence de Nébamon.

– Cette demeure est délicieuse, observa Bel-Tran, en dégustant une portion de melon d'eau.

– Sans Néféret, je m'en serais enfui.

– Ne manquez pas d'ambition, mon cher Pazair! Votre épouse est un être d'exception. Sans doute susciterez-vous bien des jalousies.

– Celle de Nébamon me suffit.

– Son mutisme n'est que passager. Vous et Néféret l'avez humilié; il ne songe qu'à se venger. Votre position, certes, rend sa tâche plus difficile.

– Que pensez-vous des récents décrets royaux?

– Énigmatiques. Pourquoi le roi a-t-il besoin de réaffirmer ainsi un pouvoir que nul ne conteste?

– La dernière crue fut médiocre, une hyène est venue boire dans un canal, plusieurs femmes ont donné naissance à des enfants mal formés...

– Superstitions populaires!

– Elles sont parfois redoutables.

– Aux serviteurs de l'État de prouver qu'elles ne sont pas fondées. Reprendrez-vous l'instruction contre Asher et l'enquête sur la mort mystérieuse des vétérans?

– Ne sont-elles pas les raisons majeures de ma nomination?

– Beaucoup, au palais, espéraient que l'oubli recouvrirait ces tristes événements. Je me réjouis de constater qu'il n'en est rien et n'attendais pas moins de votre courage.

– Maât est une déesse souriante, mais implacable. En elle est la source de tout bonheur, à condition de ne pas la trahir. Ne pas rechercher la vérité m'empêcherait de respirer.

Le ton de Bel-Tran s'assombrit.

– Le calme d'Asher m'inquiète. C'est un homme violent, partisan d'actions brutales. Informé de votre promotion, il aurait dû réagir de manière visible.

– Sa marge de manœuvre ne se réduit-elle pas?

– Certes, mais ne vous réjouissez pas trop vite.

– Ce n'est pas dans mon caractère.

– Aujourd'hui, vous n'êtes plus seul, mais vos ennemis n'ont pas disparu. Tout ce que j'apprendrai, vous le saurez.

*

Pendant deux semaines, Pazair vécut dans un tourbillon. Il compulsa les énormes archives du Doyen du porche, veilla au classement séparé des tablettes d'argile crue, de calcaire et de bois, des brouillons d'acte, des inventaires de mobilier, du courrier officiel, des rouleaux de papyrus cachetés, du matériel de scribe, consulta la liste de son personnel, convoqua chaque scribe, veilla au versement et au réajustement des salaires, examina les plaintes en retard et rectifia maintes erreurs de l'administration. Surpris par l'ampleur de la tâche, il ne regimba pas et obtint vite l'oreille bienveillante de ses subordonnés. Chaque matin, il s'entretenait avec Bel-Tran dont les conseils lui furent précieux.

Pazair réglait un délicat problème de cadastre lorsqu'un scribe rougeaud, aux traits épais, se présenta devant lui.

– Iarrot ! Où aviez-vous disparu ?

– Ma fille deviendra danseuse professionnelle, c'est certain. Comme mon épouse refuse, je suis obligé de divorcer.

– Quand reprendrez-vous votre travail ?

– Ma place n'est pas ici.

– Au contraire ! Un bon greffier...

– Vous êtes devenu un trop grand personnage. Dans ces bureaux-là, les scribes sont obligés de travailler et les horaires sont respectés. Ça ne me convient pas. Je préfère m'occuper de la carrière de ma fille. Nous irons de province en province et nous participerons aux fêtes de village, avant d'obtenir un contrat dans une troupe confirmée. La pauvre petite doit être protégée.

– Décision définitive ?

– Vous travaillez trop. Vous vous heurterez à des

intérêts trop puissants. Je préfère abandonner à temps mon bâton, mon pagne de fonction et ma stèle funéraire, et vivre loin des drames et des conflits.

– Êtes-vous sûr d'y échapper ?

– Ma fille me vénère et m'écoutera toujours. Je ferai son bonheur.

*

Dénès savourait son éclatante victoire. La lutte avait été sévère, et son épouse avait dû jouer de toutes ses relations pour écarter leurs innombrables concurrents, fort amers de leur défaite. Ce seraient donc Dénès et la dame Nénophar qui organiseraient le banquet en l'honneur du nouveau Doyen du porche. L'entregent du transporteur et la force de conviction de son épouse leur valaient, une fois de plus, le titre de maître des cérémonies du Tout-Memphis. La nomination de Pazair avait été une telle surprise qu'elle méritait une véritable fête où les membres de la meilleure société rivaliseraient d'élégance.

Pazair se préparait sans enthousiasme.

– Cette réception m'ennuie, avoua-t-il à Néféret.

– Tu es à l'honneur, mon chéri.

– Je préférerais passer la soirée avec toi. Ma fonction n'implique pas ce genre de mondanités.

– Nous avons refusé toutes les invitations de notables ; celle-là possède un caractère officiel.

– Ce Dénès ne manque pas de culot ! Il sait que je le soupçonne d'être membre d'un complot, et il joue les hôtes ravis !

– Excellente stratégie pour t'amadouer.

– Crois-tu qu'elle réussira ?

Le rire de Néféret l'enchanta. Comme elle était belle, dans sa robe moulante qui laissait les seins découverts ! Sa perruque noire, aux reflets de lapis-lazuli, mettait en valeur la finesse de son visage, à peine maquillé.

Elle était la jeunesse, la grâce et l'amour.

Il la prit dans ses bras.

– J'ai envie de te cloîtrer.

– Jaloux ?

– Si quelqu'un pose un regard sur toi, je l'étrangle.

– Doyen du porche ! Comment osez-vous proférer de telles horreurs ?

Pazair enserra la taille de Néféret d'une ceinture de perles d'améthyste, comportant des parties en or repoussé, ayant la forme d'une tête de panthère.

– Nous sommes ruinés, mais tu es la plus belle.

– Je crains qu'il ne s'agisse d'une tentative de séduction.

– Je suis démasqué.

Pazair abaissa la bretelle gauche de la robe.

– Nous sommes déjà en retard, objecta-t-elle.

*

La dame Nénophar, avant de revêtir sa tenue de banquet, passa aux cuisines où ses bouchers, après avoir découpé un bœuf, préparaient les morceaux qu'ils accrochaient à une poutre soutenue par des poteaux fourchus. Elle choisit elle-même les quartiers à griller, ceux qui seraient préparés en daube, goûta les sauces, et s'assura que plusieurs dizaines d'oies rôties seraient prêtes à temps. Puis elle descendit à la cave où son sommelier lui présenta les vins et les bières. Rassurée sur la qualité des mets et des boissons, Nénophar inspecta la salle du banquet où servantes et serviteurs disposaient sur des tables basses des coupes d'or, des plats d'argent et des assiettes en albâtre. La villa entière fleurait bon le jasmin et le lotus. La réception serait inoubliable.

Une heure avant l'arrivée des premiers invités, les jardiniers cueillirent des fruits qui seraient servis frais, pourvus de toute leur saveur ; un scribe nota la quantité de jarres à vin déposées dans la salle du banquet, de manière à éviter la fraude. Le jardinier en chef vérifia la propreté des allées, tandis que le portier tirait sur son pagne et ajustait sa perruque. Gardien intraitable du domaine, il ne laisserait entrer que les personnalités connues et celles munies d'une tablette d'invitation.

Quand le soleil déclina, s'apprêtant à descendre vers la montagne d'Occident, un premier couple se présenta au portier. Ce dernier identifia un scribe royal et son épouse, bientôt suivis de l'élite de la grande cité. Les hôtes de la dame Nénophar se promenèrent dans le parc planté de grenadiers, de figuiers et de sycomores; devisant autour des pièces d'eau, sous les pergolas ou les pavillons en bois, ils admirèrent les bouquets montés, dressés au croisement des allées. La présence du vizir Bagey, qui n'assistait à aucune réception, et des amis de Pharaon au grand complet, impressionna l'assistance; cette soirée serait mémorable.

Au moment précis où le disque solaire disparaissait, les serviteurs allumèrent des lampes qui illuminèrent le jardin et la villa. Sur le seuil apparurent la dame Nénophar et Dénès. Lourde perruque, robe blanche au liseré doré, collier à dix rangs de perles, boucles d'oreilles en forme de gazelle et sandales dorées pour elle, perruque en dégradé, longue robe plissée avec cape, sandales de cuir rehaussées d'argent pour lui, faisaient des hôtes le parfait couple à la mode, heureux d'étaler des richesses avec l'espoir avoué de susciter l'envie.

Conformément au protocole, le vizir fut le premier à s'avancer vers eux. Les jambes lourdes, il se contentait de sandales usées, d'un pagne ample sans élégance et d'un surplis à manches courtes.

Ravis, la dame Nénophar et Dénès s'inclinèrent.

– Quelle chaleur, se plaignit le vizir. Seul l'hiver est supportable. Quelques instants sous le soleil, et ma peau brûle.

– L'un de nos bassins est à votre disposition, si vous désirez vous rafraîchir avant le banquet, proposa Dénès.

– Je ne sais pas nager et j'ai horreur de l'eau.

Le maître des cérémonies conduisit le vizir à la place

d'honneur. Les amis de Pharaon se succédèrent, puis les hauts dignitaires, les autres scribes royaux et les personnalités diverses qui avaient eu la chance d'être conviés à la fête la plus prestigieuse de l'année. Bel-Tran et Silkis figuraient parmi les derniers; la dame Nénophar les salua de manière distraite.

– Le général Asher viendra-t-il? demanda Dénès à l'oreille de son épouse.

– Il vient de se décommander. Un impératif de service.

– Et le chef de la police, Mentmosé?

– Il est souffrant.

Dans la salle du banquet, au plafond orné de rinceaux de vigne, les invités s'assirent dans de confortables fauteuils garnis de coussins. Devant eux, des guéridons sur lesquels étaient disposés coupes, assiettes et plats. Un orchestre féminin, composé d'une flûtiste, d'une harpiste et d'une luthiste, joua des airs gais et légers.

Des fillettes nubiennes, nues, circulèrent entre les convives et disposèrent sur leurs perruques un petit cône de pommade parfumée qui, en fondant, dispenserait des odeurs suaves et écarterait les insectes. A chacun fut offerte une fleur de lotus. Un prêtre versa de l'eau sur une table d'offrandes, placée au centre de la pièce, afin de purifier les nourritures.

Soudain, la dame Nénophar prit conscience que les héros de la fête étaient absents.

– Ce retard est incroyable!

– Ne t'en préoccupe pas. Pazair est un fou de travail; un dossier l'aura retenu.

– Un soir comme celui-là! Nos hôtes s'impatientent, il faut commencer à servir.

– Ne sois pas si nerveuse.

Excédée, Nénophar demanda à la meilleure danseuse professionnelle de Memphis d'entrer en scène plus tôt que prévu. Agée de vingt ans, élève de Sababou, propriétaire de la plus respectable maison de bière de la ville, elle ne portait qu'une ceinture de coquillages, lesquels s'entrechoquaient de délicieuse manière à chaque pas. Sur sa cuisse gauche, des tatouages représentaient le dieu Bès, nain hilare et barbu, garant de la joie sous toutes ses formes. L'artiste capta l'attention de l'assemblée; elle s'adonnerait aux figures les plus acrobatiques jusqu'à l'arrivée de Pazair et de Néféret.

Alors que les invités grignotaient grains de raisin et fines tranches de melon afin de s'ouvrir l'appétit, Nénophar, de plus en plus irritée, nota une agitation certaine à la porte du domaine. Eux, enfin!

– Venez vite.

– Désolé, s'excusa Pazair.

Comment expliquer qu'il n'avait pu résister à l'envie de déshabiller Néféret, que sa fougue l'avait entraîné à déchirer une bretelle, qu'il était parvenu à lui faire oublier les impératifs horaires, et que leur amour comptait davantage que la plus brillante des invitations? Décoiffée, Néféret avait dû choisir une nouvelle robe à la hâte et convaincre Pazair de quitter leur lit de plaisir.

La danseuse se retira et les musiciennes cessèrent de jouer lorsque le jeune couple franchit le seuil de la salle du banquet. En un instant, il fut jugé par des dizaines de paires d'yeux sans indulgence.

Pazair ne s'était pas soucié d'élégance: perruque courte, torse nu, pagne court, le faisaient ressembler à un scribe austère du temps des pyramides. Seule concession à son époque: un devanteau plissé, qui atténuait à peine l'austérité de la vêture. L'homme correspondait à sa réputation de rigueur. Des joueurs invétérés pariaient sur la date où, comme tout un chacun, il céderait la place à la corruption. D'autres s'amusaient moins en songeant aux pouvoirs étendus d'un Doyen du porche, dont la jeunesse, quelque peu incongrue, l'entraînerait fatalement à des excès. Et l'on critiquait la décision du vieux vizir, de plus en plus absent, et trop prompt à déléguer des parcelles de son autorité. Maints courtisans pressaient Ramsès de le remplacer par un administrateur expérimenté et actif.

Néféret ne suscita pas les mêmes débats. Un simple bandeau floral autour des cheveux, un large collier cachant ses seins, de légères boucles d'oreilles en forme de lotus, des bracelets aux poignets et aux chevilles, une longue robe de lin transparente qui révélait ses formes davantage qu'elle ne les cachait : la contempler enchanta les plus blasés et adoucit les plus aigris ; à sa jeunesse et à sa beauté, elle ajoutait l'éclat d'une intelligence si vive qu'elle s'exprimait, sans dédain, dans son regard rieur. Nul ne s'y trompa ; son charme n'excluait pas une force de caractère que peu d'êtres parviendraient à ébranler. Pourquoi s'était-elle entichée d'un petit juge dont l'allure sévère n'avait rien d'une garantie pour l'avenir ? Certes, il avait obtenu un poste éminent, mais il ne serait pas capable de l'occuper bien longtemps. L'amourette s'éteindrait, et Néféret choisirait un parti plus reluisant. Là où le malheureux médecin-chef Nébamon avait échoué, un autre réussirait. Quelques grandes dames d'un âge certain déplorèrent l'audace vestimentaire d'une épouse de haut magistrat, ignorant qu'elle n'avait pas d'autre robe à se mettre.

Le Doyen du porche et son épouse prirent place aux côtés du vizir. Des serviteurs s'empressèrent de leur servir des tranches de bœuf grillées et un vin rouge exquis.

– Votre femme est-elle souffrante ? s'enquit Néféret.

– Non, elle ne sort jamais. Sa cuisine, ses enfants et son appartement au centre de la cité lui suffisent.

– J'ai presque honte d'avoir accepté une si grande villa, avoua Pazair.

– Vous auriez tort. Si j'ai refusé le domaine que Pharaon attribue au vizir, c'est parce que je déteste la campagne. Voilà quarante ans que j'habite au même endroit, et je n'ai pas l'intention de déménager. J'aime la ville. Le grand air, les insectes, les champs à perte de vue m'indiffèrent ou me dérangent.

– En tant que médecin, rappela Néféret, je vous conseille néanmoins de marcher le plus souvent possible.

– Je vais à pied à mon bureau et j'en reviens.

– Davantage de repos vous serait nécessaire.

– Dès que la situation de mes enfants sera stabilisée, je réduirai mes horaires de travail.

– Des soucis ?

– Pas pour ma fille. Une simple déception ; elle était entrée au temple de Hathor comme apprentie tisserande, mais n'a pas apprécié une existence où les rituels rythment la journée. Elle a été engagée comme comptable des grains dans une ferme et y fera carrière. Mon fils est plus difficile à manier ; le jeu de dames le passionne, il y perd la moitié de son salaire de vérificateur de briques cuites. Par bonheur, il vit à la maison et sa mère le nourrit. S'il compte sur ma position pour améliorer la sienne, il se trompe. Je n'en ai ni le droit ni le désir. Que ces difficultés, si banales, ne vous découragent pas ; avoir des enfants est le plus grand des bonheurs.

Les mets et les vins, d'excellente qualité, ravirent le palais des convives qui échangèrent force banalités jusqu'au bref discours du Doyen du porche, dont la tonalité surprit l'assistance.

– Seule compte la fonction, non l'individu qui la remplit de manière transitoire. Mon seul guide sera Maât, la déesse de la justice, qui trace le chemin des magistrats de ce pays. Si des erreurs ont été commises dans un récent passé, je m'en sens responsable. Tant que le vizir m'accordera sa confiance, j'accomplirai ma tâche sans me soucier des intérêts des uns ou des autres. Les affaires en cours ne resteront pas sous le boisseau, même si des notables sont concernés. La justice est le plus précieux trésor de l'Égypte ; je souhaite que chacune de mes décisions l'enrichisse.

La voix de Pazair était vigoureuse, claire et tranchante. Qui doutait encore de son autorité fut édifié.

L'apparente jeunesse du juge ne serait pas un handicap; au contraire, elle lui offrirait une énergie indispensable, mise au service d'une maturité impressionnante. Beaucoup changèrent d'avis; le règne du nouveau Doyen du porche ne serait peut-être pas éphémère.

Tard dans la nuit, les invités se dispersèrent; le vizir Bagey, qui aimait se coucher tôt, était parti le premier. Chacun tenait à saluer Pazair et Néféret, et à les féliciter.

Enfin libres, ils sortirent dans le jardin. Des éclats de voix les attirèrent. En s'approchant d'un bosquet de tamaris, ils surprirent une altercation entre Bel-Tran et la dame Nénophar.

– J'espère ne jamais vous revoir dans cette maison.

– Il ne fallait pas m'inviter.

– La politesse m'y contraignait.

– En ce cas, pourquoi cette colère?

– Non seulement vous persécutez mon mari avec un rappel de taxes, mais encore vous supprimez mon poste d'inspectrice du Trésor!

– Il était honorifique. L'État vous versait un salaire qui ne correspondait pas à un travail réel. Je remets en ordre les services administratifs trop dépensiers, et ne reviendrai pas en arrière. Soyez sûre que le nouveau Doyen du porche m'approuvera et qu'il aurait agi de la même manière, avec une sanction à la clé. Grâce à moi, vous y échappez.

– Belle façon de vous justifier! Vous êtes plus dangereux qu'un crocodile, Bel-Tran.

– Les sauriens nettoient le Nil et dévorent les hippopotames en excédent. Dénès devrait se méfier.

– Vos menaces ne m'impressionnent pas. Des intrigants plus rusés que vous se sont cassé les dents.

– Je me souhaite donc bonne chance.

Furieuse, la dame Nénophar abandonna son interlocuteur, qui rejoignit son épouse, impatiente.

*

Pazair et Néféret saluèrent l'aube sur le toit de leur villa. Ils songèrent au jour heureux qui se levait et les illuminerait d'un amour aussi doux que le parfum de fête. Sur terre comme dans l'au-delà, lorsque les générations se seraient effacées, il parerait de fleurs la femme aimée et planterait des sycomores près du bassin d'eau fraîche où ils ne seraient jamais rassasiés de leur regard. Leur âme unie viendrait boire sous les ombrages, nourrie du chant des feuilles ondulant sous le vent.

CHAPITRE 14

Pazair était obsédé par une urgence : tenir un procès qui innocenterait Kem de manière définitive et lui rendrait sa dignité. Au passage, il identifierait le témoin fantôme du chef de la police et inculperait ce dernier de montage de fausses preuves. Dès son lever, et avant même de l'embrasser, Néféret lui fit boire deux grandes rasades d'eau cuivrée ; un rhume sournois prouvait que la lymphe du Doyen du porche demeurait infectée et fragile, à la suite de sa détention.

Pazair avala trop vite son petit déjeuner et se précipita à son bureau où il fut aussitôt assiégé par une armée de scribes qui brandissaient une série de plaintes vigoureuses émanant d'une vingtaine de petits villages. A cause du refus d'un surveillant des greniers royaux, l'huile et les céréales, indispensables au bien-être des habitants lésés, à cause d'une crue insuffisante, n'avaient pas été livrées. S'appuyant sur une réglementation obsolète, le petit fonctionnaire se moquait des paysans affamés.

Le Doyen du porche, avec l'aide de Bel-Tran, consacra deux longues journées à résoudre cette affaire, d'apparence simple, sans commettre d'erreur administrative. Le surveillant des greniers fut nommé préposé au canal desservant l'un des villages qu'il refusait de nourrir.

Puis survint une autre difficulté, un conflit entre producteurs de fruits et scribes du Trésor chargés de les comptabiliser; afin d'éviter une interminable procédure, Pazair se rendit lui-même dans les vergers, sanctionna les fraudeurs et repoussa les accusations injustifiées des agents du fisc. Il perçut à quel point l'équilibre économique du pays, alliance d'un secteur privé et d'une planification étatique, était un miracle sans cesse renouvelé. A l'individu de travailler selon ses désirs et, au-delà d'un certain seuil, de récolter les bénéfices de son labeur; à l'État d'assurer l'irrigation, la sécurité des biens et des personnes, le stockage et la distribution de denrées en cas de crue insuffisante, et toutes autres tâches d'intérêt communautaire.

Comprenant qu'il serait pris à la gorge s'il ne maîtrisait pas son emploi du temps, Pazair fixa « le procès Kem » pour la semaine suivante. Dès que le jour fut annoncé, un prêtre du temple de Ptah fit opposition : il s'agissait d'une date néfaste, anniversaire du combat cosmique entre Horus, lumière céleste, et son frère Seth, l'orage *. Il valait mieux ne pas sortir de chez soi et ne pas entreprendre un voyage; bien entendu, Mentmosé utiliserait l'argument afin de ne pas comparaître.

Irrité contre lui-même, Pazair faillit baisser les bras lorsque lui fut soumise une obscure affaire douanière, impliquant des commerçants étrangers. L'instant de découragement passé, il commença à lire le dossier, le repoussa; comment oublier la détresse du policier nubien qui recherchait son babouin dans les recoins les plus obscurs de la ville?

Mentmosé, le chef de la police, aborda Pazair dans une rue populeuse où le nouveau Doyen du porche achetait des fleurs rouges de Nubie pour préparer une tisane dont son chien était friand **.

Mal à l'aise, Mentmosé se fit onctueux.

* Des papyrus nous fournissent des listes de « jours fastes » et de « jours néfastes », qui correspondent à des événements mythologiques.

** Il s'agit du karkadé, boisson encore consommée dans l'Égypte moderne. Les fleurs sont celles de l'hibiscus.

– J'ai été abusé, avoua-t-il ; au fond de moi-même, j'ai toujours cru à votre innocence.

– Vous m'avez quand même envoyé au bagne.

– A ma place, n'auriez-vous pas agi de même ? La justice se doit d'être impitoyable envers les juges ; sinon, elle n'est plus crédible.

– En l'occurrence, elle n'avait même pas été rendue.

– Malheureux concours de circonstances, mon cher Pazair. Aujourd'hui, le destin vous favorise, et nous nous en réjouissons tous. J'ai appris que vous comptiez tenir un procès, sous le porche, à propos de la regrettable affaire Kem.

– Vous êtes bien informé, Mentmosé. Il ne me reste plus qu'à fixer une date qui, cette fois, ne sera pas un jour néfaste.

– Ne devrions-nous pas oublier ces déplorables péripéties ?

– Oublier est le début de l'injustice. Le porche n'est-il pas l'endroit où je dois protéger le faible et le sauver du puissant ?

– Votre policier nubien n'est pas un faible.

– Vous êtes le puissant qui tentez de le détruire en l'accusant d'un crime qu'il n'a pas commis.

– Acceptez un arrangement qui éviterait bien des désagréments.

– De quel ordre ?

– Certains noms pourraient être prononcés... Les notables tiennent à leur respectabilité.

– Que redouterait un innocent ?

– La rumeur, les on-dit, la malveillance...

– Sous le porche, ils seront balayés. Vous avez commis une faute grave, Mentmosé.

– Je suis le bras agissant de la justice. Vous séparer de ma personne serait une grave erreur.

– Je veux le nom du témoin oculaire qui accuse Kem d'avoir assassiné Branir.

– Je l'ai inventé.

– Certainement pas. Vous n'auriez pas avancé cet

argument si le personnage n'existait pas. Je considère le faux témoignage comme un acte criminel, susceptible de ruiner une existence. Le procès se tiendra ; il mettra en lumière votre rôle de manipulateur, et me permettra d'interroger votre fameux témoin en présence de Kem. Son nom ?

– Je refuse de vous le donner.

– Est-ce un personnage si haut placé ?

– Je me suis engagé à garder le silence. Il prenait beaucoup de risques et ne tenait pas à apparaître.

– Refus de collaborer à une enquête : vous connaissez la sanction.

– Vous vous égarez ! Je ne suis pas un quidam, mais le chef de la police !

– Et moi, le Doyen du porche.

Soudain, Mentmosé, dont le crâne devenait rouge brique et la voix très aiguë, prit conscience qu'il n'avait plus en face de lui un petit juge provincial assoiffé d'intégrité, mais le plus haut magistrat de la ville qui, sans hâte ni lenteur, progressait vers le but qu'il s'était fixé.

– Je dois réfléchir.

– Je vous attends demain matin, à mon bureau. Vous me révélerez le nom de votre faux témoin.

*

Bien que le banquet célébré en l'honneur du Doyen du porche eût été un réel succès, Dénès ne songeait plus à cette fête somptueuse qui avait accru son renom. Il se préoccupait de calmer son ami Qadash, si excité qu'il en bégayait. Marchant de long en large, le dentiste remettait sans cesse en place les mèches folles de sa chevelure blanche. L'afflux de sang rendait ses mains rouges, et les veinules de son nez semblaient prêtes à éclater.

Les deux hommes s'étaient réfugiés dans la partie la plus reculée du jardin de plaisance, loin des oreilles indiscrètes. Le chimiste Chéchi, qui les avait rejoints, s'était assuré que personne ne pouvait les entendre. Assis au pied d'un palmier-dattier, le petit homme à la moustache noire, tout en déplorant l'agitation de Qadash, partageait ses inquiétudes.

– Ta stratégie est une catastrophe! reprocha Qadash à Dénès.

– Nous étions tous les trois d'accord pour utiliser Mentmosé, faire accuser Kem, et calmer ainsi les ardeurs du juge Pazair.

– Et nous avons échoué, de manière lamentable! Je suis incapable d'exercer mon métier, à cause de mes mains qui tremblent, et vous m'avez refusé l'utilisation du fer céleste! Quand je me suis engagé dans ce complot, vous m'avez promis un poste au sommet de l'État.

– D'abord celui de médecin-chef à la place de Nébamon, rappela Dénès, rassurant, puis mieux encore.

– Adieu les beaux rêves!

– Bien sûr que non.

– Oublierais-tu que Pazair est Doyen du porche, qu'il veut organiser un procès pour laver Kem de tout soupçon et faire comparaître le témoin oculaire, à savoir moi-même!

– Mentmosé ne prononcera pas ton nom.

– J'en suis moins sûr que toi.

– Il a intrigué sa vie durant pour obtenir son poste; s'il nous trahit, il se condamne lui-même.

Le chimiste Chéchi approuva d'un hochement de tête. Qadash, rassuré, accepta une coupe de bière. Dénès, qui avait trop mangé lors du banquet, massait son ventre ballonné.

– Ce chef de la police, déplora-t-il, est un incapable. Lorsque nous prendrons le pouvoir, nous l'écarterons.

– Toute précipitation serait nuisible, précisa Chéchi, d'une petite voix à peine audible. Le général Asher travaille dans l'ombre, et je ne suis pas mécontent de mes résultats. Bientôt, nous disposerons d'un excellent armement et nous aurons le contrôle des principaux arsenaux. Surtout, n'apparaissons pas. Pazair est persuadé que Qadash a voulu me voler le fer céleste, et que nous sommes ennemis ; il ignore nos véritables liens et ne les découvrira pas si nous sommes prudents. Grâce aux déclarations publiques de Dénès, il croit que l'enjeu militaire actuel est la fabrication d'armes incassables. Confortons-le dans cette idée.

– Serait-il si naïf ? s'inquiéta le dentiste.

– Au contraire. Un projet de cette envergure retiendra son attention. Quoi de plus important qu'une épée capable de fendre casques, armures et boucliers sans se briser ? Avec elle, Asher fomentera un complot afin de s'emparer du pouvoir. Voilà la vérité qui s'imposera à l'esprit du juge.

– Elle implique ta complicité, ajouta Dénès.

– Mon obéissance, en tant que spécialiste, dégage ma responsabilité.

– Je suis quand même inquiet, insista Qadash, qui reprit son va-et-vient. Depuis qu'il se met en travers de notre route, nous mésestimons ce Pazair. Aujourd'hui, il est Doyen du porche !

– La prochaine tempête le balaiera, prophétisa Dénès.

– Chaque jour qui passe nous est favorable, rappela Chéchi. Le pouvoir de Pharaon se délite, comme une pierre rongée.

Aucun des trois conjurés ne s'aperçut de la présence d'un témoin qui n'avait pas perdu un mot de l'entretien.

Perché au sommet d'un palmier, Tueur, le babouin policier, les fixait de ses yeux rouges.

*

Scandalisée par le comportement sectaire et agressif de Bel-Tran, la dame Nénophar ne demeurait pas inactive. Elle avait convoqué chez elle les chargés d'affaires des cinquante familles les plus riches de Memphis afin de leur exposer clairement la situation. Leurs patrons, comme eux-mêmes, jouissaient d'un certain nombre de charges honorifiques qu'ils n'étaient pas obligés d'exercer, mais qui leur permettaient d'obtenir des informations confidentielles et de demeurer en contact privilégié avec la haute administration. Dans sa rage de réorganisation, Bel-Tran les supprimait les uns après les autres. Depuis le début de son histoire, l'Égypte avait toujours rejeté les excès d'autoritarisme de ce genre de parvenu, aussi dangereux qu'une vipère des sables.

Le discours enflammé de la dame Nénophar fut approuvé à l'unanimité. Un homme se devait de prendre le parti de la raison et de la justice : Pazair, le Doyen du porche. Aussi une délégation, composée de Nénophar et de dix représentants éminents de la noblesse, obtint-elle audience dès le lendemain matin. Personne n'avait les mains vides : ils déposèrent aux pieds du juge des vases d'onguent, un lot d'étoffes précieuses, et un coffret rempli de bijoux.

– Recevez cet hommage à votre fonction, dit le plus âgé.

– Votre générosité me touche, mais je suis contraint de refuser.

Le vieux dignitaire s'indigna.

– Pour quelle raison ?

– Tentative de corruption.

– Loin de nous cette pensée ! Faites-nous le plaisir d'accepter.

– Remportez ces cadeaux et offrez-les à vos serviteurs les plus méritants.

La dame Nénophar jugea indispensable d'intervenir.

– Doyen du porche, nous exigeons le respect de la hiérarchie et des valeurs traditionnelles.

– Vous trouverez en moi un allié.

Rassurée, la sculpturale épouse du transporteur Dénès s'exprima avec chaleur.

– Bel-Tran, sans aucune raison sérieuse, vient de supprimer ma charge honorifique d'inspectrice du Trésor et s'apprête à léser quantité de membres des familles les plus estimées de Memphis. Il porte atteinte à nos coutumes et s'attaque à de très anciens privilèges. Nous exigeons votre intervention pour que cesse cette persécution.

Pazair lut un passage de la Règle :

– *Toi qui juges, n'établis aucune différence entre un riche et un homme du peuple. N'accorde aucune attention aux beaux vêtements, ne méprise pas celui dont la mise est simple à cause de ses modestes ressources. N'accepte aucun présent de celui qui possède des biens, et ne défavorise pas le faible à son profit. Ainsi, le pays sera solidement établi, si tu ne te préoccupes que des actes lorsque tu rendras ta sentence.*

Les préceptes, connus de tous, semèrent pourtant le trouble.

– Que signifie ce rappel ? s'étonna la dame Nénophar.

– Que je suis au courant de la situation et que j'approuve Bel-Tran. Vos « privilèges » ne sont guère anciens, puisqu'ils remontent aux premières années du règne de Ramsès.

– Critiqueriez-vous le roi ?

– Il vous incitait, en tant que nobles, à remplir de nouveaux devoirs, non à tirer profit d'un titre. Le vizir n'a formulé aucune opposition à la réorganisation administrative de Bel-Tran. Les premiers résultats sont encourageants.

– Songeriez-vous à appauvrir la noblesse ?

– A lui redonner sa véritable grandeur, afin qu'elle soit un exemple.

Bagey le rigoriste, Bel-Tran l'ambitieux, Pazair l'idéaliste : la dame Nénophar frissonna à l'idée que ces trois-là fussent alliés ! Par bonheur, le vieux vizir ne tarderait pas à prendre sa retraite, le chacal aux dents longues les briserait sur une pierre, et le juge intègre succomberait tôt ou tard aux tentations.

– Trêve de sentences toutes faites; quel parti prenez-vous?
– Ne fus-je pas assez clair?
– Aucun notable n'a construit sa carrière sans notre concours.
– Je me résignerai à être l'exception.
– Vous échouerez.

*

Tapéni était insatiable. Elle n'avait pas la fougue inimitable de Panthère, mais témoignait d'une superbe imagination, tant dans les postures que dans les caresses. Afin de ne pas la décevoir, Souti était obligé de la suivre dans ses divagations, et même de la précéder. Tapéni éprouvait une affection profonde pour le jeune homme auquel elle réservait des trésors de tendresse. Brune, petite, survoltée, elle pratiquait l'art du baiser, tantôt avec raffinement, tantôt avec violence.

Par bonheur, Tapéni était également fort occupée par son travail; aussi Souti bénéficiait-il de périodes de repos qu'il mettait à profit pour rassurer Panthère et lui prouver sa passion intacte.

Tapéni enfilait sa robe, Souti ajustait son pagne.
– Tu es un très bel homme et un étalon fougueux.
– « Gazelle bondissante » te conviendrait.
– La poésie m'indiffère, mais ta virilité me fascine.
– Tu sais lui parler avec des gestes convainquants, mais nous avons perdu de vue le motif de ma première visite.
– L'aiguille en nacre?
– Elle-même.
– Un bel objet, rare, précieux, que seules manient des personnes de qualité, expertes en tissage.
– En possèdes-tu la liste?
– Bien sûr.
– Acceptes-tu de me la communiquer?
– Ce sont des femmes, des rivales... Tu m'en demandes trop.

Souti redoutait cette réponse.
– Comment pourrais-je te séduire ?
– Tu es l'homme que je voulais. Le soir, la nuit, tu me manques. Je suis obligée de me faire l'amour à moi-même en pensant à toi. Ces souffrances ne deviennent-elles pas insupportables ?
– Je pourrais te concéder une nuit, de temps à autre.
– Je veux toutes tes nuits.
– Souhaiterais-tu...
– Le mariage, mon chéri.
– Par principe moral, j'y suis plutôt hostile.
– Il te faudra abandonner tes maîtresses, devenir riche, habiter chez moi, m'y attendre, être toujours prêt à satisfaire mes désirs les plus fous.
– Il existe des activités plus pénibles.
– Nous officialiserons notre union la semaine prochaine.
Souti ne protesta pas. Il découvrirait bien un moyen d'échapper à cet esclavage.
– Les manieuses d'aiguille ?
Tapéni minauda.
– J'ai ta parole ?
– Je n'en ai qu'une.
– Ce renseignement est-il si important ?
– Pour moi, oui. Mais si tu refuses...
Elle s'agrippa à son bras.
– Ne te fâche pas.
– Tu me tortures.
– Je te taquine. Des aiguilles de ce type-là, peu de nobles dames savent l'utiliser à la perfection et sans trembler. L'outil exige doigté et précision. Je n'en vois que trois : l'épouse de l'ancien superviseur des canaux est la meilleure.
– Où se trouve-t-elle ?
– Agée de quatre-vingts ans, elle séjourne sur l'île d'Éléphantine, près de la frontière sud.
Souti fit la moue.
– Les deux autres ?

– La veuve du directeur des greniers, petite et frêle, avait pourtant une force incroyable. Mais elle s'est cassé le bras voici deux ans, et...

– La troisième ?

– Son élève préférée qui, malgré sa fortune, continue à confectionner elle-même la plupart de ses robes : la dame Nénophar.

CHAPITRE 15

L'audience serait ouverte au milieu de la matinée. Kem, bien qu'il n'eût pas retrouvé son babouin, avait accepté de comparaître.

Pazair, dès l'aube, inspecta le porche où le destin l'appelait. Affronter Mentmosé ne serait pas facile; le chef de la police, poussé dans ses ultimes retranchements, ne se laisserait pas ficeler comme un canard apeuré. Le juge redoutait une réaction vicieuse, digne d'un notable prêt à piétiner autrui pour préserver ses privilèges.

Pazair sortit du porche et observa le temple auquel il était adossé. Derrière les hauts murs travaillaient les spécialistes de l'énergie divine; conscients des faiblesses humaines, ils refusaient de les accepter comme une fatalité. L'homme était argile et paille, Dieu seul bâtissait des demeures d'éternité où résidaient les forces de création, à jamais inaccessibles et pourtant présentes dans le plus modeste silex. Sans le temple, la justice n'eût été que tracasseries, règlements de comptes, domination d'une caste; grâce à lui, la déesse Maât tenait le gouvernail et veillait sur la balance. Aucun individu ne pouvait posséder la justice; seule Maât, au corps aussi léger qu'une plume d'autruche, connaissait le poids des actes. Aux magistrats de la servir avec la tendresse d'un enfant pour sa mère.

Mentmosé jaillit de la nuit finissante. Pazair, frileux malgré la saison, avait jeté une cape de laine sur ses épaules ; le chef de la police se contentait de la robe empesée qu'il portait avec superbe. A sa ceinture, un poignard au manche court et à la lame fine. Son regard était froid.

– Vous êtes très matinal, Mentmosé.

– Je n'ai pas l'intention de jouer le rôle de l'accusé.

– Je vous ai appelé comme témoin.

– Votre stratégie est simple : m'écraser sous des fautes plus ou moins imaginaires. Dois-je vous rappeler que, comme vous, je fais appliquer la loi ?

– En oubliant de vous l'appliquer à vous-même.

– Une enquête ne se mène pas avec de bons sentiments ; parfois, il faut se salir les mains.

– N'auriez-vous pas omis de les purifier ?

– L'heure n'est plus à une morale de pacotille. Ne préférez pas un nègre dangereux au chef de la police.

– Pas d'inégalité devant la justice : j'ai prêté serment dans ce sens.

– Qui êtes-vous donc, Pazair ?

– Un juge d'Égypte.

Ces mots avaient été prononcés avec tant de force et de solennité qu'ils ébranlèrent Mentmosé. Il avait la malchance de se heurter à un magistrat de l'ancien temps, à l'un de ces hommes représentés sur les bas-reliefs de l'âge d'or des pyramides, la tête droite, respectueux de la rectitude, amoureux de la vérité, insensibles au blâme et à la louange. Après tant d'années passées dans les méandres de la haute administration, le chef de la police était persuadé que cette race s'éteindrait définitivement avec le vizir Bagey. Hélas, telle une mauvaise herbe que l'on croyait anéantie, elle renaissait avec Pazair.

– Pourquoi me persécutez-vous ?

– Vous n'êtes pas une victime innocente.

– J'ai été manipulé.

– Par qui ?

– Je l'ignore.

– Voyons, Mentmosé! Vous êtes l'homme le mieux renseigné d'Égypte et vous tentez de me persuader qu'un individu, plus machiavélique que vous, a manœuvré le métier à tisser à votre place?

– Puisque vous souhaitiez la vérité, la voilà. Reconnaissez qu'elle ne m'avantage pas.

– Je demeure sceptique.

– Vous avez tort. Sur la véritable cause de la mort des vétérans, je ne sais rien; pas davantage sur le vol du fer céleste. L'assassinat de Branir m'offrait l'occasion, par le biais d'une dénonciation anonyme, de me débarrasser de vous. Je n'ai pas hésité, car je vous hais. Je déteste votre intelligence, votre volonté d'aboutir coûte que coûte, votre refus des compromis. Un jour ou l'autre, vous vous seriez attaqué à moi. Ma dernière chance, c'était Kem; si vous l'aviez accepté comme bouc émissaire, nous aurions conclu un pacte de non-agression.

– Votre faux témoin oculaire ne serait-il pas le manipulateur?

Mentmosé gratta son crâne rose.

– Il existe certainement un complot dont le général Asher est la tête pensante, mais j'ai été incapable d'en discerner les fils. Nous avons des ennemis communs; pourquoi ne pas nous allier?

Le silence de Pazair parut de bon augure.

– Votre intransigeance ne durera qu'un temps, affirma Mentmosé. Elle vous a permis de monter haut dans la hiérarchie, mais ne tirez plus sur cette corde-là. Je connais la vie; écoutez mes conseils, et vous vous en porterez bien.

– Je m'interroge.

– A la bonne heure! Je suis prêt à effacer mes ressentiments et à vous considérer comme un ami.

– Si vous n'êtes pas au centre du complot, estima Pazair, réfléchissant à haute voix, il est beaucoup plus grave que je ne l'imaginais.

Mentmosé fut décontenancé. Il espérait une autre conclusion.

– Le nom de votre faux témoin devient un indice capital.

– N'insistez pas.

– Vous tomberez donc seul, Mentmosé.

– Oseriez-vous m'accuser...

– De complot contre la sécurité de l'État.

– Les jurés ne vous suivront pas !

– Nous verrons bien. Il existe suffisamment de griefs pour les alerter.

– Si je vous donne ce nom, me laisserez-vous en paix ?

– Non.

– Vous êtes insensé !

– Je ne céderai à aucun chantage.

– En ce cas, je n'ai aucun intérêt à parler.

– A votre gré. A tout à l'heure, au tribunal.

Les doigts de Mentmosé se crispèrent autour du manche du poignard. Pour la première fois de sa carrière, le chef de la police se sentait pris dans une nasse.

– Quel avenir me réservez-vous ?

– Celui que vous avez choisi vous-même.

– Vous êtes un excellent juge, je suis un bon policier. Une erreur se répare.

– Le nom du faux témoin ?

Mentmosé ne sombrerait pas seul.

– Le dentiste Qadash.

Le chef de la police guetta la réaction de Pazair. Comme le Doyen du porche demeurait silencieux, il hésita à disparaître.

– Qadash, répéta-t-il.

Mentmosé tourna les talons, avec l'espoir que cette révélation le sauverait. Il n'avait pas remarqué la présence d'un témoin attentif, dont les yeux rouges ne l'avaient pas quitté un seul instant. Le babouin, perché sur le toit du porche, ressemblait à une statue du dieu Thot. Assis sur son derrière, les mains posées à plat sur les genoux, il paraissait méditer.

Pazair sut que le chef de la police n'avait pas menti. Sinon, le singe se serait jeté sur lui.

Le juge appela Tueur. Le babouin hésita, se laissa glisser le long d'une colonnette, fit face à Pazair et lui tendit la main.

Quand il retrouva Kem, l'animal sauta au cou de l'homme qui pleurait de joie.

*

Les cailles survolèrent les champs et s'abattirent sur les blés. Fatigué par une longue migration, le chef du vol n'avait pas perçu le danger. Chaussés de sandales de papyrus, plaqués au sol, les chasseurs déployèrent un filet à mailles serrées, tandis que leurs assistants agitaient des étoffes afin d'affoler les oiseaux. Effrayés, ils furent capturés en grand nombre. Rôties, les cailles seraient l'un des mets appréciés sur les meilleures tables.

Pazair ne goûtait pas ce spectacle. Voir un être privé de liberté, fût-ce une simple caille, lui causait une réelle souffrance. Néféret, qui percevait le moindre de ses sentiments, l'entraîna plus loin dans la campagne. Ils marchèrent jusqu'à un lac aux eaux tranquilles, entouré de sycomores et de tamaris, qu'un roi thébain avait fait creuser pour sa grande épouse royale. Selon la légende, la déesse Hathor venait s'y baigner au couchant. La jeune femme espérait que la vision de ce paradis apaiserait le juge.

La confession du chef de la police ne prouvait-elle pas que, depuis ses premiers jours d'enquête à Memphis, Pazair s'était orienté vers l'une des âmes damnées du complot ? Qadash n'avait pas hésité à soudoyer Mentmosé afin d'envoyer un juge au bagne. Pris d'un vertige, le Doyen du porche se demandait s'il n'était pas l'instrument d'une volonté supérieure qui traçait son chemin et le contraignait à le suivre, quoi qu'il arrive.

La culpabilité de Qadash l'amenait à se poser des

questions auxquelles il ne devait pas répondre dans la précipitation et sans preuves. Un feu étrange, parfois insupportable, le tourmentait ; pressé de découvrir la vérité, ne risquait-il pas de la dénaturer en brûlant les étapes ?

Néféret avait décidé de l'arracher à son bureau et à ses dossiers, sans accorder crédit à ses protestations ; aussi l'avait-elle entraîné dans les solitudes souriantes de la campagne d'Occident.

– Je perds des heures précieuses.

– Ma compagnie serait-elle si pesante ?

– Pardonne-moi.

– Prendre du recul t'est nécessaire.

– Le dentiste Qadash nous relie au chimiste Chéchi, donc au général Asher, donc à l'assassinat des cinq vétérans, et sans doute au transporteur Dénès et à sa femme ! Les comploteurs appartiennent à l'élite de ce pays. Ils veulent prendre le pouvoir en fomentant un complot militaire et en s'assurant le monopole d'armes nouvelles. Voilà pourquoi on a supprimé Branir, futur grand prêtre de Karnak, qui m'aurait permis d'enquêter dans les temples, sur le vol du fer céleste ; voilà pourquoi on a tenté de me supprimer en m'accusant du meurtre de mon maître. L'affaire est énorme, Néféret ! Pourtant, je ne suis pas sûr d'avoir raison. Je doute de mes propres affirmations.

Elle le guida dans un sentier qui longeait le lac. Au milieu de l'après-midi, sous une chaleur écrasante, les paysans sommeillaient à l'ombre des arbres ou des huttes.

Néféret s'agenouilla sur la berge et cueillit un bouton de lotus dont elle orna ses cheveux. Un poisson argenté, au ventre rebondi, jaillit de l'eau et disparut dans une courbe de gouttelettes scintillantes.

La jeune femme entra dans l'onde ; mouillée, la robe de lin se colla à son corps léger et dévoila ses formes. Elle plongea, nagea avec souplesse et, rieuse, accompagna de la main une carpe qui zigzaguait devant elle.

Lorsqu'elle ressortit, son parfum embaumait, exalté par le bain.

– Ne me rejoindras-tu pas ?

La regarder était si merveilleux que Pazair en avait oublié de bouger. Il quitta son pagne pendant qu'elle ôtait sa robe. Nus et enlacés, ils glissèrent jusqu'à un fourré de papyrus où ils firent l'amour, inondés de bonheur.

*

Pazair s'était fermement opposé à la démarche de Néféret. Pourquoi le médecin-chef Nébamon l'avait-il convoquée, sinon pour lui tendre un piège et se venger ?

Kem et son babouin suivraient Néféret afin d'assurer sa sécurité. Le singe s'introduirait dans le jardin de Nébamon ; si le médecin-chef devenait menaçant, il interviendrait de la manière la plus brutale.

Néféret n'éprouvait aucune crainte ; au contraire, elle se réjouissait de connaître les intentions de son ennemi le plus acharné. Malgré les mises en garde de Pazair, elle acceptait les conditions de Nébamon : un entretien seul à seule.

Le portier laissa passer la jeune femme qui s'engagea dans une allée de tamaris dont les branches abondantes et entremêlées touchaient le sol ; leurs fruits, aux longs poils sucrés, devaient être ramassés à la rosée et séchés au soleil. Avec le bois, on fabriquait des cercueils réputés, semblables à celui d'Osiris, et des bâtons qui écartaient les ennemis de la lumière. Surprise par le silence anormal qui régnait dans le vaste domaine, Néféret regretta soudain de n'être pas munie d'une telle arme.

Pas un jardinier, pas un porteur d'eau, pas un serviteur... Les abords de la somptueuse villa étaient déserts. Hésitante, Néféret franchit le seuil. La vaste pièce réservée aux visiteurs était fraîche, bien ventée, à peine éclairée par quelques faisceaux de lumière.

– Je suis venue, annonça-t-elle.

Personne ne répondit. La demeure semblait abandonnée. Nébamon avait-il regagné la ville, oublieux de son rendez-vous ? Incrédule, elle explora les appartements privés.

Le médecin-chef dormait, allongé sur le dos, dans le grand lit de sa chambre aux murs décorés de canards en vol et d'aigrettes au repos. Son visage était creusé, sa respiration courte et irrégulière.

– Je suis venue, répéta-t-elle doucement.

Nébamon s'éveilla. Incrédule, il se frotta les yeux, et se redressa.

– Vous avez osé... je ne l'aurais jamais cru !

– Êtes-vous si redoutable ?

Il la contempla, aérienne.

– Je l'étais. Je souhaitais la disparition de Pazair et votre déchéance. Vous savoir heureux ensemble me torturait ; je vous voulais à mes pieds, pauvre, suppliante. Votre bonheur empêchait le mien. Pourquoi ne vous aurais-je pas séduite ? Tant d'autres ont succombé ! Mais vous ne leur ressemblez pas.

Nébamon avait beaucoup vieilli ; sa voix, aux fameuses inflexions langoureuses, devenait chevrotante.

– De quoi souffrez-vous ?

– Je suis un hôte méprisable. Aimeriez-vous goûter mes gâteaux en forme de pyramide, fourrés à la confiture de datte ?

– Je ne suis pas gourmande.

– Pourtant, vous aimez la vie, vous vous offrez à elle sans retenue ! Nous aurions formé un couple magnifique. Pazair ne vous vaut pas, vous le savez ; il ne restera pas longtemps Doyen, et vous passerez à côté de la fortune.

– Est-elle indispensable ?

– Un médecin pauvre ne progresse pas.

– Votre richesse vous préserve-t-elle de la souffrance ?

– Tumeur vasculaire.

– Ce n'est pas irrémédiable. Pour soulager la douleur, je préconise des applications de jus de sycomore, extrait de l'arbre au début du printemps, avant qu'il ne porte ses fruits.

– Excellente prescription. Vous connaissez la matière médicale à la perfection.

– L'opération est inévitable. Je pratiquerai une incision avec un roseau aiguisé, j'ôterai la tumeur en la chauffant au feu, et je cautériserai avec une lancette.

– Vous auriez raison, si mon organisme était capable de supporter l'intervention.

– Seriez-vous affaibli à ce point ?

– Mes jours sont comptés. C'est pourquoi j'ai renvoyé proches et domestiques. Tous m'ennuient. Au palais, ce doit être une belle pagaille. Personne ne prendra d'initiative en mon absence. Les imbéciles qui m'obéissent au doigt et à l'œil ne savent plus sur quel pied danser. Quelle misérable comédie... Vous revoir illumine mon agonie.

– Puis-je vous ausculter ?

– Amusez-vous.

Elle écouta la voix de son cœur, faible et désordonnée. Nébamon ne mentait pas. Il était gravement malade. Il demeurait immobile, respirant le parfum de Néféret, goûtant la douceur de sa main sur sa peau, la tendresse de son oreille sur sa poitrine. Il aurait bradé son éternité pour que ces instants-là ne cessassent point. Mais il ne disposait plus d'un tel trésor ; au pied de la balance du jugement, la dévoreuse l'attendait.

Néféret s'écarta.

– Qui vous soigne ?

– Moi-même, l'illustre médecin-chef du royaume d'Égypte !

– De quelle manière ?

– Par le mépris. Je me déteste, Néféret, parce que je ne suis pas capable de me faire aimer de vous. Mon existence fut une litanie de succès, de mensonges et de turpitudes, mais il me manque votre visage, la passion qui aurait dû vous porter vers moi. Je meurs de votre absence.

– Je n'ai pas le droit de vous abandonner.

– N'hésitez pas une seconde, profitez de votre chance ! Si je guérissais, je redeviendrais une bête fauve, n'aurais de cesse de supprimer Pazair et de vous capturer.

– Un malade mérite des soins.

– Accepteriez-vous ce rôle ?

– Il existe d'excellents praticiens, à Memphis.

– Vous, personne d'autre.

– Ne faites pas l'enfant.

– M'auriez-vous aimé, sans Pazair ?

– Vous connaissez la réponse.

– Mentez, je vous en prie !

– Dès ce soir, vos serviteurs reviendront. Je préconise une alimentation légère.

Nébamon se redressa.

– Je vous jure que je n'ai participé à aucun des complots qui préoccupent votre mari. J'ignore tout de l'assassinat de Branir, de la mort des vétérans, et des menées du général Asher. Mon seul but était d'envoyer Pazair au bagne et de vous obliger à devenir ma femme. Tant que je vivrai, je n'en aurai pas d'autre.

– Ne faut-il pas renoncer à l'impossible ?

– Le vent tournera, j'en suis sûr !

CHAPITRE 16

Panthère, radieuse, caressait la poitrine de Souti. Il lui avait fait l'amour avec la fougue d'une crue naissante, si ardente que son flot se lançait à l'assaut des montagnes.

– Pourquoi es-tu si sombre ?

– Des soucis sans importance.

– On murmure beaucoup.

– A quel propos ?

– La chance de Ramsès le grand. D'aucuns prétendent qu'elle a tourné. Le mois dernier, un incendie aux docks ; plusieurs accidents sur le fleuve ; des acacias fendus en deux par la foudre.

– Banalités.

– Pas pour tes compatriotes. Ils sont persuadés que la puissance magique de Pharaon s'épuise.

– La belle affaire ! Il célébrera une fête de régénération, et le peuple clamera sa joie.

– Qu'attend-il ?

– Ramsès a le sens de l'acte juste au moment juste.

– Et tes ennuis ?

– Sans importance, je te le répète.

– Une femme.

– Mon enquête.

– Que veut-elle ?

– Je suis obligé de...

– Un mariage, avec un contrat en bonne et due forme ! Autrement dit, tu me répudies !

Déchaînée, la blonde Libyenne brisa quelques bols en terre cuite et disloqua une chaise paillée.

– Comment est-elle ? Grande, petite, jeune, vieille ?

– Petite, les cheveux très noirs, moins belle que toi.

– Riche ?

– Bien entendu.

– Je ne te suffis plus, je n'ai pas de fortune ! Tu ne t'amuses plus avec ta putain blonde et tu deviens honorable avec ta bourgeoise brune !

– J'ai besoin d'obtenir un renseignement.

– Es-tu obligé de te marier ?

– Simple formalité.

– Et moi ?

– Sois un peu patiente. Dès que j'aurai obtenu satisfaction, je divorcerai.

– Comment réagira-t-elle ?

– Pour elle, ce n'est qu'un caprice. Elle oubliera vite.

– Refuse, Souti. Tu commets une énorme erreur.

– Impossible.

– Cesse d'obéir à Pazair !

– Le contrat de mariage est signé.

*

Pazair, Doyen du porche, premier magistrat de Memphis, autorité morale incontestée, boudait comme un adolescent contrarié. Il n'admettait pas les efforts que Néféret avait déployés en faveur de Nébamon. La jeune femme avait sollicité plusieurs thérapeutes qui s'étaient rendus au chevet du médecin-chef, ramené ses serviteurs au domaine, veillé à ce que le malade fût soigné et entouré. Cette attitude le mettait en rage.

– On n'aide pas ses ennemis, maugréa-t-il.

– Un juge peut-il s'exprimer ainsi ?

– Il le doit.

– Je suis médecin.

– Ce monstre a tenté de nous détruire, toi et moi.
– Il a échoué. Aujourd'hui, c'est lui qui se détruit de l'intérieur.
– Son mal n'efface pas ses fautes.
– Tu as raison.
– Si tu l'admets, ne te préoccupe plus de lui.
– Il n'occupe aucune de mes pensées, mais j'ai agi selon mon devoir.
Pazair se dérida un peu.
– Serais-tu jaloux ?
Il l'attira contre lui.
– Personne ne l'est davantage que moi.
– Me donneras-tu l'autorisation de soigner un autre malade que mon mari ?
– Si la loi me le permettait, non.
Brave, l'œil inquiet, tendit la patte droite à Néféret et la gauche à Pazair. Toute dissension entre ses maîtres le rendait malheureux. Sa posture d'acrobate déclencha un fou rire que le chien, rassuré, partagea en jappant.

*

Souti écarta deux scribes, les bras chargés de papyrus, bouscula un greffier, et força la porte du bureau de Pazair qui buvait une coupe d'eau cuivrée. Ses longs cheveux noirs en folie, l'ancien héros était en proie à la fureur.
– Un ennui, Souti ?
– Oui, toi !
Le Doyen du porche se leva et ferma la porte. L'orage serait violent.
– Nous pourrions discuter ailleurs.
– Surtout pas ! Cet endroit est précisément la cause de ma colère.
– Serais-tu victime d'une injustice ?
– Tu t'embourgeoises, Pazair ! Regarde autour de toi : des gratte-papier, des fonctionnaires bornés, de

petits esprits préoccupés de leur avancement. Tu oublies notre amitié, tu négliges l'enquête sur le général Asher, tu ne recherches plus la vérité, comme si tu ne croyais plus en moi! On t'a pris au piège des titres et de la respectabilité. Pourtant, j'ai vu Asher torturer et tuer un Égyptien, je sais que c'est un traître, et toi, tu te pavanes comme un notable!

– Tu as bu.

– De la mauvaise bière, et beaucoup trop. J'en avais besoin. Personne n'ose te parler comme moi.

– La nuance n'est pas ton fort, mais je ne te savais pas stupide.

– Ne m'injurie pas, en plus! Nie, si tu l'oses.

– Assieds-toi.

– Moi, je ne pactise pas!

– Accepte au moins une trêve.

Un peu chancelant, Souti parvint à s'accroupir sans perdre l'équilibre.

– Inutile de tenter de me séduire. J'ai vu clair dans ton jeu.

– Tu as de la chance. Moi, je m'y perds.

Étonné, Souti se tourna vers Pazair.

– Que veux-tu dire?

– Regarde mieux : je suis écrasé de travail. Dans mon quartier de Memphis, comme petit juge, j'avais un peu de temps pour enquêter. Ici, je dois répondre à cent sollicitations, traiter quantité de dossiers, calmer les colères des uns et les impatiences des autres.

– Le voilà, le piège! Démissionne, et suis-moi.

– Tes projets?

– Tordre le cou du général Asher et guérir l'Égypte du mal qui la ronge.

– Ce dernier résultat ne sera pas atteint.

– Bien sûr que si! En coupant la tête du complot, plus de sédition!

– Et l'assassin de Branir?

Souti eut un sourire féroce.

– Moi, je fus un bon enquêteur. Mais j'ai dû épouser la dame Tapéni.

– J'apprécie ton sacrifice.
– Sinon, elle n'aurait pas parlé.
– Te voilà riche.
– Panthère l'accepte mal.
– Un séducteur comme toi devrait s'en accommoder.
– Moi, marié... C'est pire qu'un bagne! Dès que possible, je divorce.
– La cérémonie s'est-elle bien passée?
– Dans la plus stricte intimité. Elle ne voulait personne. Au lit, elle s'est déchaînée. Pour Tapéni, je suis une sucrerie inépuisable.
– Alors, cette enquête?
– Seules quelques personnes de haut rang utilisent le type d'aiguille qui a tué Branir. Parmi elles, la plus habile et la plus remarquable est la dame Nénophar. Si son poste d'inspectrice du Trésor n'est qu'honorifique, elle est effectivement intendante des étoffes et connaît le métier à merveille.

La dame Nénophar, l'épouse du transporteur Dénès, l'ennemie farouche de Bel-Tran, le meilleur soutien du juge! Pourtant, en tant que membre du jury, lors du procès Asher, elle n'avait pas censuré Pazair. Une nouvelle fois, le juge se sentait en porte à faux. La culpabilité semblait évidente, mais sa conviction ne s'affermissait pas.

– Arrête-la sur-le-champ, conseilla Souti.
– La preuve n'est pas établie.
– Comme pour Asher! Pourquoi refuses-tu sans cesse l'évidence?
– Pas moi, Souti, mais le tribunal. Pour reconnaître coupable une personne accusée de meurtre, les jurés exigent un dossier impeccable.
– Mais je me suis marié!
– Tâche d'obtenir davantage.
– Tu deviens de plus en plus exigeant, et tu t'enfermes dans un réseau de lois qui t'éloignent de la réalité. Tu refuses la vérité : Asher est un traître et un criminel qui tente de mettre la main sur l'armée d'Asie, Nénophar a assassiné ton maître.

– Pourquoi le général n'agit-il pas ?

– Parce qu'il met ses hommes en place dans les protectorats et en Égypte même. En tant qu'instructeur des officiers d'Asie, il forme un clan de scribes et de militaires qui lui sont dévoués. Bientôt, avec le concours de son ami Chéchi, il disposera d'armes incassables. Elles lui permettront d'affronter sans crainte n'importe quelle troupe. Qui contrôle l'armement gouverne le pays.

Pazair demeurait incrédule.

– Un coup d'État militaire n'a aucune chance de réussir.

– Ce n'est plus l'âge d'or, mais le règne de Ramsès ! Dans nos provinces, les étrangers se comptent par milliers ; nos chers compatriotes songent davantage à s'enrichir qu'à satisfaire les dieux. La vieille morale est morte.

– La personne de Pharaon reste sacrée. Le général Asher ne possède pas cette stature-là. Aucun clan ne le soutiendra, le pays le rejettera.

L'argument porta. Souti admit que son raisonnement, inattaquable dans un pays d'Asie, ne valait pas pour l'Égypte de Ramsès le grand. Une faction, même supérieurement armée, n'arracherait pas l'assentiment des temples, et moins encore l'adhésion du peuple. Pour gouverner les Deux Terres, la force ne suffisait pas. Il fallait un être magique, capable de conclure un pacte avec les dieux et de faire rayonner sur terre un amour de l'au-delà. Propos risibles aux oreilles d'un Grec, d'un Libyen ou d'un Syrien, mais essentiels à celles d'un Égyptien ; quelles que fussent ses qualités de stratège et d'intrigant, Asher ne disposait pas de ces qualités-là.

– C'est étrange, estima Pazair. Nous avions retenu trois coupables possibles de l'assassinat de Branir : le Doyen du porche, exilé, qui se meurt d'inanition ; Nébamon, frappé d'une maladie grave ; Mentmosé, au bord du gouffre. Ces trois-là avaient pu écrire le message m'ordonnant de rejoindre mon maître et organiser la mise en scène destinée à m'accuser. Et toi, tu ajoutes la dame Nénophar. Mais l'ancien Doyen me semble hors de cause; son comportement fut celui d'un magistrat usé, faible, écrasé par ses compromissions. Nébamon a juré à Néféret qu'il ne trempait dans aucun complot. Et le chef de la police, d'ordinaire si habile et si sûr de lui, apparaît comme le manipulé et non comme le manipulateur. Si nous nous sommes aussi lourdement trompés, pourquoi ne pas hésiter à propos de la dame Nénophar?

– Le voilà, ton complot! Le général Asher ne se contente pas de ses soldats d'élite. Il a besoin d'appuis chez les nobles et chez les riches. Lui est acquis celui de la dame Nénophar et de Dénès, les négociants les plus fortunés de Memphis! Grâce à leur fortune, il achètera silences, consciences et complicités. Le cerveau de l'affaire est double.

– Dénès n'a-t-il pas organisé le banquet célébrant mon investiture?

– N'a-t-il pas essayé de t'acheter, toi aussi? Lorsqu'il n'y parvient pas, il fabrique une vérité qui lui convient. Toi, assassin de Branir; Qadash, témoin oculaire du même meurtre, afin d'écarter définitivement ton fidèle policier, Kem.

Cette fois, malgré son ivresse, Souti se montrait convaincant.

– Si tu as raison, nos adversaires sont encore plus nombreux et puissants que nous ne le supposions. Dénès aurait-il la stature d'un chef d'État?

– Sûrement pas! Trop plein de lui-même, indifférent à autrui. Trop courte vue; ses finances et son intérêt personnel sont ses seuls paysages. La dame Nénophar, en revanche, est plus redoutable qu'il n'y paraît; je la crois capable d'assurer une régence. Nous ne rêvons pas, Doyen du porche! Cinq cadavres de vétérans, Branir assassiné, plusieurs tentatives d'élimination... L'Égypte n'avait pas connu de tels troubles depuis des décennies. Ton enquête dérange. Puisque tu disposes d'un pouvoir, utilise-le! Tes paperasseries attendront.

– Elles garantissent l'équilibre du pays et le bonheur quotidien de la population.

– Si le complot réussit, qu'en restera-t-il?

Pazair se leva, tendu.

– L'inaction te pèse, Souti.

– Un héros a besoin d'exploits.

– Es-tu prêt à prendre des risques?

– Autant que toi. Je veux assister au châtiment du général Asher.

*

La colique de Silkis avait pris des proportions alarmantes. Redoutant une dysenterie, Bel-Tran était venu lui-même chercher Néféret au milieu de la nuit. Le médecin fit absorber à la malade des graines d'aneth odorant; leurs propriétés sédatives et digestives atténueraient les spasmes. En onguent, ajoutées à la bryone et à la coriandre, elles soulageaient les migraines. Le bel ombellifère aux fleurs jaunes ne suffirait pas, tant les diarrhées étaient douloureuses; tous les quarts d'heure, Silkis devrait absorber une coupe remplie de bière de caroube, obtenue à partir des cosses, et mélangée à de l'huile et à du miel. Une heure après le début du traitement, les symptômes s'atténuèrent.

– Vous êtes merveilleuse, balbutia la patiente.

– Soyez rassurée. Dès demain, vous serez rétablie. Buvez de la bière de caroube pendant une semaine.

– Dois-je craindre des complications?

– Aucune. Une banale intoxication alimentaire. Mal soignée, elle serait devenue inquiétante. Pendant quelques jours, nourrissez-vous de céréales.

Bel-Tran remercia chaleureusement Néféret, et l'entraîna à l'écart.

– Avez-vous été sincère?

– N'ayez aucune crainte.

– Permettez-moi de vous offrir une collation.

Néféret ne refusa pas cet instant de repos, avant une longue journée où elle visiterait plus d'une dizaine de malades riches ou pauvres. Bientôt, l'aube poindrait; inutile d'essayer de dormir.

– Depuis mon entrée au Trésor, révéla Bel-Tran, je suis insomniaque. Pendant que Silkis dort, je travaille sur les dossiers du lendemain. Parfois, une boule douloureuse se forme au creux de mon estomac, et je suis presque tétanisé.

– Vous épuisez votre système nerveux.

– Le Trésor ne m'accorde pas de repos. J'admets vos reproches, Néféret, mais ne pourrais-je pas vous les retourner? Vous courez d'un endroit à l'autre de la ville, et ne résistez à aucune supplique. Votre place est ailleurs. Le palais manque de praticiens de votre qualité. En s'entourant de médiocres, Nébamon a fait le vide autour de lui. S'il vous a chassée du corps principal des médecins, c'est à cause de votre compétence.

– Le médecin-chef décide des nominations, nous n'y pouvons rien, ni vous ni moi.

– Vous avez guéri le vizir et plusieurs notables. Je rassemble leurs témoignages et les présenterai à la commission de discipline. Les plus stupides seront obligés de reconnaître vos mérites.

– Je n'ai guère envie de lutter pour moi-même.

– Pazair, en tant que Doyen du porche, ne peut intervenir en votre faveur, sous peine d'être suspecté de partialité. Ce n'est pas mon cas. Je me battrai pour vous.

*

Thèbes était en émoi. La grande cité du sud, garante des plus anciennes traditions, hostile aux innovations économiques que Memphis, la rivale du nord, acceptait avec trop de complaisance, attendait avec impatience le nom du nouveau grand prêtre qui régnerait sur plus de quatre-vingt mille employés, soixante-cinq villes et villages, un million d'hommes et de femmes travaillant plus ou moins directement pour le temple, quatre cent mille têtes de bétail, quatre cent cinquante vignobles et vergers et quatre-vingt-dix navires. A Pharaon de fournir les objets du culte, les nourritures, l'huile, l'encens, les onguents, les vêtements, et de donner des terres dont la propriété serait marquée par de grandes stèles plantées aux frontières des champs, à chaque angle ; au grand prêtre de percevoir des taxes sur les marchandises et sur les pêcheurs. Le pontife d'Amon gérait un État dans l'État ; aussi le roi devait-il nommer un homme dont la fidélité et l'obéissance lui étaient acquises, sans pour autant être un personnage falot, dépourvu d'autorité. Branir eût été de cette trempe-là ; sa disparition brutale avait embarrassé Ramsès le grand. La veille de l'intronisation, son choix n'était pas encore connu.

Pazair et Souti s'étaient déplacés, à la fois par curiosité et par nécessité. Consulté, le grand prêtre de Ptah de Memphis n'avait pu fournir aucun renseignement sur le vol du fer céleste. Sans nul doute, le métal précieux provenait d'un temple du sud ; seul le grand prêtre de Karnak orienterait les enquêteurs sur une piste sérieuse. Mais quel personnage Pazair aurait-il en face de lui ?

En tant que Doyen du porche, Pazair fut admis au débarcadère, en compagnie de Souti qu'il présenta comme son assistant. Quantité de barques occupaient le bassin creusé entre le Nil et le temple ; des rangées d'arbres préservaient la fraîcheur.

Les deux amis, guidés par un prêtre, passèrent entre les sphinx à tête humaine dont le regard écartait les profanes. Devant chacun des gardiens vigilants, une rigole d'irrigation amenait l'eau à une fosse, profonde de cinquante centimètres, où poussaient des fleurs. Ainsi la voie sacrée, menant du monde extérieur au temple, était-elle ornée des couleurs les plus vives et les plus chatoyantes.

Pazair et Souti eurent accès à la première grande cour où des célébrants au crâne rasé, vêtus d'une robe de lin, garnissaient les autels de fleurs. Quels que fussent les événements, le culte devait être assuré. Les purs, les pères divins, les serviteurs du dieu, les maîtres des secrets, les porteurs des rituels, les astrologues et les musiciens vaquaient à leurs occupations fixées par la Règle en vigueur depuis le temps des pyramides. Seule une petite partie d'entre eux résidait en permanence à l'intérieur du sanctuaire; les autres y officiaient pendant des périodes plus ou moins longues, allant d'une semaine à trois mois. Deux fois par jour et deux fois par nuit, ils procédaient à des ablutions, estimant que l'ascèse intérieure devait se doubler d'une impeccable propreté physique.

Les deux amis s'assirent sur une banquette de pierre. Le calme du lieu, sa majesté, la paix profonde inscrite dans les pierres d'éternité, leur firent oublier soucis et questions. Ici, la vie, délivrée de l'érosion de la durée, avait un autre goût. Même Souti, qui ne croyait pas aux dieux, s'emplit l'âme de plénitude.

*

Le nouveau grand prêtre de Karnak avait reçu du roi les insignes de sa fonction, une canne en or et deux anneaux. Désormais chef du plus riche et du plus vaste des temples d'Égypte, il veillerait à préserver ses trésors. Chaque matin, il ouvrirait les deux battants du sanctuaire secret, la région de lumière où Amon se régénérait dans le mystère de l'Orient. Il avait prêté serment d'observer le rituel, de renouveler les offrandes, et de prendre soin de la demeure divine où la création des premiers instants se maintenait en équilibre. Demain, il songerait à son abondant personnel, comprenant le directeur de sa maisonnée, un majordome, un chambellan, des scribes, des secrétaires et des chefs d'équipe; demain, il regretterait l'existence tranquille à laquelle la décision de Pharaon l'avait arraché. En ce moment si intense, il songeait au précepte majeur de la Règle : *Ne hausse pas la voix dans le temple, Dieu déteste les cris. Que ton cœur soit aimant. N'interroge pas Dieu à tort et à travers, car il aime le silence. Le silencieux ressemble à l'arbre qui pousse dans le verger; ses fruits sont doux, son ombre est agréable, il verdit et finit ses jours dans le verger où il est né.*

Le grand prêtre se recueillit longuement dans le Saint des saints, seul face au naos qui contenait la statue du dieu. Jamais il n'avait espéré vivre une telle émotion, réduisant à néant ses aspirations d'hier et ses espoirs dérisoires. La robe de premier serviteur d'Amon le dépouillait de son humanité et faisait de lui un inconnu à ses propres yeux. Peu importait, puisqu'il n'aurait plus le loisir de s'interroger sur ses goûts ou sur ses doutes.

Le grand prêtre recula en effaçant ses pas. Dès qu'il serait sorti du Saint des saints, il se retournerait pour affronter l'univers du temple.

*

Des acclamations saluèrent l'apparition du nouveau grand prêtre sur le seuil de l'immense salle à colonnes construite par Ramsès. A lui, désormais, d'ouvrir le chemin avec son bâton d'or et de gouverner une armée pacifique, vouée à la gloire d'Amon.

Pazair sursauta.

– Incroyable.

– Tu le connais? demanda Souti.

– C'est Kani, le jardinier.

CHAPITRE 17

Lorsqu'il reçut l'hommage des dignitaires dans la grande cour, Kani s'arrêta longuement devant Pazair. Le juge s'inclina. Dans l'échange de leurs regards, les deux hommes partagèrent la même joie profonde.

– J'aimerais vous consulter au plus tôt.

– Je vous recevrai dès ce soir, promit Kani.

*

Le palais du grand prêtre, proche de l'entrée du temple, était une merveille d'architecture et de décoration. La beauté des peintures, glorifiant la présence divine dans la nature, enchantait l'œil. Kani accueillit Pazair dans son cabinet particulier, déjà encombré de papyrus.

Chaleureux, ils se donnèrent l'accolade.

– Je suis heureux pour l'Égypte, déclara le juge.

– Puissiez-vous avoir raison ! Branir était promis à la fonction que j'occupe. Sage parmi les sages, qui l'égalera ? J'honorerai sa mémoire chaque matin, et des offrandes seront présentées à sa statue, installée dans le temple.

– Ramsès ne s'est pas trompé.

– J'aime ce lieu, il est vrai, comme si j'y avais toujours vécu. Si je suis ici, c'est grâce à vous.

– Mon aide fut minime.
– Décisive. Je vous sens préoccupé.
– Mon enquête se révèle des plus ardues.
– Comment vous aider ?
– Je souhaite enquêter dans le temple de Coptos, avec l'espoir de retrouver l'origine du fer céleste livré au chimiste Chéchi, complice du général Asher. Pour inculper le premier et prouver la culpabilité du second, il me faut remonter la filière. Sans votre autorisation, c'est impossible.
– Des prêtres seraient-ils complices des criminels ?
– On ne saurait l'exclure.
– Nous n'éluderons pas la difficulté. Donnez-moi une semaine.

*

Pazair, le corps entièrement rasé, logea dans une petite maison, près du lac sacré de Karnak, et participa aux rites comme « prêtre pur ». Chaque jour, il écrivit à Néféret, lui vantant la splendeur et la paix du temple. Souti, qui n'acceptait pas de sacrifier ses longs cheveux, se réfugia chez une amie qu'il avait rencontrée en assistant à une joute nautique. La belle n'était pas encore mariée, et rêvait de Memphis ; il se dévoua corps et âme afin de la distraire.

A la date prévue, le grand prêtre reçut les deux amis dans sa salle d'audience. Kani avait déjà changé ; si les traits de l'ancien jardinier, spécialiste des plantes médicinales, demeuraient burinés par le soleil et sillonnés de rides profondes, l'allure était devenue majestueuse. En le choisissant, Ramsès avait deviné le pontife sous l'homme humble. Aucune adaptation ne lui serait nécessaire ; en si peu de jours, Kani était pénétré de sa fonction.

Pazair lui présenta Souti, mal à l'aise en ce lieu austère.

– C'est bien à Coptos qu'il faudra enquêter, déclara

le grand prêtre. Les spécialistes des métaux précieux et des minéraux rares dépendent du supérieur du temple, lui-même ancien mineur, puis policier du désert. Si quelqu'un peut vous éclairer sur l'origine de ce fer céleste, c'est bien lui. Coptos est le point de départ de toutes les grandes expéditions aux mines et aux carrières.

– Serait-il impliqué ?

– D'après les rapports qui me furent soumis, non. Il surveille autant qu'il est surveillé, et s'occupe des livraisons des matériaux précieux à l'ensemble des temples d'Égypte. Depuis vingt ans, aucune faute. Il a notamment la responsabilité de la piste de l'or. J'ai néanmoins préparé un ordre écrit qui vous donnera accès aux archives du temple. A mon sens, la fraude se produit ailleurs ; ne faudrait-il pas se mêler aux mineurs et aux prospecteurs ?

*

Un vent violent agitait les cheveux noirs de Souti ; debout à la proue du bateau qui voguait vers Memphis, il ne décolérait pas, s'indignant du calme de Pazair.

– Coptos, le désert, les trésors des sables... Quelle folie !

– Avec le document que Kani m'a remis, je peux fouiller le temple de Coptos de fond en comble.

– Absurde ! Les voleurs de cet acabit ne sont pas assez stupides pour avoir laissé des traces de leur forfait.

– Ton opinion me semble sensée. Donc...

– Donc, il faudrait jouer les héros et partir à l'aventure en compagnie d'individus sans foi ni loi, qui n'hésitent pas à trucider leur prochain contre une pépite ! Autrefois, l'expérience m'aurait peut-être tenté, mais je suis marié, et...

– Toi, un petit bourgeois !

– J'aimerais profiter un peu de la fortune de la

dame Tapéni, en échange de mes bons et loyaux services. De plus, ne m'as-tu pas demandé d'obtenir d'autres renseignements en la serrant de près ?

– Vivre aux dépens d'une dame, ça ne te ressemble pas.

– Envoie ton Nubien !

– Il serait vite identifié. C'est moi qui suivrai cette piste.

– Tu divagues ! Tu ne résisteras pas deux jours.

– J'ai survécu au bagne.

– Les chercheurs de minerai sont habitués à mourir de soif, à supporter le plus brûlant des soleils, et à lutter contre scorpions, serpents et bêtes fauves ! Oublie cette idiotie !

– La vérité est mon métier, Souti.

*

Néféret fut appelée d'urgence au chevet de Nébamon. Bien que trois médecins s'occupassent de lui en permanence, le malade venait de sombrer dans le coma, après avoir appelé la jeune femme.

Vent du Nord accepta de servir de monture ; d'un bon pas, l'âne prit la direction de la villa du médecin-chef.

Dès l'arrivée de Néféret, Nébamon reprit conscience. Il souffrait de l'estomac, se plaignait de douleurs dans le bras et dans la poitrine. « Crise cardiaque », diagnostiqua Néféret. Elle posa la main sur sa poitrine, et le magnétisa jusqu'à ce que la douleur s'estompât. Elle fit cuire une racine de bryone dans l'huile et compléta la potion avec des feuilles d'acacia, des figues et du miel.

– Vous en boirez quatre fois par jour, recommanda-t-elle.

– Combien de temps à vivre ?

– Votre cas est sérieux.

– Vous ne savez pas mentir, Néféret. Combien de temps ?

– Seul Dieu est maître de notre destin.

– Je me moque des belles phrases ! J'ai peur de mourir, je veux savoir combien de jours il me reste, faire venir des filles de joie, boire mon vin !

– A vous de choisir.

Nébamon, le teint cireux, l'agrippa par le bras.

– Je ne cesse de mentir, Néféret ! C'est vous que je veux. Embrassez-moi, je vous en supplie. Une fois, une seule fois...

Elle se dégagea, sans brusquerie.

Le visage de Nébamon se couvrit de sueur.

– Le jugement de l'au-delà sera sévère. Mon existence fut médiocre, mais j'ai été heureux de diriger le plus illustre des corps médicaux. Il ne m'a manqué qu'une femme, une vraie femme, qui m'aurait rendu moins mauvais. Avant de rencontrer Osiris, j'aiderai Pazair, celui qui m'a vaincu. Dites-lui que Qadash achetait mon témoignage avec des amulettes. Des pièces exceptionnelles dont s'occupe son ancien intendant. Pour payer un prix pareil, l'affaire doit être énorme. Énorme...

Ce fut le dernier mot du médecin-chef Nébamon, qui mourut en buvant Néféret des yeux.

*

Pazair se souvint de l'intendant corrompu du dentiste Qadash ; de fait, il avait déjà été impliqué dans le trafic de ces objets dont son patron était lui-même friand. N'échangeait-on pas une belle amulette en lapis-lazuli contre un plein panier de poissons frais ? Vivants et morts souhaitaient cette protection magique contre les forces des ténèbres. En forme d'œil complet, de jambe, de main, d'escalier vers le ciel, d'outils, de lotus ou de papyrus, représentant des divinités, les amulettes étaient des réceptacles d'énergie positive. Beaucoup d'Égyptiens, sans distinction d'âge ou de classe sociale, en portaient volontiers autour du cou, en contact direct avec la peau.

La personne de Qadash prenait du relief. Aussi Pazair lança-t-il son administration sur les traces de son ex-intendant. Les investigations furent rapides et instructives ; l'homme avait obtenu un emploi similaire dans un grand domaine de Moyenne Égypte. Un domaine qui appartenait à un excellent ami de Qadash, le transporteur Dénès.

*

Lors de l'audience hebdomadaire que le vizir accordait à ses proches collaborateurs, de nombreux sujets étaient débattus. Bagey appréciait les interventions concises et détestait les bavards ; ses propres conclusions étaient brèves et sans appel. Un greffier les enregistrait, un autre les transformait en décisions administratives que le vizir revêtait de son sceau.

– Des propositions, juge Pazair ?

– Une seule : le remplacement du chef de la police. Mentmosé est indigne de ses fonctions. Les fautes qu'il a commises sont trop lourdes pour être pardonnées.

Le secrétaire du vizir s'insurgea.

– Mentmosé a rendu de grands services au pays. Il a su maintenir l'ordre avec une conscience exemplaire.

– Le vizir connaît mes arguments, précisa Pazair. Mentmosé a menti, maquillé des dossiers et bafoué la justice. Seul l'ancien Doyen du porche a été châtié ; pourquoi son complice resterait-il impuni ?

– Le chef de la police ne saurait être un agnelet naïf !

– Il suffit, intervint le vizir. Les faits sont connus et établis, le dossier ne présente aucune ambiguïté. Lisez, greffier.

Les accusations étaient accablantes. Pazair, sans broder, avait mis en relief les turpitudes de Mentmosé.

– Qui souhaite maintenir Mentmosé à son poste ? demanda le vizir, après audition des griefs.

Aucune voix ne s'éleva en faveur du policier.

– Mentmosé est révoqué, décida le vizir. S'il désire

faire appel, il comparaîtra devant moi. S'il est reconnu à nouveau coupable, ce sera le bagne. Procédons immédiatement à la désignation de son successeur. Qui proposez-vous ?

– Kem, déclara Pazair d'une voix posée.

– Scandaleux! protesta l'un des greffiers.

D'autres opposants se manifestèrent.

– Kem possède une longue expérience, insista Pazair. Il a souffert dans sa chair de ce qu'il considère comme une injustice, mais s'est toujours tenu du côté de l'ordre. Certes, il n'aime guère l'humanité, mais il pratique son métier comme un sacerdoce.

– Un Nubien de basse extraction, un...

– Un homme de terrain, sans illusions. Personne ne parviendra à le corrompre.

Le vizir interrompit les discussions.

– Kem est nommé chef de la police de Memphis. Si quelqu'un s'y oppose, qu'il présente ses arguments devant mon tribunal. Si je les estime irrecevables, il sera condamné pour injure. L'audience est levée.

*

En présence du Doyen du porche, Mentmosé remit à Kem le bâton d'ivoire terminé par une main qui symbolisait le pouvoir du chef de la police, et une amulette en forme de croissant lunaire où étaient gravés un œil et un lion, emblèmes de la vigilance. Malgré sa nomination, le Nubien avait refusé de troquer arc, flèches, épée et gourdin contre un costume de notable.

Kem ne remercia pas Mentmosé, au bord de l'apoplexie. Aucun discours ne fut prononcé. Le Nubien, méfiant, essaya aussitôt le sceau, de peur que l'ancien chef de la police ne l'eût falsifié.

– Êtes-vous satisfait? demanda Mentmosé d'une voix nasillarde.

– Je suis témoin de l'observance du décret promulgué par le vizir, répondit Pazair, serein. En tant que

Doyen du porche, j'enregistre le transfert des attributions.

– C'est vous qui avez persuadé Bagey de me démettre!

– Le vizir a agi selon son devoir. Ce sont vos fautes qui vous condamnent.

– J'aurais dû vous...

Mentmosé n'osa prononcer le mot qui lui brûlait les lèvres. Le regard du Nubien l'en empêcha.

– Une menace de mort est un délit, déclara-t-il, sévère.

– Je n'ai rien proféré de tel.

– Ne tentez plus rien contre le juge Pazair. Sinon, j'interviendrai.

– Votre personnel vous attend, précisa le juge; vous feriez bien de quitter Memphis au plus vite.

Nommé surintendant des pêcheries du Delta, Mentmosé résiderait désormais dans une petite cité côtière où l'on ne fomentait d'autre complot que le calcul du prix des poissons, selon leur taille et leur poids.

Il chercha une réplique cinglante, mais la vision du Nubien, hiératique, coupa l'inspiration.

*

Kem avait enfoui sa main de justice et son amulette officielle au fond d'un coffre en bois, sous sa collection de poignards asiatiques. Déléguant les tâches administratives aux scribes rompus à cet exercice fastidieux, il ferma la porte du bureau de Mentmosé, bien décidé à n'y effectuer que de très courtes apparitions. La rue, les champs, la nature étaient ses domaines de prédilection et le resteraient; on n'arrêtait pas les coupables en lisant de beaux papyrus. Aussi voyager en compagnie de Pazair le réjouissait-il.

Ils débarquèrent à Hermopolis, la cité sacrée du dieu Thot, maître de la langue sacrée; juchés sur des ânes spécialisés dans le transport des notabilités, ils traversèrent une campagne splendide et paisible. C'était l'époque des semailles ; après la décrue, la terre, enrichie de limon, s'offrait aux charrues et aux houes qui brisaient les mottes. Les semeurs, le cou et la tête parés de fleurs, jetaient des graines sur le sol, en vidant, d'un geste large, leurs petits sacs en fibres de papyrus. En les piétinant, moutons, bœufs et porcs enfonceraient les semences. Parfois, le laboureur dénichait un poisson prisonnier d'une mare. Les béliers guidaient leurs troupes sur les bons terrains ; si nécessaire, leurs gardiens maniaient une lanière de cuir dont le claquement ramenait les indisciplinés sur le bon chemin. Une fois recouverte, la graine, selon un processus alchimique analogue à la mort et à la résurrection d'Osiris, ferait de l'Égypte une terre fertile et riche.

Le domaine de Dénès était immense. Trois villages le desservaient. Dans le plus gros, Pazair et Kem burent du lait de chèvre et dégustèrent un yoghourt salé et crémeux, conservé dans des jarres ; ils l'étalèrent sur des tranches de pain, additionné de fines herbes. Les paysans utilisaient de l'alun, provenant de l'oasis de Khargeh, pour cailler le lait sans l'aigrir et préparer des fromages fort appréciés.

Rassasiés, les deux hommes marchèrent jusqu'à l'énorme ferme de Dénès, composée de plusieurs corps de bâtiments, silos à grains, cellier, pressoir, étables, écuries, basse-cour, boulangerie, boucherie et ateliers. Après s'être lavé les pieds et les mains, le juge et le policier exigèrent de voir l'intendant du domaine. Un palefrenier alla le chercher à l'écurie.

Dès que l'important personnage aperçut Pazair, il prit ses jambes à son cou. Kem ne bougea pas. Son babouin bondit et plaqua le fuyard dans la poussière. Quand les crocs s'enfoncèrent dans la chair du dos, l'intendant cessa de se débattre. Kem jugea que la posture convenait à un interrogatoire sérieux.

– Heureux de vous revoir, dit Pazair. Notre présence semble vous affoler.

– Éloignez ce singe!
– Qui vous a engagé?
– Le transporteur Dénès.
– Sur la recommandation de Qadash?
L'intendant hésita à répondre. Les mâchoires du singe se refermèrent.
– Oui, oui!
– Il ne vous tenait donc pas rigueur de l'avoir volé. Il existe peut-être une explication simple: Dénès, Qadash et vous, êtes complices. Si vous avez tenté de vous enfuir, c'est que vous cachez des pièces à conviction dans cette ferme. J'ai rédigé un mandat de perquisition, exécutoire sur-le-champ. Acceptez-vous de nous aider?
– Vous vous trompez.
Kem aurait volontiers sollicité son singe, mais Pazair préféra une solution moins abrupte et plus méthodique. L'intendant fut relevé, garrotté et placé sous la surveillance de plusieurs paysans qui détestaient sa tyrannie. Ils indiquèrent au juge que le prévenu interdisait l'accès d'un entrepôt que fermaient plusieurs verrous en bois. Avec un poignard, Kem les brisa.
A l'intérieur, quantité de coffres, dont les couvercles, tantôt plats, tantôt bombés, tantôt triangulaires, étaient attachés par des cordelettes enroulées autour de deux boutons, l'un sur le côté, l'autre au sommet du couvercle. L'ensemble des meubles, de tailles diverses, était de grand prix. Kem sectionna les cordelettes. Dans plusieurs coffres en bois de sycomore, des pièces de lin de première qualité, des robes et des draps.
– Le trésor de la dame Nénophar?
– Nous lui demanderons les attestations de sortie des ateliers.
Les deux hommes s'attaquèrent à des coffres de bois tendre, plaqués d'ébène, et ornés de panneaux de marqueterie. Ils contenaient des centaines d'amulettes en lapis-lazuli.
– Une vraie fortune! s'exclama le Nubien.

– La facture est si belle que l'origine des pièces devrait être facile à établir.

– Je m'en occupe.

– Dénès et ses complices les vendent à prix d'or en Libye, en Syrie, au Liban, et dans d'autres pays friands de magie égyptienne. Peut-être en proposent-ils aux bédouins pour les rendre invulnérables.

– Atteinte à la sécurité de l'État ?

– Dénès niera et accusera l'intendant.

– Même Doyen du porche, vous doutez de la justice.

– Ne soyez pas si pessimiste, Kem ; ne sommes-nous pas ici à titre officiel ?

Dissimulé sous trois coffres à couvercle plat, un objet insolite les stupéfia.

Un coffre en acacia massif et doré, haut d'une trentaine de centimètres, large de vingt, et profond de quinze. Sur le couvercle en ébène, deux boutons d'ivoire, façonnés à la perfection.

– Ce chef-d'œuvre est digne d'un Pharaon, murmura Kem.

– On croirait... une pièce d'un équipement funéraire.

– En ce cas, nous n'avons pas le droit d'y toucher.

– Je dois inventorier le contenu.

– Ne commettrez-vous pas un sacrilège ?

– Il n'existe aucune inscription.

Kem laissa le juge ôter lui-même la ficelle qui reliait les boutons d'ivoire à ceux insérés sur les côtés. Pazair souleva le couvercle avec lenteur.

L'éclat de l'or l'éblouit.

Un énorme scarabée, en or massif ! De part et d'autre, un ciseau de sculpteur miniature en fer céleste et un œil en lapis-lazuli.

– L'œil du ressuscité, le ciseau utilisé pour lui ouvrir la bouche dans l'autre monde, et le scarabée, posé à la place de son cœur afin que ses métamorphoses soient éternelles.

Sur le ventre du scarabée, une inscription hiéroglyphique avait été si profondément martelée qu'il était impossible de la déchiffrer.

– C'est un roi, affirma Kem, bouleversé. Un roi dont la tombe a été pillée.

A l'époque de Ramsès le grand, un tel forfait semblait impossible. Plusieurs siècles auparavant, des bédouins avaient envahi le Delta et pillé des nécropoles. Depuis la libération, les pharaons étaient enterrés dans la Vallée des rois, gardée nuit et jour.

– Seul un étranger a conçu un projet aussi monstrueux, reprit le Nubien, dont la voix tremblait.

Troublé, Pazair referma le coffre.

– Portons ce trésor à Kani. A Karnak, il sera en sécurité.

CHAPITRE 18

Le grand prêtre de Karnak ordonna aux artisans du temple d'examiner le coffret et son contenu. Dès qu'il eut le résultat de l'expertise, il convoqua Pazair. Les deux hommes déambulèrent sous un portique, à l'abri du soleil.

– Impossible d'identifier le propriétaire de ces merveilles.

– Un roi ?

– La taille du scarabée est troublante, mais l'indice est insuffisant.

– Kem, le nouveau chef de la police, songe à une violation de sépulture.

– Invraisemblable. Elle aurait été signalée, personne n'aurait pu étouffer le scandale. Comment un pareil crime, le plus grave de tous, passerait-il inaperçu ? Voilà plus de cinq siècles qu'il n'a pas été commis ! Ramsès l'avait stigmatisé, et le nom des coupables aurait été détruit au vu et au su de la population entière.

Kani avait raison. L'affolement du Nubien ne se justifiait pas.

– Il est probable, estima Kani, que ces pièces admirables ont été volées dans des ateliers. Soit Dénès comptait les négocier, soit il les destinait à sa propre tombe.

Connaissant la vanité du personnage, Pazair pencha pour la seconde solution.

– Avez-vous enquêté à Coptos?

– Je n'en ai pas eu le temps, répondit le juge, et j'hésite sur la méthode à suivre.

– Soyez très prudent.

– Un élément nouveau?

– Les orfèvres de Karnak sont formels : l'or du scarabée provient de la mine de Coptos.

*

Coptos, située à une faible distance au nord de Thèbes, était une ville étrange. Dans les rues, on croisait quantité de mineurs, de carriers et d'explorateurs du désert, les uns à la veille du départ, les autres de retour d'une saison dans l'enfer des solitudes brûlantes et rocailleuses. Chacun se promettait, lors de la prochaine tentative, de découvrir le plus gros filon. Des caravaniers vendaient leurs marchandises, acheminées depuis la Nubie, des chasseurs rapportaient du gibier au temple et aux nobles, des nomades tentaient de s'intégrer à la société égyptienne.

Chacun attendait le prochain décret royal, qui enjoindrait aux volontaires de prendre l'une des nombreuses pistes partant en direction des carrières de jaspe, de granit ou de porphyre, vers le port de Kosseir, sur la mer Rouge, ou bien encore vers les gisements de turquoise du Sinaï. On rêvait de l'or, des mines secrètes ou inexploitées, de cette chair des dieux que le temple réservait aux dieux et aux pharaons. Mille fois, des intrigues s'étaient nouées pour s'en emparer; mille fois, elles avaient échoué, à cause de l'omniprésence d'un corps de police spécialisé, « ceux à la vue perçante »; accompagnés de chiens redoutables et infatigables, rudes, sans pitié, ils connaissaient la moindre piste, le plus petit oued, se repéraient sans peine dans un monde hostile où un profane ne survivait pas longtemps. Chasseurs d'animaux et d'hommes, ils tuaient ibex, bouquetins et gazelles, et ramenaient les fugitifs évadés de prison. Leurs proies favorites étaient les bédouins qui tentaient d'attaquer les caravanes et de dépouiller les voyageurs ; nombreux, bien entraînés, « ceux à la vue perçante » ne leur donnaient guère l'occasion de réussir dans leurs lâches entreprises. Si, par malheur, un groupe de bédouins plus rusés parvenait à ses fins, les policiers du désert se passaient la consigne : les rattraper et les exterminer. Depuis bien des années, aucun pillard n'avait pu se vanter de ses exploits. La surveillance des mineurs était étroite ; aussi les voleurs ne possédaient-ils aucune chance de dérober une quantité importante de métal précieux.

En se dirigeant vers le superbe temple de Coptos, où étaient conservés de très anciens plans révélant l'emplacement des richesses minérales de l'Égypte, Pazair croisa un groupe de policiers poussant des prisonniers que les chiens avaient malmenés.

Le Doyen du porche se sentait impatient et mal à l'aise. Impatient de progresser et de savoir si Coptos lui apporterait des révélations inespérées ; mal à l'aise, parce qu'il craignait que le Supérieur du temple ne fût de mèche avec les comploteurs. Avant d'entreprendre une action quelconque, il devait lever ce doute ou le confirmer.

La vigoureuse recommandation du grand prêtre de Karnak fut des plus efficaces ; à la lecture du document, les portes s'ouvrirent les unes après les autres, et le Supérieur le reçut sur l'heure.

L'homme était âgé, de forte corpulence, et sûr de lui ; la dignité du prêtre n'avait pas effacé le passé de l'homme d'action.

– Que d'honneurs et d'attentions ! ironisa-t-il d'une voix grave, qui faisait trembler ses subordonnés. Un Doyen du porche autorisé à fouiller mon modeste temple, voilà une marque d'estime à laquelle je ne m'attendais pas. Votre cohorte de policiers est-elle prête à envahir les lieux ?

– Je suis venu seul.

Le Supérieur de Coptos fronça ses sourcils broussailleux.

– Je comprends mal votre démarche.

– Je désire votre aide.

– Ici, comme ailleurs, on a beaucoup parlé du procès que vous avez intenté au général Asher.

– En quels termes ?

– Le général a davantage de partisans que d'adversaires.

– Dans quel camp vous rangez-vous ?

– C'est un forban !

Pazair masqua son soulagement. Si le Supérieur ne mentait pas, l'horizon s'éclaircissait.

– Que lui reprochez-vous ?

– Je suis un ancien mineur et j'ai appartenu à la police du désert. Depuis un an, Asher tente de mettre la main sur « ceux à la vue perçante ». Tant que je serai vivant, il n'y parviendra pas !

La colère du Supérieur n'était pas feinte.

– Vous seul pouvez me renseigner sur l'étrange parcours d'une grande quantité de fer céleste, retrouvée à Memphis dans le laboratoire d'un chimiste nommé Chéchi. Bien entendu, il ignorait la présence du précieux métal et affirme être la victime d'un coup monté. Pourtant, il tente de fabriquer des armes incassables, sans doute pour le compte du général Asher. Chéchi a donc besoin de ce fer exceptionnel.

– Celui qui vous a raconté ça s'est moqué de vous.

– Pourquoi ?

– Parce que le fer céleste n'est pas incassable ! Il provient des météorites.

– Pas incassable...

– La fable est répandue, mais ce n'est qu'une fable.

– Connaît-on l'emplacement de ces météorites ?

– Elles peuvent tomber n'importe où, mais je dispose d'une carte. Seule une expédition officielle, sous le contrôle de la police du désert, est habilitée à prélever le fer céleste et à le transporter à Coptos.

– Un bloc entier a été détourné.

– Rien d'étonnant. Une bande de pillards est tombée sur un météorite dont l'emplacement n'a pas été répertorié.

– Asher s'en servirait-il ?

– A quoi bon ? Il sait que le fer céleste est réservé à des usages rituels. En faisant fabriquer des armes dans ce métal, il s'exposerait à de graves ennuis. En revanche, le vendre à l'étranger, surtout chez les Hittites où il est fort prisé, lui rapporterait de nouveaux subsides.

Vendre, spéculer, négocier... Ce n'étaient pas les spécialités d'Asher, mais celles du transporteur Dénès, si avide de biens matériels ! Au passage, Chéchi toucherait sa commission. Pazair s'était trompé. Le chimiste ne jouait qu'un rôle de receleur, au service de Dénès. Pourtant, le général Asher désirait s'adjoindre la police du désert.

– Un vol a-t-il été commis dans vos réserves de métaux précieux ?

– Je suis surveillé par une armée de policiers, de prêtres et de scribes, je les surveille, nous nous observons les uns les autres. M'auriez-vous soupçonné ?

– Oui, je l'avoue.

– J'apprécie votre franchise. Restez ici quelques jours, et vous comprendrez pourquoi toute rapine est impossible.

Pazair décida d'accorder sa confiance au Supérieur.

– Parmi les richesses accumulées par un trafiquant d'amulettes, j'ai découvert un scarabée de très grande taille en or massif. En or de la mine de Coptos.

L'ancien mineur fut troublé.

– Qui l'affirme ?

– Les orfèvres de Karnak.

– C'est donc exact.

– Je suppose qu'une telle pièce est répertoriée dans vos archives.

– Le nom du propriétaire ?

– L'inscription a été martelée.
– Fâcheux. Chaque parcelle d'or qui provient de la mine, depuis les temps les plus anciens, a effectivement été répertoriée, et vous en trouverez trace dans les archives. Sa destination est indiquée : tel temple, tel pharaon, tel orfèvre. Sans nom, vous n'aboutirez à rien.
– Existe-t-il un travail artisanal à la mine même ?
– Parfois. Certains orfèvres ont façonné des objets sur les lieux d'extraction. Ce temple vous appartient ; perquisitionnez-le de fond en comble.
– Ce ne sera pas nécessaire.
– Je vous souhaite bonne chance. Débarrassez l'Égypte de ce général Asher ; il porte malheur.

*

Pazair avait acquis la conviction que le Supérieur de Coptos était innocent. Sans doute devrait-il renoncer à établir la provenance du fer céleste, objet d'un nouveau négoce souterrain de Dénès dont les capacités en la matière semblaient inépuisables. Mais il apparaissait que des mineurs, des orfèvres ou des policiers du désert dérobaient pierres ou métaux précieux, soit pour le compte de Dénès, soit pour celui d'Asher, soit encore pour les deux. Alliés, n'amassaient-ils pas une immense fortune afin de passer à une offensive dont le juge ne parvenait toujours pas à cerner la nature réelle ?

S'il prouvait que le général assassin était à la tête d'un gang de voleurs d'or, Asher n'échapperait pas à la plus sévère condamnation. Comment réussir, sinon en se mêlant aux prospecteurs ? Trouver un homme assez téméraire serait difficile, voire impossible. L'entreprise s'annonçait très dangereuse. Il ne l'avait proposée à Souti que pour le provoquer.

L'unique solution consistait à s'engager lui-même, après avoir convaincu Néféret du bien-fondé de sa démarche.

*

Les aboiements de Brave lui réjouirent le cœur. Son chien se lança dans une course folle et stoppa, haletant, aux pieds de son maître qui le gava de caresses. Connaissant le caractère ombrageux de son âne, Pazair alla aussitôt lui témoigner son affection. L'œil heureux de Vent du Nord le récompensa.

Lorsqu'il serra Néféret dans ses bras, le juge la sentit soucieuse et lasse.

– C'est grave, dit-elle. Souti s'est réfugié chez nous. Depuis une semaine, il se terre dans une chambre et refuse d'en sortir.

– Qu'a-t-il fait ?

– Il ne parlera qu'à toi. Ce soir, il a beaucoup bu.

*

– Te voilà enfin ! s'exclama Souti, surexcité.

– Kem et moi avons découvert des indices essentiels, précisa Pazair.

– Si Néféret ne m'avait pas caché, j'aurais été déporté en Asie !

– De quel délit t'es-tu rendu coupable ?

– Le général Asher m'accuse de désertion, d'injure à officier supérieur, d'abandon de poste, de perte d'armes homologuées, de lâcheté devant l'ennemi et de dénonciation calomnieuse.

– Tu gagneras ton procès.

– Sûrement pas.

– Que redoutes-tu ?

– En quittant l'armée, j'ai omis de remplir certains documents qui me dégageaient de toute obligation. Le délai légal est écoulé. Asher, à juste titre, misait sur ma négligence. Je suis effectivement déserteur et passible du bagne militaire.

– C'est fâcheux.

– Un an de camp de travail en Asie, voilà ce qui

m'attend. Tu imagines la manière dont les scribes du général me traiteront ! Je n'en sortirai pas vivant.

– Je m'interposerai.

– Je suis en faute, Pazair ! Toi, le Doyen du porche, iras-tu contre la loi ?

– Le même sang coule dans nos veines.

– Et tu tomberas avec moi ! Le piège est bien tendu. Il ne me reste qu'une solution : accepter ta proposition et partir comme prospecteur, m'évanouir dans le désert. J'échapperai à la dame Tapéni, à Panthère, à ce général assassin, et je ferai fortune. La piste de l'or ! Est-il plus beau rêve ?

– Comme tu le remarquais toi-même, il n'en existe pas de plus dangereux.

– Je ne suis pas fait pour une existence sédentaire. Les femmes vont me manquer, mais je compte sur ma chance.

– Nous n'avons pas envie de te perdre, objecta Néféret.

Ému, il la contempla.

– Je reviendrai. Je reviendrai, riche, puissant et honoré ! Tous les Asher du monde trembleront à ma vue et ramperont à mes pieds, mais je serai sans pitié et les écraserai du talon. Je reviendrai pour vous embrasser sur les deux joues et déguster le banquet que vous m'aurez préparé.

– A mon sens, estima Pazair, mieux vaudrait festoyer sans délai et abandonner tes projets d'ivrogne.

– Je n'ai jamais été aussi lucide. Si je reste, je serai condamné et je t'entraînerai dans ma chute; têtu comme tu es, tu t'obstineras à me défendre et à lutter pour une cause perdue d'avance. Ainsi, tous nos efforts auront été vains.

– Est-il nécessaire de prendre de tels risques ? interrogea Néféret.

– Sans une action d'éclat, comment me tirer de ce mauvais pas ? L'armée m'est désormais interdite, il ne subsiste que le métier maudit : chercheur d'or ! Non, je ne suis pas devenu fou. Cette fois, je ferai fortune. Je le sens, dans ma tête, dans mes doigts, dans mon ventre.

– Ta décision est-elle irrévocable ?

– Je tourne en rond depuis une semaine, j'ai eu le temps de réfléchir. Même toi, tu ne la modifieras pas.

Pazair et Néféret se regardèrent ; Souti ne plaisantait pas.

– En ce cas, j'ai une information à te donner.

– Sur Asher ?

– Kem et moi avons démantelé un trafic d'amulettes auquel Dénès et Qadash sont mêlés. Il est possible que le général soit impliqué dans des détournements d'or. Autrement dit, les comploteurs amassent des richesses.

– Asher voleur d'or ! C'est fabuleux ! La condamnation à mort, n'est-ce pas ?

– Si la preuve est établie.

– Tu es mon frère, Pazair !

Souti tomba dans les bras du juge.

– Cette preuve, c'est moi qui te l'apporterai. Non seulement je vais devenir riche, mais encore je ferai chuter ce monstre de son piédestal !

– Ne t'emballe pas, ce n'est qu'une hypothèse.

– Non, la vérité !

– Si tu persistes, je rends ta mission officielle.

– De quelle manière ?

– Avec l'accord de Kem, tu es engagé depuis quinze jours dans la police du désert. Une solde te sera versée.

– Quinze jours... Donc, avant les accusations du général !

– Kem se moque de la paperasse. Elle sera en règle, voilà l'essentiel.

– Buvons ! exigea Souti.

Néféret s'inclina.

– Engage-toi parmi les mineurs, recommanda Pazair, et ne parle à personne de ta qualité de policier. Ne la révèle que pour te sauver d'un danger pressant.

– Soupçonnes-tu quelqu'un en particulier ?

– Asher aimerait prendre la police du désert sous

son commandement. En conséquence, il a dû y introduire des mouchards ou acheter quelques consciences. De même parmi les mineurs. Nous essaierons de communiquer soit par le service du courrier, soit par tout autre moyen qui ne te mettra pas en péril. Nous devons être informés de l'avancement de nos enquêtes respectives. Mon code d'identification sera... Vent du nord.

– Si tu reconnais être un âne, le chemin de la sagesse demeure accessible.

– J'exige une promesse.

– Tu l'as.

– Ne force pas ta fameuse chance. Si le danger devient pressant, reviens.

– Tu me connais.

– Justement.

– Moi, j'agirai dans le secret; toi, tu es une cible exposée.

– Voudrais-tu démontrer que je cours davantage de risques que toi ?

– Si les juges deviennent intelligents, ce pays possède encore un avenir.

CHAPITRE 19

Dénès compta et recompta les figues séchées. Après plusieurs vérifications, il constata le vol. Huit fruits manquaient par rapport à la recension de son scribe des arbres fruitiers. Furieux, il convoqua son personnel et le menaça des pires sanctions si le coupable ne se dénonçait pas. Une cuisinière âgée, qui tenait à sa tranquillité, poussa devant elle un gamin d'une dizaine d'années, le propre fils du scribe! Ce dernier fut condamné à dix coups de bâtons, et le garçon à quinze. Le transporteur tenait au strict respect de la moralité; le moindre de ses biens devait être respecté comme tel. En l'absence de la dame Nénophar, aux prises avec les services du Trésor pour tenter d'amoindrir l'influence de Bel-Tran, Dénès maintenait l'ordre dans son domaine.

Sa colère lui avait donné faim. Il se fit servir du porc rôti, du lait et du fromage frais. La visite inattendue de Pazair lui coupa l'appétit. L'air enjoué, il le convia néanmoins à partager son en-cas. Le Doyen du porche s'assit sur le muret de pierres sèches qui fermait la pergola et observa le transporteur d'un regard aigu.

– Pourquoi avez-vous engagé l'ancien intendant de Qadash, reconnu coupable d'indélicatesse?

– Mon bureau d'embauche a commis une erreur.

Qadash et moi étions persuadés que ce méprisable individu avait quitté la province.

– Il l'a quittée, certes, mais pour prendre la tête de votre plus grosse exploitation agricole, près d'Hermopolis.

– Il aura utilisé un faux nom. Soyez certain qu'il sera licencié dès demain.

– Ce ne sera pas nécessaire. Il est en prison.

Le transporteur lissa son mince collier de barbe dont quelques poils dépassaient.

– En prison! Quel délit a-t-il commis?

– Ignoriez-vous son rôle de receleur?

– Receleur, quel horrible mot!

Dénès semblait indigné.

– Trafic d'amulettes entreposées dans des coffres, précisa Pazair.

– Chez moi, dans ma ferme? Incroyable, insensé! Je vous demande la plus grande discrétion, mon cher Doyen; ma réputation ne doit pas souffrir des crimes de ce misérable.

– Vous êtes donc l'une de ses victimes.

– Il m'a abusé de la manière la plus vile, sachant que je ne me rends jamais dans cette exploitation. Mes affaires me retiennent à Memphis, et je n'apprécie guère la province. J'ose espérer un châtiment des plus sévères.

– Ne détenez-vous aucune information sur les agissements de votre intendant?

– Aucune! Ma bonne foi est entière.

– Saviez-vous qu'un trésor était dissimulé dans cette même ferme?

Le transporteur parut abasourdi.

– Un trésor, à présent! De quelle nature?

– Secret de l'instruction. Savez-vous où se trouve votre ami Qadash?

– Ici même. En raison de son état de fatigue, je lui ai offert l'hospitalité.

– Si sa santé le permet, puis-je le voir?

Dénès envoya chercher le dentiste, fort énervé. Gesticulant, ne tenant pas en place, Qadash se lança dans une série d'explications embrouillées où il se défendait d'avoir embauché un intendant tout en affirmant l'avoir chassé de son domaine.

Aux questions de Pazair, il ne répondit que par des phrases ampoulées, sans queue ni tête. Ou bien le dentiste aux cheveux blancs perdait la raison, ou bien il jouait la comédie.

Le juge l'interrompit.

– Je crois comprendre que vous ne saviez rien, ni l'un ni l'autre. Le trafic d'amulettes s'opérait donc à votre insu.

Dénès félicita le juge pour ses conclusions. Qadash disparut sans le saluer.

– Il faut l'excuser ; l'âge, un surmenage passager...

– L'enquête se poursuit, ajouta Pazair. L'intendant n'est qu'un pion ; je saurai qui a conçu le jeu et en a fixé les règles. Soyez assuré que je vous en informerai.

– Vous m'obligeriez.

– Je souhaiterais m'entretenir avec votre épouse.

– J'ignore l'heure à laquelle elle rentre du palais.

– Je reviendrai ce soir.

– Est-ce bien nécessaire ?

– Indispensable.

*

La dame Nénophar s'adonnait à son plaisir favori, la confection de robes. Le juge fut conduit à son atelier.

Maquillée avec recherche, elle cousait la manche d'un robe longue et manifesta son irritation.

– Je suis fatiguée. Être importunée dans ma propre demeure est plutôt désagréable.

– Vous m'en voyez désolé. Votre travail est remarquable.

– Mes dons pour la couture vous impressionneraient-ils ?

– Ils me fascinent.

Nénophar parut déroutée.

– Que signifie...

– D'où proviennent les pièces de tissu que vous utilisez ?

– Cela ne regarde que moi.

– Détrompez-vous.

L'épouse du transporteur abandonna son ouvrage et se leva, outrée.

– Je vous somme de vous expliquer.

– Dans votre ferme de Moyenne Égypte, parmi des objets suspects, se trouvaient des pièces de lin, des robes et des draps. Je suppose qu'ils vous appartiennent.

– Disposez-vous d'une preuve ?

– Formelle, non.

– En ce cas, épargnez-moi vos suppositions, et décampez !

– J'y suis contraint, mais j'insiste sur un point : je ne suis pas dupe.

*

Panthère avait terminé.

Des cheveux d'un malade mort la veille, quelques grains d'orge volés dans la tombe d'un enfant avant qu'elle ne soit fermée, des pépins de pomme, du sang d'un chien noir, du vin aigre, de l'urine d'âne et de la sciure de bois : le philtre serait efficace. Pendant quinze jours, la blonde Libyenne s'était échinée à rassembler ces ingrédients. De gré ou de force, sa rivale boirait la mixture. Consumée d'amour, mais à jamais frigide, elle décevrait Souti. Il la quitterait sans tarder.

Panthère entendit du bruit.

Quelqu'un venait d'entrer dans la petite maison blanche, en passant par le jardinet.

Elle éteignit la lampe qui éclairait la cuisine et se munit d'un couteau. Ainsi, elle avait osé ! La harpie la défiait sous son propre toit, sans doute avec l'intention de se débarrasser d'elle !

L'intruse pénétra dans la chambre, ouvrit un sac de voyage, et y jeta pêle-mêle des vêtements. Panthère leva son arme.

– Souti !

Le jeune homme se retourna. Se croyant menacé, il se jeta sur le côté. La Libyenne lâcha le couteau.

– Es-tu devenue folle ?

Il se releva et immobilisa ses poignets, le pied sur la lame.

– N'est-ce pas un couteau ?

– Pour la transpercer, elle !

– De qui parles-tu ?

– De celle que tu as épousée.

– Oublie-la et oublie-moi.

Panthère tressaillit.

– Souti...

– Tu vois, je pars.

– Où ?

– Mission secrète.

– Tu mens, tu vas la rejoindre !

Il éclata de rire, la lâcha, bourra un dernier pagne dans son sac, et le jeta sur l'épaule.

– Sois tranquille, elle ne me suivra pas.

Panthère s'agrippa à son amant.

– Tu me fais peur. Explique-toi, je t'en supplie !

– Je suis considéré comme déserteur et je dois quitter Memphis au plus vite. Si le général Asher met la main sur moi, je mourrai en déportation.

– Ton ami Pazair ne te protège-t-il pas ?

– J'ai été négligent et je suis en faute. Si je m'acquitte de la tâche qu'il m'a confiée, je vaincrai Asher et je reviendrai.

Il l'embrassa avec fougue.

– Si tu m'as menti, promit-elle, je te tuerai.

*

Kem enquêta dans les fabriques d'amulettes les plus prestigieuses, avec l'aide des subordonnés directs de

Kani. Ces investigations furent stériles. Le chef de la police quitta Thèbes et prit un bateau pour Memphis où il continua le même type de recherches, également décevantes.

Le Nubien réfléchit.

Les superbes amulettes, objet d'un trafic illicite, ne provenaient pas d'un atelier ayant pignon sur rue. Aussi interrogea-t-il de nombreux informateurs, sensibles à la présence du babouin. L'un d'eux, un nain d'origine syrienne, accepta de parler à condition de recevoir trois sacs d'orge et un âne âgé de moins de trois ans. Rédiger une demande écrite et suivre la procédure réglementaire aurait pris trop de temps. Le Nubien sacrifia sa solde et menaça le nain de lui briser les côtes s'il tentait de l'abuser. Celui-ci évoqua l'existence d'une officine clandestine ouverte depuis deux ans, dans le quartier nord, près d'un chantier naval.

Transformé en porteur d'eau, Kem observa les allées et venues pendant plusieurs jours. Après la fermeture du chantier, d'étranges ouvriers se faufilaient dans une ruelle sans issue apparente, et en ressortaient avant l'aube, porteurs de paniers fermés qu'ils remettaient à un batelier.

La quatrième nuit, le Nubien s'engouffra dans l'étroit passage. Il se terminait par un panneau de joncs recouverts de boue séchée, imitant un muret. D'une ruade, il l'enfonça.

Quatre hommes, stupéfaits, assistèrent à l'irruption du colosse noir, suivi du babouin. Kem assomma le plus malingre, le singe mordit le second au mollet, le troisième s'enfuit. Quant au dernier, le plus âgé, il n'osa plus respirer. Dans sa main gauche, un magnifique nœud d'Isis en lapis-lazuli. Lorsque Kem s'approcha de lui, il le laissa tomber sur le sol.

– C'est toi, le patron ?

Il hocha la tête. Petit, bedonnant, il mourait de peur. Kem ramassa le nœud d'Isis.

– Superbe travail. Tu n'es pas un apprenti, on dirait ; où as-tu appris ton métier ?

– Au temple de Ptah, bredouilla-t-il.
– Pourquoi en es-tu sorti ?
– J'ai été chassé.
– Motif ?
L'artisan baissa la tête.
– Vol.
L'atelier, au plafond bas, manquait d'aération. Le long des murs en boue séchée, étaient empilés des coffres contenant des blocs de lapis-lazuli provenant des lointaines contrées montagneuses. Sur une table basse, les amulettes réussies ; dans un panier, les pièces ratées et les déchets.
– Qui t'a engagé ?
– Je... je ne m'en souviens plus.
– Allons, mon brave ! Mentir est stupide. De plus, ça horripile mon singe. Il n'a pas volé son nom de « Tueur », tu dois le savoir. Je veux le nom de celui qui est à la tête de ce trafic.
– Me protégerez-vous ?
– Au bagne des voleurs, tu seras en sécurité.
Le petit homme était heureux de quitter Memphis, fût-ce pour l'enfer. Il en oublia de répondre.
– Je t'écoute, insista Kem.
– Le bagne... pas moyen d'y échapper ?
– Ça dépend de toi. Et surtout du nom que tu me donneras.
– Il n'a laissé aucune trace derrière lui, il niera, et mon témoignage sera insuffisant.
– Ne te préoccupe pas des suites judiciaires.
– Mieux vaudrait me libérer.
Croyant à la passivité du Nubien, l'artisan esquissa un pas vers la ruelle. Une main puissante enserra son cou.
– Le nom, vite !
– Chéchi. Le chimiste Chéchi.

*

Pazair et Kem marchaient le long du canal où circulaient les bateaux de charge. Les marins s'apostrophaient et chantaient, les uns en partance, les autres de retour. L'Égypte était prospère, heureuse et paisible. Pourtant, le Doyen du porche souffrait d'insomnies et pressentait une tragédie, sans pouvoir identifier les causes du mal. Chaque nuit, il en parlait avec Néféret, à laquelle il communiquait son inquiétude. Malgré son optimisme naturel, la jeune femme admettait que l'angoisse de son mari était fondée.

– Vous avez raison, dit-il au chef de la police ; le procès de Chéchi aboutirait à un non-lieu. Il protestera de son innocence, et la parole d'un voleur, expulsé d'un temple, n'aura aucun poids.

– Pourtant, il n'a pas menti.

– Je n'en doute pas.

– La justice, grommela le Nubien. A quoi sert-elle ?

– Laissez-moi du temps. Nous connaissons à présent les liens d'amitié qui unissent Dénès à Qadash, Qadash à Chéchi. Ces trois-là sont complices. De plus, Chéchi est probablement le fidèle serviteur du général Asher. Voilà quatre conjurés, responsables de plusieurs crimes. Souti doit nous apporter des preuves de la culpabilité d'Asher ; je suis persuadé qu'il a dérobé le fer céleste et qu'il organise le trafic de métaux précieux, tel le lapis-lazuli, et peut-être même de l'or. Sa position de spécialiste des affaires asiatiques lui donne toute latitude dans ce domaine. Dénès est un ambitieux, avide de fortune et de pouvoir ; il manipule Qadash et Chéchi, lequel apporte au complot ses compétences techniques. Et je n'oublie pas la dame Nénophar, si habile à manier l'aiguille qui a percé la nuque de mon maître.

– Quatre hommes et une femme... A eux seuls, comment déstabiliseraient-ils Ramsès ?

– Cette question m'obsède, je suis incapable d'y répondre. Pourquoi, s'il s'agit bien des mêmes, ont-ils pillé une tombe royale ? Il demeure tant d'incertitudes, Kem ; notre travail est loin d'être terminé.

– Malgré mon titre, je continuerai à enquêter seul. Je n'ai confiance qu'en vous.

– Je vous déchargerai des tâches administratives.

– Si j'osais...

– Parlez.

– Soyez aussi prudent que moi.

– Seuls Souti et Néféret reçoivent mes confidences.

– Il est votre frère de sang, elle est votre sœur pour l'éternité. Si l'un ou l'autre vous trahissent, ils seront damnés ici-bas et dans l'au-delà.

– Pourquoi tant de méfiance ?

– Parce que vous oubliez de poser une question essentielle : les conjurés sont-ils cinq ou davantage ?

*

Au milieu de la nuit, la tête couverte d'un châle, elle s'aventura dans l'entrepôt où, au nom de ses amis, elle avait fixé rendez-vous à l'avaleur d'ombres. Le sort l'avait désignée pour le rencontrer et lui transmettre leurs consignes. D'ordinaire, ils ne procédaient pas ainsi ; mais l'urgence de la situation exigeait un contact direct et la certitude que les ordres seraient parfaitement compris. Maquillée à outrance, méconnaissable, vêtue d'une grossière robe de paysanne, chaussée de sandales de papyrus, elle ne courait pas le risque d'être identifiée.

A la suite des découvertes du juge Pazair, le transporteur Dénès avait réuni d'urgence ses alliés. Si la confiscation du bloc de fer céleste ne représentait qu'une perte financière, la mise au jour des objets funéraires appartenant à Khéops se révélait plus gênante. Certes, Pazair ne pourrait ni identifier le roi dont le nom avait été martelé avec soin, ni comprendre le chantage dont Ramsès le grand, contraint au silence, était l'objet. Pas une parole ne pouvait sortir de la bouche de l'homme le plus puissant du monde, enfermé dans la solitude, incapable d'avouer qu'il ne possédait plus les symboles du gouvernement, sans lesquels sa légitimité était anéantie.

Dénès s'était prononcé pour l'immobilisme; les agitations du Doyen du porche ne l'effrayaient pas. Mais la majorité des conjurés avait voté contre lui. Même si Pazair n'avait aucune possibilité d'atteindre la vérité, il gênait de plus en plus leurs activités respectives. Le chimiste Chéchi avait été le plus virulent; ne venait-il pas de perdre les bénéfices substantiels de son trafic d'amulettes clandestines ? Acharné, patient, rigoureux, le juge finirait par organiser un procès; un ou plusieurs notables seraient inculpés, peut-être condamnés, voire incarcérés. D'une part, la conjuration en serait gravement affaiblie; d'autre part, les victimes de la hargne du magistrat perdraient une honorabilité dont ils auraient le plus grand besoin, au lendemain de l'abdication de Ramsès.

La femme avait tressailli à l'annonce de sa désignation, puis s'en était réjouie. Un délicieux frisson l'avait parcourue, identique à celui qu'elle avait ressenti en se dénudant devant le gardien-chef du sphinx de Guizeh. En l'attirant vers elle, elle lui avait fait perdre sa vigilance et ouvert les portes de la mort. C'étaient ses charmes qui avaient scellé leur victoire.

De l'avaleur d'ombres, elle ne savait rien, sinon qu'il commettait des crimes sur commande, davantage par plaisir de tuer qu'en échange de fortes rétributions. Lorsqu'elle le vit, assis sur une caisse en train de peler un oignon, elle fut terrorisée et fascinée.

– Vous êtes en retard. La lune a dépassé l'extrémité du port.

– Il faut agir de nouveau.

– Qui ?

– Votre tâche sera très délicate.

– Une femme, un enfant ?

– Un juge.

– On n'assassine pas les juges, en Égypte.
– Vous ne le tuerez pas, vous le rendrez impotent.
– Difficile.
– Que souhaitez-vous ?
– De l'or. Une belle quantité.
– Vous en aurez.
– Quand ?
– Ne frappez qu'à coup sûr. Que chacun soit persuadé que Pazair a été victime d'un accident.
– Le Doyen du porche en personne ! Augmentez la quantité d'or.
– Nous ne tolérerons pas d'échec.
– Moi non plus. Pazair est protégé ; fixer un délai m'est impossible...
– Nous l'admettons. Le plus tôt sera le mieux.
L'avaleur d'ombres se leva.
– Un détail encore...
– Lequel ?
Vif comme un serpent, il lui bloqua le bras à la limite de la cassure, et l'obligea à lui tourner le dos.
– Je désire une avance.
– Vous n'oseriez pas...
– Une avance en nature.
Il souleva sa robe. Elle ne cria pas.
– Vous êtes fou !
– Et toi, imprudente. Ton visage ne m'intéresse pas, je ne veux pas savoir qui tu es. Si tu coopères, ce sera mieux pour nous deux.
Lorsqu'elle sentit son sexe entre ses cuisses, elle cessa de résister. Faire l'amour à un assassin l'excitait davantage que ses joutes habituelles. Sur cet épisode, elle garderait le secret. L'assaut fut rapide et violent à souhait.
– Votre juge ne vous importunera plus, promit l'avaleur d'ombres.

CHAPITRE 20

Palmiers, figuiers et caroubiers donnaient de l'ombre. Après le déjeuner et avant de reprendre ses consultations, Néféret goûtait le silence de son jardin, vite troublé par les bonds, les escalades et les cris du petit singe vert, si heureux de rapporter un fruit à sa maîtresse. Coquine ne se calmait pas tant que Néféret ne s'asseyait pas ; rassurée, elle se glissait sous la chaise et observait les allées et venues du chien.

L'Égypte entière ne ressemblait-elle pas à un jardin où l'ombre bienfaisante de Pharaon permettait aux arbres de s'épanouir, dans la joie du matin comme dans la paix du soir ? Il n'était pas rare que Ramsès en personne veillât à la plantation d'oliviers ou de perséas. Il aimait se promener dans des jardins plantés de fleurs et contempler des vergers. Les temples jouissaient de la protection de hauts feuillages où nidifiaient les oiseaux, messagers du sacré. L'être agité, disaient les sages, est un arbre qui s'étiole dans sa sécheresse de cœur ; le calme, au contraire, porte des fruits et répand autour de lui une douce fraîcheur.

Néféret planta un sycomore, au centre d'une petite fosse ; une jarre poreuse, qui conserverait l'humidité, protégeait le jeune plant. Sous la poussée des racines, le frêle récipient éclaterait ; les fragments de poterie, en se mélangeant à la terre, renforceraient l'humus. Néféret prit soin de consolider la bordure de boue séchée, destinée à retenir l'eau après arrosage.

Les aboiements de Brave annoncèrent l'arrivée prochaine de Pazair ; un quart d'heure avant qu'il ne franchisse le seuil, et quel que fût le moment de la journée, le chien pressentait la venue de son maître. Lorsqu'il s'absentait longtemps, Brave manquait d'appétit et ne répondait plus aux provocations de Coquine. Oubliant la dignité de sa fonction, le Doyen du porche courut aux côtés de son chien, qui sauta sur son pagne et y déposa l'empreinte de deux pattes boueuses. Le juge se dénuda et s'allongea sur une natte, près de son épouse.

– Comme ce soleil est doux.

– Tu sembles harassé.

– La dose normale d'importuns a été largement dépassée.

– As-tu songé à ton eau cuivrée ?

– Je n'ai pas eu le temps de me soigner. Mon bureau n'a pas désempli ; de la veuve de guerre au scribe en mal d'avancement, personne ne manquait à l'appel.

Elle s'allongea près de lui.

– Vous n'êtes pas raisonnable, juge Pazair. Contemplez votre jardin.

– Souti a raison, je suis tombé dans un piège. Je veux redevenir petit juge de village.

– Ton destin ne consiste pas à revenir en arrière. Souti est-il parti pour Coptos ?

– Ce matin, avec armes et bagages. Il m'a promis de revenir avec la tête d'Asher et un monceau d'or.

– Chaque jour, nous prierons Min, le protecteur des explorateurs, et Hathor, la souveraine des déserts. Notre amitié franchira l'espace.

– Tes malades ?

– Quelques-uns m'inquiètent. J'attends certaines plantes rares pour fabriquer mes remèdes, mais la pharmacie de l'hôpital central ne note pas mes commandes.

Pazair ferma les yeux.

– D'autres soucis t'agitent, chéri.

– Comment te les cacher ? Ils te concernent.

– Aurais-je enfreint la loi ?

– La succession au poste de médecin-chef du royaume est ouverte. En tant que Doyen du porche, je dois examiner la validité juridique des candidatures qui seront transmises au conseil de spécialistes. J'ai été contraint d'accepter la première.

– Le postulant ?

– Le dentiste Qadash. S'il est élu, le dossier qu'a préparé Bel-Tran en ta faveur tombera au fond d'une décharge.

– Possède-t-il des chances de succès ?

– Une lettre de Nébamon le présente comme le successeur qu'il souhaitait.

– Un faux ?

– Deux témoins ont authentifié le document et certifié le bon état mental de Nébamon : Dénès et Chéchi. Ces bandits ne se cachent même plus !

– Qu'importe ma carrière, je suis heureuse de soigner. Mon cabinet privé me suffit.

– Ils tenteront de le fermer. Et toi-même, tu seras mise en cause.

– Le meilleur des juges ne me défendra-t-il pas ?

– Qadash... Voilà longtemps que je m'interroge sur son rôle exact ; le voile se déchire. Quelles sont les prérogatives du médecin-chef ?

– Soigner Pharaon, nommer les chirurgiens, les médecins et les pharmaciens formant le corps officiel en poste au palais, recevoir et contrôler les substances toxiques, les poisons et les médicaments dangereux, prendre les directives concernant la santé publique et les faire appliquer après accord du vizir et du roi.

– Qadash usant de tels pouvoirs... C'est bien la place qu'il convoite !

– Il n'est pas facile d'influencer le comité qui décidera.

– Détrompe-toi. Dénès tentera de corrompre ses

membres. Qadash est âgé, d'apparence respectable, doté d'une longue pratique, et... Et Ramsès ne souffre que d'une affection notable, l'arthrite dentaire! Cette nomination est une phase de leur plan. Il faut les empêcher de réussir.

– De quelle manière?

– Je l'ignore encore.

– Redouterais-tu que Qadash attentât à la santé de Pharaon?

– Non, trop risqué.

Coquine sauta sur le ventre de Pazair et tira un poil, à la hauteur du plexus. Douillet, le juge émit un cri de douleur, mais sa main droite se referma sur le vide. Le singe vert s'était déjà réfugié sous la chaise de sa maîtresse.

– Si ce maudit animal n'était pas mêlé à notre première rencontre, je lui aurais déjà administré une bonne fessée.

Pour se faire pardonner, Coquine grimpa à un palmier, et lança une datte que Pazair attrapa au vol. Brave accourut et la goba.

La tristesse voila le regard de Néféret.

– Que déplores-tu?

– J'avais conçu un projet insensé.

– Que souhaitais-tu?

– J'y ai renoncé.

– Confie-le-moi.

– A quoi bon?

Elle se blottit contre lui.

– J'aurais aimé... un enfant.

– J'y songe, moi aussi.

– Le désires-tu?

– Tant que la lumière n'aura pas été obtenue, nous aurions tort.

– Je me suis révoltée contre cette idée, mais je crois que ta pensée est juste.

– Ou je renonce à cette enquête, ou nous patientons.

– Oublier l'assassinat de Branir nous condamnerait à être le plus vil des couples.

Il l'enlaça.

– Crois-tu utile de garder cette robe, alors que l'air du soir est si tendre ?

*

La tâche de l'avaleur d'ombres ne serait pas aisée. D'abord, quitter trop souvent et trop longtemps son poste officiel attirerait l'attention sur lui ; or, il agissait seul, sans complices, toujours prompts à dénoncer, et devait apprendre à connaître les habitudes de Pazair, donc se montrer patient. Ensuite, on lui avait ordonné de rendre invalide le Doyen du porche, non de le tuer, et de maquiller l'attentat en accident, afin qu'aucune enquête ne fût ouverte.

L'exécution de ce plan présentait d'énormes difficultés. Aussi l'avaleur d'ombres avait-il exigé trois lingots d'or, une belle fortune qui lui permettrait de s'établir dans le Delta, d'y acheter une ferme, et d'y couler des jours heureux. Il ne tuerait plus que par plaisir, lorsque l'envie serait irrésistible, et se plairait à commander une armée de serviteurs, prêts à satisfaire ses moindres besoins.

Dès qu'il aurait reçu l'or, il se mettrait en chasse, excité à l'idée d'accomplir son chef-d'œuvre.

*

Le four était chauffé à blanc. Chéchi avait disposé des moules, où le métal liquide s'écoulerait pour prendre la forme d'un lingot de grande taille. Dans le laboratoire régnait une température insupportable ; pourtant, le chimiste à la petite moustache noire ne transpirait pas, alors que Dénès suait à grosses gouttes.

– J'ai obtenu l'accord de nos amis, déclara-t-il.

– Pas de regrets ?

– Nous n'avons pas le choix.

D'un sac en toile, le transporteur sortit le masque en

or de Khéops et le collier, du même métal, qui avait orné le buste de sa momie.

– Nous en tirerons deux lingots.

– Le troisième ?

– Nous l'achèterons au général Asher. Ses détournements d'or sont organisés à la perfection, mais rien ne m'échappe.

Chéchi contempla le visage du bâtisseur de la grande pyramide. Les traits étaient sévères et sereins, d'une extraordinaire beauté. L'orfèvre avait créé une sensation d'éternelle jeunesse.

– Il me fait peur, avoua Chéchi.

– Ce n'est qu'un masque funéraire.

– Ses yeux... Ils vivent !

– Ne sombre pas dans la fantasmagorie. Ce juge nous a déjà fait perdre une fortune en subtilisant le bloc de fer céleste que nous voulions vendre aux Hittites, et le scarabée d'or que je me réservais pour ma tombe. Conserver le masque et le collier devient trop risqué ; de plus, nous en avons besoin pour payer l'avaleur d'ombres. Dépêche-toi.

Chéchi obéit à Dénès, comme toujours. Le visage sublime et le collier disparurent dans le four. Bientôt, l'or en fusion s'écoulerait dans une rigole et remplirait les moules.

– La coudée en or ? interrogea le chimiste.

Le visage de Dénès s'illumina.

– Elle pourrait servir... de troisième lingot ! Nous nous passerons des services du général.

Chéchi semblait hésitant.

– Mieux vaut nous en débarrasser, affirma le transporteur ; ne gardons que l'essentiel : le testament des dieux. Là où il est, Pazair n'a aucune chance de le retrouver.

Dénès ricana, lorsque la coudée de Khéops disparut dans le four.

– Demain, mon brave Chéchi, tu seras l'un des personnages les plus importants du royaume. Ce soir, la première partie du paiement sera versée à l'avaleur d'ombres.

*

Le policier du désert mesurait plus de deux mètres. A la ceinture de son pagne, deux poignards au manche usé. Il ne portait jamais de sandales ; il avait tant marché sur la pierraille que même une épine d'acacia ne perçait pas la corne formée sous ses pieds.

– Ton nom ?

– Souti.

– D'où viens-tu ?

– Thèbes.

– Profession ?

– Porteur d'eau, cueilleur de lin, éleveur de porcs, pêcheur...

Un molosse aux yeux vides flaira le jeune homme. Il ne devait pas peser moins de soixante-dix kilos. Son poil était ras, son dos couvert de cicatrices. On le sentait prêt à bondir.

– Pourquoi veux-tu être mineur ?

– J'aime l'aventure.

– Tu aimes aussi la soif, la canicule, les vipères à corne, les scorpions noirs, les marches forcées, le travail acharné dans des galeries étroites où l'on manque d'air ?

– Chaque métier a ses inconvénients.

– Tu te trompes de route, mon garçon.

Souti sourit de la manière la plus niaise possible. Le policier le laissa passer.

Dans la file d'attente qui aboutissait au bureau d'embauche, il faisait plutôt bonne figure. Son allure conquérante et sa musculature impressionnante tranchaient sur l'aspect malingre de plusieurs candidats, à l'évidence inaptes.

Deux mineurs âgés lui posèrent les mêmes questions que le policier, il fournit les mêmes réponses. Il se sentit examiné comme une bête de trait.

– Une expédition s'organise. Es-tu disponible ?
– Je le suis. Quelle destination ?
– Dans notre corporation, on obéit et on ne pose pas de questions. La moitié des novices s'écroule en chemin, et ils se débrouillent pour revenir dans la vallée. Nous ne nous occupons pas des chiffes molles. Cette nuit, départ deux heures avant l'aube. Voici ton équipement.

Souti reçut une canne, une natte et une couverture roulée. Avec une cordelette, il attacherait couverture et natte autour de la canne, indispensable dans le désert. En martelant le sol, le marcheur écartait les serpents.

– L'eau ?
– On te remettra ta ration. N'oublie pas le plus précieux.

Souti s'accrocha autour du cou le petit sac en cuir où l'heureux découvreur glissait or, cornaline, lapis-lazuli ou toute autre pierre précieuse. Le contenu de la bourse lui appartenait, en plus de ses gages.

– Ça ne contient pas beaucoup, observa-t-il.
– Beaucoup de bourses demeurent vides, garçon.
– Des maladroits.
– Tu as la langue bien pendue ; le désert saura te faire taire.

*

Plus de deux cents hommes s'étaient rassemblés à la sortie est de la ville, à l'orée de la piste. La plupart priaient le dieu Min, en formulant trois vœux : rentrer chez eux sains et saufs, ne pas mourir de soif, et rapporter des pierres précieuses dans leur sac en cuir. A leur cou, des amulettes. Les plus instruits avaient consulté un astrologue, certains avaient renoncé au voyage en raison d'un décan défavorable. Aux incrédules et aux mécréants, les anciens transmettaient le message de la corporation : « On part sans Dieu dans le désert, on revient avec lui dans la vallée. »

Le chef de l'expédition, Éphraïm, était un colosse

barbu aux bras interminables. Le corps couvert de poils noirs et drus, il ressemblait à un ours d'Asie. Lorsqu'ils le virent, plusieurs postulants renoncèrent ; on disait Éphraïm brutal et cruel. Il passa sa troupe en revue, s'attardant sur chacun des volontaires.

– C'est toi, Souti ?

– J'ai cette chance.

– Il paraît que tu es un ambitieux.

– Je ne viens pas ramasser des cailloux.

– En attendant, tu porteras mon sac.

Le colosse lui infligea un bagage pesant que Souti cala sur son épaule gauche. Éphraïm ricana.

– Profites-en. Bientôt, tu ne feras plus le fier.

La troupe s'ébranla avant le lever du soleil et marcha jusqu'au milieu de la matinée, progressant dans un paysage dénudé et aride. Les campagnards, mal préparés au terrain, eurent vite les pieds en sang ; Éphraïm évitait le sable brûlant et empruntait des chemins parsemés d'éclats de roche aussi coupants que du métal. Les premières montagnes surprirent Souti ; elles semblaient former une barrière infranchissable, interdisant aux humains l'accès d'un pays secret où se formaient les blocs de pierre pure réservée aux demeures des dieux. Là se concentrait une formidable énergie ; la montagne donnait naissance à la roche, elle était enceinte des minéraux précieux, ne dévoilait ses richesses qu'à des amants patients et obstinés. Fasciné, il déposa son fardeau.

Un coup de pied dans les reins l'envoya tournebouler dans le sable.

– Je ne t'ai pas permis de te reposer, dit Éphraïm, goguenard.

Souti se releva.

– Nettoie mon sac. Pendant la collation, ne le pose pas par terre. Comme tu m'as désobéi, tu seras privé d'eau.

Souti se demanda s'il n'avait pas été dénoncé ; mais d'autres volontaires furent l'objet de brimades. Éphraïm aimait éprouver son personnel en le poussant à bout. Un Nubien, qui fit mine de lever le poing, fut promptement assommé et abandonné sur le bord de la piste.

En fin d'après-midi, la troupe parvint à une carrière de grès. Des tailleurs de pierre détachaient des blocs qu'ils marquaient d'un signe caractéristique de leur équipe. De petites tranchées étaient creusées avec soin le long de chaque veine, puis autour du bloc convoité ; le contremaître enfonçait à la masse des coins de bois dans des encoches alignées au cordeau, afin de le détacher de la roche mère sans le briser.

Éphraïm le salua.

– J'emmène aux mines une bande de paresseux. Si tu as besoin d'un coup de main, n'hésite pas.

– Ce ne serait pas de refus, mais n'ont-ils pas marché toute la journée ?

– S'ils veulent manger, qu'ils se rendent utiles.

– Ce n'est pas très régulier.

– La loi, c'est moi qui la dicte.

– Il faudrait faire descendre une dizaine de blocs du sommet de la carrière ; avec une trentaine d'hommes, ce serait rapide.

Éphraïm les désigna, dont Souti, à qui il reprit son bagage.

– Bois et grimpe.

Le contremaître avait aménagé une glissière, mais elle était brisée à mi-pente. Il fallait donc retenir les blocs avec des cordes, jusqu'à cet endroit, avant de les libérer et de les laisser poursuivre leur course. Un gros câble, tenu par cinq hommes de part et d'autre, était tendu horizontalement afin de bloquer une descente trop rapide. Dès que la glissière serait réparée, cette manœuvre serait inutile. Mais le contremaître avait du retard, et la proposition d'Éphraïm l'arrangeait.

L'incident se produisit lorsque le sixième bloc arriva trop vite sur le câble. Les hommes, fatigués, ne parvinrent pas à le ralentir. Le câble reçut un choc d'une telle violence que les ouvriers furent propulsés sur les côtés, à l'exception d'un quinquagénaire qui chuta sur la glissière, la tête en avant. Il tenta, en vain, d'agripper le bras de Souti que deux camarades tirèrent violemment en arrière.

Le hurlement du malheureux fut vite étouffé. Le bloc le broya, sortit de son chemin et se brisa dans un grondement de tonnerre.

Le contremaître pleura.

– Nous avons quand même fait la moitié du travail, jugea Éphraïm.

CHAPITRE 21

Campé sur un rocher en surplomb, ses deux longues cornes arquées pointées vers le ciel, le menton orné d'une courte barbe, le bouquetin contemplait les mineurs qui cheminaient sous le soleil. L'animal, dans la langue hiéroglyphique, était le symbole de la noblesse sereine, acquise au terme d'une existence conforme à la loi divine.

– Là-bas! hurla l'un des ouvriers. Tuons-le!

– Tais-toi, imbécile, rétorqua Éphraïm. C'est le protecteur de la mine. Si nous y touchons, nous mourrons tous.

Le grand mâle grimpa une pente très raide et, d'un bond prodigieux, disparut de l'autre côté de la montagne.

Cinq jours de marche forcée avaient épuisé la troupe; seul Éphraïm semblait aussi frais qu'à la première heure. Souti restait vaillant; la splendeur inhumaine du paysage lui redonnait des forces. Ni la brutalité du chef de l'expédition ni les conditions harassantes du voyage n'entamaient sa détermination.

Le colosse barbu ordonna aux hommes de se rassembler et grimpa sur un bloc. Ainsi, il écrasait ces va-nu-pieds.

– Le désert est immense, déclara-t-il de sa voix tonitruante, et vous êtes moins que des fourmis. Sans arrêt, vous vous plaignez de la soif, comme de vieilles femmes impotentes. Vous n'êtes pas dignes d'être mineurs et de fouiller les entrailles de la terre. Pourtant, je vous ai amenés ici. Les métaux valent mieux que vous. Quand vous entaillerez la montagne, vous la ferez souffrir ; elle tentera de se venger en vous engloutissant. Tant pis pour les incapables ! Établissez le campement, le travail débute demain, à l'aube.

Les ouvriers dressèrent des tentes, en commençant par celle du chef de l'expédition, si lourde à porter qu'elle avait épuisé cinq hommes. Elle fut déroulée avec précaution, montée sous l'œil vigilant d'Éphraïm, et trôna au centre du camp. On prépara le repas, on mouilla le sol afin d'éviter la poussière, et l'on se désaltéra en buvant de l'eau que les outres avaient gardée fraîche. Le précieux liquide ne manquerait pas, grâce au puits creusé près de la mine.

Souti sommeillait, lorsqu'un coup de pied lui déchira le flanc.

– Lève-toi, ordonna Éphraïm.

Le jeune homme contint sa rage et obéit.

– Ceux qui sont ici ont quelque chose à se reprocher. Et toi ?

– C'est mon secret.

– Parle.

– Laisse-moi tranquille.

– Je déteste les cachottiers.

– J'ai déserté la corvée.

– Où ?

– Dans mon village, près de Thèbes. On voulait m'emmener à Memphis pour curer les canaux. J'ai préféré m'enfuir et tenter ma chance comme mineur.

– Je n'aime pas ta tête. Je suis sûr que tu mens.

– Je veux faire fortune. Personne, pas même toi, ne m'en empêchera.

– Tu m'énerves, petit. Je vais t'écraser. Battons-nous à poings nus.

Éphraïm désigna un arbitre. Son rôle consisterait à

disqualifier l'adversaire qui mordrait; les autres coups étaient permis.

Sans avertissement, le barbu se rua sur Souti, l'agrippa par le torse, le souleva de terre, le fit tournoyer au-dessus de sa tête et le projeta à plusieurs mètres.

Écorché, une épaule douloureuse, le jeune homme se releva. Éphraïm, mains sur les hanches, le considérait avec dédain. Les mineurs riaient.

– Attaque, si tu as du courage.

Défié, Éphraïm n'hésita pas. Cette fois, ses longs bras n'attrapèrent que le vide. Souti, qui s'était esquivé au dernier moment, reprit courage. Trop sûr de sa force, Éphraïm ne connaissait qu'une prise. Même s'ils n'existaient pas, Souti remercia les dieux de lui avoir donné une enfance belliqueuse au cours de laquelle il avait appris à se battre. Une bonne dizaine de fois, il évita les assauts désordonnés de son adversaire. En décuplant sa hargne, il le fatiguait et lui faisait perdre sa lucidité. Le jeune homme n'avait pas le droit à l'erreur; prisonnier de l'étau, il serait broyé. Misant sur sa rapidité, il déséquilibra son adversaire d'un croc-en-jambe, se glissa sous le colosse qui chutait, et utilisa sa propre énergie pour lui porter une clé au cou. Éphraïm tomba lourdement sur le sol. Souti s'assit à cheval sur sa nuque et menaça de la briser; le vaincu tapa du poing dans le sable, admettant sa défaite.

– C'est bien, petit!

– Tu mérites de mourir.

– Si tu me tues, la police du désert ne t'épargnera pas.

– Je m'en moque. Tu ne seras pas le premier que j'enverrai aux enfers.

Éphraïm prit peur.

– Que veux-tu?

– Jure que tu ne martyriseras plus les hommes de la troupe.

Les mineurs ne riaient plus. Ils s'approchèrent, attentifs.

– Dépêche-toi, ou je te tords le cou.
– Je le jure, au nom du dieu Min!
– Et devant Hathor, maîtresse de l'Occident. Répète!
– Devant Hathor, maîtresse de l'Occident, je le jure!
Souti relâcha sa prise. Un serment, prêté devant autant de témoins, ne pouvait être brisé. S'il trahissait sa parole, Éphraïm verrait son nom détruit pour l'éternité et serait condamné à l'anéantissement.

Les mineurs poussèrent des cris de joie et portèrent Souti en triomphe. Quand l'allégresse fut retombée, il leur parla avec fermeté.

– Le chef, ici, c'est Éphraïm. Lui seul connaît les pistes, les points d'eau et les mines. Sans lui, nous ne reverrons pas la vallée. Obéissons-lui, qu'il tienne sa parole, et tout ira bien.

Stupéfait, le barbu posa la main sur l'épaule de Souti.

– Tu es fort, petit, mais aussi intelligent.

Éphraïm l'entraîna à l'écart.

– Je t'ai mal jugé.
– Je veux faire fortune.
– On pourrait devenir amis.
– A condition que ça me soit utile.
– Ça pourrait l'être, petit.

*

Des porteuses d'offrande, vêtues d'une robe blanche que maintenait une bretelle passant entre les seins découverts, et d'un tablier orné d'une résille de perles disposées en losange, entrèrent à pas lents dans le palais de la princesse Hattousa. Coiffées d'une perruque en catogan, elles étaient si fraîches et si jolies que Dénès sentit son sang s'échauffer. Lors de chacun de ses voyages, il trompait la dame Nénophar avec une parfaite et obligatoire discrétion. Un scandale l'aurait discrédité; aussi ne possédait-il aucune maîtresse attitrée et se satisfaisait-il de brèves rencontres sans lendemain. Il faisait bien l'amour à sa femme de temps à autre, mais la frigidité affichée de Nénophar justifiait ses aventures extra-conjugales.

L'intendant du harem vint le chercher dans le jardin. Il songea à lui demander une fille, mais y renonça ; un harem était un centre économique où primait le sens du travail, non la gaudriole. En tant que transporteur, Dénès avait demandé une audience officielle auprès de l'épouse hittite de Ramsès. Elle le reçut dans une salle à quatre colonnes, aux murs peints en jaune clair. Sur le sol, une mosaïque de carreaux vert et rouge.

Hattousa était assise sur un siège en bois d'ébène, aux accoudoirs et aux pieds dorés. Les yeux noirs, la peau très blanche, les mains longues et fines, elle avait le charme étrange des Asiatiques ; Dénès se tint sur ses gardes.

– Visite inattendue, estima-t-elle, acide.

– Je suis transporteur, vous dirigez un harem. Qui s'étonnerait de notre rencontre ?

– Vous l'estimiez pourtant dangereuse.

– La situation a beaucoup changé. Pazair est devenu Doyen du porche ; à ce titre, il contrarie mes activités.

– En quoi suis-je concernée ?

– Auriez-vous changé d'avis ?

– Ramsès m'a bafouée, il humilie mon peuple ! Je demande vengeance.

Satisfait, Dénès tâta les poils blancs de son fin collier de barbe.

– Vous l'obtiendrez, princesse. Nos buts demeurent identiques. Ce roi est un despote et un incapable ; il est enchaîné à des traditions périmées et n'a aucune vision de l'avenir. Le temps travaille pour nous, mais certains de mes amis deviennent impatients ; c'est pourquoi nous avons décidé d'accroître l'impopularité de Ramsès.

– Cela suffira-t-il à le déstabiliser ?

Dénès, nerveux, ne devait pas trop en dire. La Hittite était l'alliée d'un moment, qu'il faudrait écarter au plus vite après la chute du souverain.

– Faites-nous confiance : notre stratégie est imparable.

– Méfiez-vous, Dénès ; Ramsès est un guerrier, habile et courageux.

– Il est pieds et poings liés.

Une lueur d'excitation anima le regard de Hattousa.

– Ne devrais-je pas en savoir davantage ?

– Inutile et imprudent.

Hattousa fit la moue ; sa colère rentrée la rendait plus ravissante encore.

– Que proposez-vous ?

– Désorganiser le trafic de marchandises. A Memphis, je réussirai sans difficultés. A Thèbes, j'ai besoin de votre concours. Le peuple grondera, Pharaon sera rendu responsable. L'affaiblissement de l'économie du pays fera vaciller son trône.

– Combien de consciences à acheter ?

– Peu, mais cher. Les principaux scribes qui contrôlent l'acheminement des denrées doivent commettre des erreurs à répétition. Les enquêtes administratives seront longues et compliquées, le trouble s'installera pendant plusieurs semaines.

– Mes hommes de confiance agiront.

Dénès ne croyait guère à l'efficacité de ce plan ; nouveau coup porté contre le roi, il n'aurait que des conséquences limitées. Mais il avait endormi la méfiance de Hattousa.

– J'ai une autre confidence à vous faire, murmura-t-il.

– Je vous écoute.

Il s'approcha et s'exprima à voix basse.

– Dans quelques mois, je disposerai d'une importante quantité de fer céleste.

Le regard de la Hittite traduisit son intérêt. Utilisé à des fins magiques, le métal rare serait une nouvelle arme contre Ramsès.

– Votre prix ?

– Trois lingots d'or à la commande, trois à la livraison.

– Quand vous quitterez le harem, ils seront dans vos bagages.

Dénès s'inclina. Cette transaction resterait inconnue de ses alliés, la princesse ne recevrait jamais le fer céleste. Vendre ce qu'il ne possédait plus et réaliser un bénéfice de cette ampleur procurait à Dénès une profonde jubilation. Faire patienter la princesse serait aisé. Si elle manifestait trop d'animosité, il se déchargerait de sa responsabilité sur Chéchi. La servilité du chimiste à la petite moustache lui avait déjà beaucoup servi.

*

La servante apporta des olives, des radis et une laitue. Silkis prépara elle-même l'assaisonnement.

– Merci d'avoir accepté notre invitation, dit Bel-Tran à Néféret et à Pazair. Vous avoir tous les deux à notre table est un honneur.

– Point n'est besoin de solennités, souligna le juge.

Sur un plateau en cuivre que supportait un guéridon, le cuisinier disposa des côtes d'agneau grillées, des courgettes et des petits pois. Leur fraîcheur flatta le palais des convives. Silkis arborait de superbes boucles d'oreilles, en forme de disques ornés de rosettes et de spirales.

– J'ai fait un rêve surprenant, avoua-t-elle. A plusieurs reprises, je buvais de la bière chaude ! J'étais tellement angoissée que j'ai consulté l'interprète. Son diagnostic m'a épouvanté ! Ce songe signifie que mes biens vont être dérobés.

– Ne soyez pas trop soucieuse, recommanda Néféret ; les interprètes des rêves se trompent souvent.

– Que les dieux vous entendent !

– Mon épouse est trop anxieuse, estima Bel-Tran. Ne pourriez-vous lui donner un remède ?

A la fin du repas, pendant que Néféret prescrivait des tisanes calmantes à Silkis, Bel-Tran et le juge firent quelques pas dans le jardin.

– Je n'ai guère le loisir d'apprécier la nature, déplora le financier; mon travail est de plus en plus absorbant. Lorsque je rentre, le soir, mes enfants sont couchés. Ne pas les voir grandir, ne pas jouer avec eux, sont de pénibles sacrifices. La gestion des greniers, mon exploitation de papyrus, le service du Trésor... Les journées sont trop courtes! N'éprouvez-vous pas le même sentiment ?

– Si, trop souvent. Être Doyen du porche n'est pas une sinécure.

– Avancez-vous dans votre enquête sur le général Asher ?

– Pas à pas.

– J'aimerais vous signaler un événement insolite qui m'inquiète au plus haut point. Vous savez que la princesse Hattousa est d'un tempérament plutôt belliqueux et ne pardonne pas à Ramsès de l'avoir arrachée à son pays.

– Une hostilité presque déclarée.

– Où la mènera-t-elle ? S'opposer ouvertement au roi, tenter de comploter contre lui seraient suicidaires. Néanmoins, elle vient de recevoir une étrange visite : celle du transporteur Dénès.

– En êtes-vous sûr ?

– Un de mes collaborateurs, en visite au harem, a cru le reconnaître. Étonné, il s'est assuré qu'il ne se trompait pas.

– La démarche de Dénès est-elle si extravagante ?

– Hattousa possède son propre contingent de navires marchands. Le harem est une institution d'État où un transporteur privé ne saurait jouer aucun rôle. S'il s'agit d'une visite d'amitié, quelle signification lui donner ?

Une alliance entre la princesse hittite, épouse secondaire du roi, et l'un des membres du complot... La révélation de Bel-Tran revêtait une importance certaine. Hattousa ne serait-elle pas la tête pensante et Dénès l'un des exécutants ? La conclusion semblait trop hâtive. Nul ne connaissait la teneur de l'entretien dont l'existence laissait pourtant entrevoir une conjonction d'intérêts, hostiles au bien-être du royaume.

– Cette collusion est suspecte, Pazair.

– Comment en apprécier l'étendue ?

– Je l'ignore. Ne songez-vous pas à la préparation d'une tentative d'invasion par le nord ? Certes, Ramsès a jugulé les Hittites, mais renonceront-ils jamais à leurs visées expansionnistes ?

– En ce cas, le général Asher serait un relais obligatoire.

Plus les contours de l'ennemi se précisaient, plus le combat s'annonçait difficile et l'avenir incertain.

*

Le soir même, un messager du palais porta à Néféret une lettre marquée au sceau de Touya, la mère de Ramsès le grand. La grande dame souhaitait consulter le médecin au plus tôt. Bien qu'elle demeurât cloîtrée, Touya restait l'une des personnalités les plus influentes de sa cour. Hautaine, détestant la médiocrité et la petitesse, elle conseillait sans ordonner, et veillait avec un soin jaloux sur la grandeur du pays. Ramsès éprouvait pour elle admiration et affection; depuis la disparition de la femme aimée, Néfertari, il avait fait de sa mère sa principale confidente. D'aucuns affirmaient qu'il ne prenait aucune décision sans l'avoir consultée.

Touya régnait sur une nombreuse maisonnée et disposait d'un palais dans chaque cité d'importance. Celui de Memphis se composait d'une vingtaine de pièces et d'une vaste salle à quatre piliers où elle recevait ses hôtes de marque. Un chambellan conduisit Néféret à la chambre de la reine mère.

A soixante ans, Touya était une femme mince, aux yeux perçants, au nez droit et fin, aux joues marquées, et au menton petit et presque carré. Elle portait la perruque rituelle correspondant à sa fonction et imitant une dépouille de vautour dont les ailes encadraient son visage.

– Votre réputation est parvenue jusqu'à moi. Le vizir Bagey, peu enclin à complimenter, parle de vos miracles.

– Je pourrais dresser la longue liste de mes échecs, Majesté. Un médecin qui se vante de ses succès devrait changer de métier.

– Je suis souffrante et j'ai besoin de vos talents. Les assistants de Nébamon sont des ignorants.

– De quoi souffrez-vous, majesté ?

– Des yeux. De plus, des douleurs violentes me percent le ventre, j'entends mal, ma nuque est raide.

Néféret diagnostiqua sans peine des sécrétions anormales de l'utérus. Elle prescrivit des fumigations avec de la résine de térébinthe, mélangée à de l'huile de qualité supérieure.

L'examen de l'œil l'inquiéta davantage : conjonctivite granuleuse, trachome avec complications palpébrales, risque de glaucome.

La reine mère perçut le trouble du médecin.

– Soyez franche.

– Une maladie que je connais et que je guérirai. Mais le traitement sera long et vous demandera beaucoup d'attention.

A son lever, la reine mère devrait se laver les yeux avec une solution à base de chanvre, très efficace contre le glaucome. Le même produit, en onguent additionné de miel et appliqué localement, calmerait les douleurs de l'utérus. Un autre remède, dont le principal agent était du silex noir, ferait disparaître l'infection du coin de l'œil, de même que les humeurs malignes. Pour supprimer le trachome, la malade appliquerait sur ses paupières une pommade composée de ladanum, de galène, de bile de tortue, d'ocre jaune et de terre de Nubie. Enfin, elle instillerait dans ses yeux, à l'aide d'une plume de vautour creuse, un collyre. Aloès, chrysocolle, farine de coloquinte, feuille d'acacia, écaille d'ébène et eau froide seraient mélangés, réduits en une pâte, à faire sécher et à broyer dans l'eau. Le produit obtenu devrait passer une nuit au grand air, recevoir la rosée, être filtré. Outre l'instillation, la reine mère l'utiliserait en compresses, appliquées sur l'œil quatre fois par jour.

– Me voilà bien faible et bien vieille, constata-t-elle; m'occuper ainsi de moi-même me déplaît.

– Vous êtes souffrante, majesté; prenez le temps de vous soigner et vous guérirez.

– Je crois devoir vous obéir, bien qu'il m'en coûte. Acceptez ceci.

Touya offrit au médecin un admirable collier de sept rangées de perles en cornaline et en or de Nubie; les deux motifs du fermoir étaient des fleurs de lotus.

Néféret hésita.

– Attendez au moins les résultats du traitement.

– Je me porte déjà mieux.

La reine mère ferma elle-même le collier et jugea de son effet.

– Vous êtes très belle, Néféret.

La jeune femme rosit.

– De plus, vous êtes heureuse. Mes familiers affirment que votre mari est un juge exceptionnel.

– Servir Maât est le sens de sa vie.

– L'Égypte a besoin d'êtres comme vous et lui.

Touya manda son échanson. Il apporta de la bière douce et des fruits. Les deux femmes s'assirent sur des chaises basses pourvues de confortables coussins.

– J'ai suivi la carrière et l'enquête du juge Pazair. D'abord amusée, ensuite intriguée, enfin révoltée! Sa déportation fut un acte inique et inadmissible. Par bonheur, il a remporté une première victoire; sa position de Doyen du porche lui permet de poursuivre la lutte avec davantage de moyens. Avoir nommé Kem chef de la police fut une excellente initiative; le vizir Bagey a eu raison de l'approuver.

Ces quelques phrases n'étaient pas prononcées au

hasard. Quand Néféret les rapporterait à Pazair, il serait transporté de joie ; par la voix de Touya, c'était le proche entourage de Pharaon qui approuvait son action.

– Depuis la mort de mon mari et l'accession au trône de mon fils, je veille sur le bonheur de notre pays. Ramsès est un grand roi ; il a éloigné le spectre de la guerre, enrichi les temples, nourri son peuple. L'Égypte demeure la terre aimée des dieux. Mais je suis troublée, Néféret ; acceptez-vous d'être ma confidente ?

– Si vous m'en jugez digne, majesté.

– Ramsès est de plus en plus préoccupé, parfois absent, comme s'il avait brusquement vieilli. Son caractère a changé ; renoncerait-il à se battre, à résoudre difficulté après difficulté, à se jouer des obstacles ?

– Serait-il malade ?

– A l'exception de sa faiblesse dentaire, il reste le plus vigoureux et le plus infatigable des hommes. Pour la première fois, il se méfie de moi. Je ne perçois plus ses intentions cachées. Le fait ne me choquerait pas si, conformément à son habitude, il m'avait annoncé sa décision face à face. Mais il me fuit, j'ignore pourquoi. Parlez-en au juge Pazair. J'ai peur pour l'Égypte, Néféret. Tant d'assassinats, ces derniers mois, tant d'énigmes non résolues, et le roi qui s'éloigne de moi, son goût nouveau pour la solitude... Que Pazair poursuive ses investigations.

– Pharaon vous semble-t-il menacé ?

– Il est aimé et respecté.

– Le peuple ne murmure-t-il pas que sa chance l'abandonne ?

– Dès qu'un règne se prolonge, il en va ainsi. Ramsès connaît la solution : célébrer une fête de régénération, renforcer son pacte avec les divinités, et réinsuffler la joie dans l'âme de ses sujets. Ces rumeurs ne me préoccupent guère ; mais pourquoi le roi a-t-il promulgué des décrets réaffirmant son autorité, que personne ne conteste ?

– Craindriez-vous un mal sournois, susceptible d'affaiblir son esprit ?

– La cour en constaterait vite les effets. Non, ses facultés sont intactes ; pourtant, il n'est plus le même.

La bière était douce à souhait, la compote de fruits succulente. Néféret sentit qu'elle ne devait plus poser de questions. A Pazair d'apprécier ces confidences exceptionnelles et de savoir les utiliser.

– J'ai beaucoup apprécié votre dignité lors du décès de Nébamon, reprit Touya ; l'homme ne valait rien, mais il avait su s'imposer. Il fut d'une rare injustice envers vous ; aussi ai-je décidé de la réparer. Lui et moi étions les responsables de l'hôpital principal de Memphis. Il est mort, je ne suis pas médecin. Demain sera publié le décret qui vous donne la direction de cet hôpital.

CHAPITRE 22

Deux serviteurs versèrent des jarres d'eau tiède sur Pazair qui se frotta la peau avec un pain de natron. Après sa douche, il se brossa les dents avec un roseau odorant et se rinça avec un mélange d'alun et d'aneth. Pour se raser, il utilisa son rasoir favori, en forme de ciseau de menuisier, et s'enduisit le cou d'huile de menthe sauvage afin d'écarter mouches, moustiques et puces. Il se frictionna le reste du corps avec un onguent à base de natron et de miel. Si nécessaire, il utiliserait, au milieu du jour, un déodorant au caroubier et à l'encens.

Sa toilette achevée, l'irrémédiable survint.

Il éternua deux fois, cinq fois, dix fois. Le rhume, le rhume obstiné, accompagné d'une toux quinteuse et de bourdonnements d'oreilles. Certes, il était coupable : surmenage, traitement mal observé, manque de sommeil. Mais il avait certainement besoin d'un nouveau remède.

Comment consulter Néféret, puisqu'elle se levait à six heures, et partait peu après pour l'hôpital central dont elle avait la charge ? Depuis une semaine, il ne la voyait plus. Désireuse de réussir dans ses nouvelles fonctions, elle se dépensait sans compter, désormais responsable du plus grand centre de soins en Égypte. Le décret de la reine mère Touya, aussitôt approuvé par le vizir, avait reçu l'approbation de l'ensemble des médecins, des chirurgiens et des pharmaciens travaillant à l'hôpital. L'administrateur provisoire, qui bloquait la livraison de médicaments à la jeune femme, était devenu infirmier, et s'occupait des grabataires.

Aux scribes préoccupés de gestion, Néféret avait précisé que sa vocation consistait à soigner, non à diriger un corps de fonctionnaires; aussi les priait-elle de respecter les ordres du bureau du vizir qu'elle n'entendait pas discuter. Cette mise au point gagna bien des esprits à la cause de la nouvelle directrice qui travailla en étroite collaboration avec les différents spécialistes. Venaient à l'hôpital de grands malades que les médecins des villes et des campagnes avaient été incapables de guérir, et des gens plutôt aisés désireux de bénéficier d'une cure préventive afin d'éviter l'apparition ou l'aggravation de certains maux. Néféret accordait beaucoup d'attention au laboratoire, chargé de préparer des remèdes et de manipuler des substances toxiques.

Puisque sa sinusite évoluait de manière défavorable et qu'il était abandonné à lui-même, Pazair décida d'aller au seul endroit où on lui accorderait quelque attention : l'hôpital principal de Memphis.

Traverser les jardins qui précédaient le bâtiment fut un délice. Rien n'annonçait la présence, si proche, de la souffrance.

Une aimable infirmière accueillit le visiteur.

– Que puis-je pour vous ?

– Une urgence. Je souhaite consulter la directrice de l'hôpital, Néféret.

– Aujourd'hui, c'est impossible.

– Même pour son mari ?

– Seriez-vous le Doyen du porche ?

– Je le crains.

– Suivez-moi, je vous prie.

L'infirmière lui fit traverser une véritable installation balnéaire, comprenant de nombreuses chambres pourvues de trois cuves de pierre, la première pour l'immersion totale, la seconde pour les bains de siège, la troisième pour les jambes et les pieds. D'autres locaux étaient réservés à des cures de sommeil. De petites pièces, bien aérées, abritaient des malades que les médecins surveillaient en permanence.

Néféret vérifiait une préparation magistrale, et notait le temps de coagulation d'une substance en consultant une horloge à eau. Deux pharmaciens expérimentés l'assistaient. Pazair attendit la fin de l'expérience avant de se manifester.

– Un patient pourrait-il bénéficier de tes soins ?

– Serait-ce si pressé ?

– Une urgence.

Gardant son sérieux à grand-peine, elle l'entraîna dans une salle de consultation. Le juge éternua une bonne dizaine de fois, d'une manière tonitruante.

– Hum... tu ne fabules pas. Difficultés respiratoires ?

– Un sifflement dans la poitrine, depuis que tu ne t'occupes plus de moi.

– Les oreilles ?

– La gauche, bouchée.

– Fiévreux ?

– Un peu.

– Allonge-toi sur la banquette de pierre. Je dois écouter ton cœur.

– Tu connais déjà sa voix.

– Nous sommes dans un endroit respectable, juge Pazair. Je vous prie d'observer le plus grand sérieux.

Pendant l'auscultation, le Doyen du porche se tint coi.

– Tu avais raison de te plaindre. Un nouveau traitement est indispensable.

Au laboratoire, Néféret se servit d'une baguette de sourcier pour choisir le remède approprié. Elle se leva au-dessus d'une plante robuste, à larges feuilles vert pâle à cinq lobes, et à baies rouges.

– La bryone, indiqua-t-elle. Un redoutable poison.

Utilisé en dilution, il éliminera la congestion dont tu es victime et dégagera tes bronches.

– En es-tu bien sûre ?

– J'engage ma responsabilité.

– Soigne-moi vite. Les scribes doivent maudire mon retard.

*

Une agitation inhabituelle régnait dans les bureaux du juge. D'ordinaire gens modérés, habitués à parler bas et sans gesticulations, les fonctionnaires s'interpellaient, incertains sur la conduite à tenir. Les uns prêchaient l'attentisme, en l'absence de leur patron ; d'autres la fermeté, à condition de ne pas l'exercer eux-mêmes ; d'autres encore exigeaient l'intervention de la police. Sur le sol, des tablettes brisées et des papyrus déchirés.

L'arrivée de Pazair imposa silence.

– Auriez-vous été attaqués ?

– En quelque sorte, répondit un ancien, atterré. Nous n'avons pu retenir cette furie. Elle s'est installée chez vous.

Intrigué, Pazair traversa la vaste salle où travaillaient les scribes et entra dans son propre bureau.

A genoux sur une natte, Panthère fouillait dans les archives.

– Qu'est-ce qui vous prend ?

– Je veux savoir où vous avez caché Souti.

– Levez-vous et sortez d'ici.

– Pas avant de savoir !

– Je n'exercerai aucune violence sur vous, mais je ferai appel à Kem.

La menace porta. La blonde Libyenne obéit.

– Discutons à l'extérieur.

Elle passa devant lui, sous le regard intrigué des scribes.

– Rangez et remettez-vous au travail, ordonna-t-il.

Pazair et Panthère marchèrent vite, progressant dans une ruelle encombrée. En ce jour de marché, les acheteurs se pressaient autour des paysans qui vendaient fruits et légumes, dans un grand concert de négociations. Le juge et la Libyenne échappèrent au flot humain et se réfugièrent dans une venelle déserte et silencieuse.

– Je veux savoir où se cache Souti, insista-t-elle, au bord des larmes. Depuis son départ, je ne pense qu'à lui. J'oublie de me parfumer et de me maquiller, je perds la notion du temps, j'erre dans les rues.

– Il ne se cache pas, mais accomplit une mission délicate et dangereuse.

– Avec une autre femme ?

– Seul et sans aide.

– Il est marié, pourtant !

– Cette union lui a paru nécessaire, dans le cadre de son enquête.

– Je l'aime, juge Pazair, je l'aime à en mourir ! Pouvez-vous me comprendre ?

Pazair sourit.

– Mieux que vous ne le supposez.

– Où est-il ?

– C'est une mission secrète, Panthère. En parlant, je le mets en danger.

– Je vous jure que non ! Mes lèvres resteront closes.

Émo, persuadé de la sincérité de cette maîtresse enflammée, le juge ne résista pas.

– Il s'est engagé dans une équipe de mineurs partie de Coptos.

Panthère, ivre de bonheur, l'embrassa sur la joue droite.

– Jamais je n'oublierai votre aide. Si je suis obligée de le tuer, vous serez le premier prévenu.

*

La rumeur se diffusa dans toutes les provinces, du nord au sud. A Pi-Ramsès, la grande résidence royale du Delta, à Memphis, et à Thèbes, elle gagna vite les diverses administrations et sema le trouble dans l'esprit des responsables chargés d'appliquer les directives du vizir.

Le Doyen du porche, après avoir résolu un problème immobilier déchirant deux cousins qui avaient acheté le même terrain à un vendeur indélicat, condamné à rembourser le double des biens perçus, lut à son tour le rapport du général Asher sur l'état de l'armée égyptienne, à l'origine des inquiétudes les plus folles.

Le gradé estimait instable la situation en Asie, en raison de l'appauvrissement constant des effectifs égyptiens chargés de la surveillance des petites principautés, prêtes à se fédérer sous la houlette de l'insaisissable Libyen Adafi. La qualité de l'armement était insuffisante. Depuis la victoire sur les Hittites, on ne s'en préoccupait plus. Quant à l'état des casernes à l'intérieur même du pays, il n'offrait pas davantage satisfaction : chevaux mal soignés, chars abîmés et non réparés, manque de discipline, officiers mal formés. En cas de tentative d'invasion, l'Égypte serait-elle capable de résister ?

L'impact d'un tel texte serait profond et durable. Quel but poursuivait Asher ? Si l'avenir lui donnait raison, le général apparaîtrait comme un prophète lucide et occuperait une position très forte, celle d'un possible sauveur. Si Ramsès lui accordait crédit, Asher imposerait ses exigences et renforcerait son influence.

Pazair songea à Souti. A cette heure, sur quelle piste aride cheminait-il, en quête d'une preuve impossible contre cet assassin qui voulait dicter au pays sa stratégie militaire ?

Le juge convoqua Kem.

– Pouvez-vous mener une enquête rapide sur la caserne principale de Memphis ?

– A quel propos ?

– Moral des troupes, état du matériel, santé des hommes et des chevaux.

– Sans difficulté, à condition d'avoir un mandat.

Le juge indiqua un motif plausible : recherche d'un char ayant renversé plusieurs personnes et portant des traces du choc.

– Faites vite.

Pazair se précipita chez Bel-Tran, aux prises avec l'inventaire des récoltes de grain. Les deux hommes montèrent sur la terrasse de l'immeuble administratif, à l'abri des oreilles indiscrètes.

– Avez-vous lu le rapport Asher ?

– Constat effrayant.

– A supposer qu'il soit exact.

– Seriez-vous d'un avis contraire ?

– Je le soupçonne de noircir la situation afin d'en tirer avantage.

– Des indices ?

– Rassemblons-les le plus vite possible.

– Asher sera blâmé.

– Ce n'est pas certain. Que Ramsès admette son point de vue, et le général aura les mains libres. Qui oserait encore s'attaquer au sauveur de la patrie ?

Bel-Tran opina du chef.

– Vous désiriez m'aider, le moment est venu.

– Qu'attendez-vous de moi ?

– Des informations sur nos contingents en poste à l'étranger et sur les investissements en matériel militaire pendant ces dernières années.

– Ce ne sera pas facile, mais j'essaierai.

De retour dans son bureau, Pazair écrivit une longue lettre à Kani, le grand prêtre de Karnak, auquel il demandait des renseignements sur la qualité des troupes casernées dans la région thébaine et la valeur de leur équipement. La missive fut rédigée en code, fondé sur le terme « plante médicinale », spécialité de Kani, et confiée à un porteur digne de confiance.

*

– Rien à signaler, déclara Kem.

– Soyez plus précis, exigea Pazair.

– La caserne est calme, les locaux sont en bon état, le matériel aussi. J'ai examiné cinquante chars que les officiers entretiennent avec autant de soin que leurs chevaux.

– Que pensent-ils du rapport d'Asher ?

– Ils le prennent au sérieux, mais sont persuadés qu'il concerne les autres casernes. Par acquit de conscience, j'ai inspecté celle qui se trouve le plus au sud de l'agglomération.

– Résultats ?

– Identiques : rien à signaler. Là aussi, on croit que la critique est fondée... pour autrui.

Pazair et Bel-Tran se rencontrèrent sur le parvis du temple de Ptah, où devisaient de nombreux badauds, indifférents aux allées et venues des prêtres.

– Sur le premier point, je n'ai obtenu que des indications contradictoires, dans la mesure où le général verrouille l'information sur l'armée d'Asie. Officiellement, nos contingents ont diminué, alors que l'agitation reprend ; mais un scribe des recrues m'a assuré que la liste des effectifs demeurait inchangée. Sur le second, la vérité fut facile à établir, puisque le budget de l'armée est déposé au Trésor. Les investissements sont stables depuis plusieurs années, aucun manque de matériel n'a été signalé.

– Asher a donc menti.

– Son rapport est subtil. Il présente les faits d'une manière alarmiste, sans trop affirmer. Beaucoup d'officiers supérieurs le soutiennent, nombre de courtisans redoutent les menées hittites, Asher est un héros... Ne provoque-t-il pas un sursaut salutaire ?

*

Brave dormait, en boule, sur les genoux de son maître, assis près du bassin où s'épanouissaient des lotus. Une brise soulevait en douceur les poils du chien et les cheveux du juge. Néféret consultait un papyrus médical que Coquine s'obstinait à enrouler, malgré les avertissements de la jeune femme. Les derniers feux du jour baignaient d'orange le jardin de la villa ; mésanges, rouges-gorges et hirondelles chantaient leurs mélodies vespérales.

– L'état de notre armée est excellent. Le rapport d'Asher est un tissu d'aberrations, dont le but est de paniquer les autorités civiles et d'affaiblir le moral des troupes afin de mieux les reprendre en main.

– Pourquoi Ramsès ne le blâme-t-il pas ? interrogea Néféret.

– Il a confiance en lui, en raison de ses exploits passés.

– Comment agir ?

– En donnant les conclusions de mon enquête au vizir Bagey, qui les transmettra à Pharaon. Elles seront consignées par Kem et par Kani, dont je viens de recevoir la réponse. A Thèbes comme à Memphis, notre potentiel militaire est intact. Le vizir étendra les vérifications à tout le pays et s'élèvera contre Asher.

– Est-ce la fin du général ?

– Ne pavoisons pas. Il protestera, clamera sa bonne foi et son amour du pays, accusera ses subordonnés de lui avoir transmis de fausses informations. Mais il sera stoppé dans son élan. Et je compte pousser mon avantage.

– De quelle façon ?

– En l'affrontant.

*

Le général Asher surveillait un exercice de chars, dans le désert. Deux hommes étaient à bord ; l'officier tirait à l'arc sur une cible mouvante, son assistant maniait les rênes, en lançant le véhicule à pleine vitesse. Qui se montrait maladroit était exclu du corps d'élite. Deux fantassins prièrent le Doyen du porche d'attendre et de ne pas s'aventurer sur le terrain de manœuvre. Une flèche perdue pouvait atteindre un passant imprudent.

Asher, poussiéreux, donna enfin le signal du repos. Sans se hâter, il marcha vers le juge.

– Votre place n'est pas ici.

– Aucune partie du territoire ne m'est interdite.

Le visage de rongeur se crispa. Petit, le torse large, les jambes courtes, Asher, irrité, gratta la cicatrice qui lui barrait la poitrine, de l'épaule au nombril.

– Je vais me laver et me changer. Accompagnez-moi.

Asher et Pazair pénétrèrent dans le bloc sanitaire réservé aux officiers supérieurs. Pendant qu'un homme de troupe douchait le général, le juge attaqua.

– Je conteste votre rapport.

– A quel titre ?

– Informations inexactes.

– Vous n'êtes pas soldat, vos appréciations sont dépourvues de valeur.

– Il ne s'agit pas d'appréciations, mais de faits.

– Je les réfute.

– Sans les connaître !

– Faciles à deviner ! Vous vous êtes promené dans deux ou trois casernes, on vous a montré quelques chars flambant neufs et des soldats ravis de leur condition. Naïf et incompétent, vous fûtes berné !

– Qualifieriez-vous ainsi le chef de la police et le grand prêtre de Karnak ?

La question embarrassa le général. Il congédia le soldat et s'essuya lui-même.

– Ce sont des hommes neufs, aussi inexpérimentés que vous.

– L'argument est faible.

– Que cherchez-vous encore, juge Pazair ?
– Toujours le même trésor : la vérité. Votre rapport est mensonger. C'est pourquoi j'ai adressé au vizir mes remarques et mes objections.
– Vous avez osé...
– Ce n'est pas de l'audace, mais un devoir.
Asher trépigna.
– Cette démarche est stupide ! Vous vous en mordrez les doigts.
– Le vizir Bagey jugera.
– L'expert, c'est moi !
– Notre potentiel militaire ne se dégrade pas, vous le savez bien.
Le général se vêtit d'un pagne court. Ses gestes saccadés traduisaient sa nervosité.
– Écoutez-moi, Pazair : peu importent les détails, c'est l'esprit de mon texte qui compte.
– Éclairez-moi.
– Un bon général doit prévoir l'avenir afin d'assurer la défense du pays.
– Justifie-t-elle des déclarations alarmistes et sans fondement ?
– Vous ne pouvez pas comprendre.
– Existerait-il un lien avec les activités de Chéchi ?
– Laissez-le en paix.
– J'aimerais l'interroger.
– Impossible. Il est au secret.
– Sur votre ordre ?
– Sur mon ordre.
– Je suis au regret d'insister.
La voix d'Asher devint onctueuse.
– Si j'ai tenu à éveiller l'attention du roi, du vizir et de la cour en insistant sur nos faiblesses militaires, c'est avec l'intention de les effacer et d'obtenir un accord définitif sur la fabrication d'une nouvelle arme qui nous rendra invincibles.
– Votre naïveté me surprend, général.
Les yeux d'Asher se rétrécirent comme ceux d'un chat.

– Qu'insinuez-vous ?

– Votre fameuse arme est sans doute une épée incassable fabriquée avec du fer céleste.

– Épée, lance, poignard... Chéchi y travaille d'arrache-pied. J'exigerai que lui soit restitué le bloc conservé au temple de Ptah.

– Donc, il lui appartenait.

– L'essentiel est qu'il l'utilise.

– Certaines croyances abusent les esprits les plus méfiants.

– Que signifie ?

– Que le fer céleste n'est pas incassable.

– Vous divaguez !

– Chéchi vous ment ou s'abuse lui-même. Les spécialistes de Karnak vous confirmeront mes dires. L'usage rituel de ce métal rare vous a fait rêver, à tort. Vous désiriez vous doter d'un instrument de pouvoir avec l'accord forcé de l'autorité suprême, vous avez échoué.

Le visage de rongeur était en proie à la plus grande perplexité. Asher ne prenait-il pas conscience d'avoir été dupé par son propre complice ?

Dès que le juge eut quitté le bloc sanitaire, le général s'empara d'un vase de terre cuite rempli d'eau tiède, et le fracassa contre un mur.

CHAPITRE 23

Souti ôta la courroie et déploya sa natte sur une pierre plate. Fourbu, il s'étendit sur le dos et contempla les étoiles. Le désert, les montagnes, la roche, la mine, les galeries surchauffées où il fallait ramper en se râpant la peau... La plupart se plaignaient et regrettaient déjà une aventure plus épuisante que lucrative. Mais Souti se sentait comblé. Par moments, il oubliait le général Asher, tant le paysage l'absorbait. Lui qui aimait les plaisirs de la ville n'avait aucune peine à fraterniser avec ces régions hostiles, comme s'il y avait toujours vécu.

Dans le sable, sur sa gauche, un chuintement caractéristique. Une vipère à cornes passait près de la natte, laissant des ondulations derrière elle. La première nuit, il avait suivi le manège du reptile; à l'effroi succédait l'habitude. D'instinct, il savait qu'il ne serait pas piqué; scorpions et serpents ne l'effrayaient pas. Hôte admis sur leur territoire, il respectait leurs coutumes et les redoutait moins que la tique des sables, avide de sang, qui concentrait ses attaques sur certains mineurs. La morsure était douloureuse, la chair gonflait et s'infectait. Chanceux, Souti n'intéressait pas ce pou contre lequel Éphraïm luttait en s'aspergeant d'une lotion à base de souci.

Malgré une journée harassante, le jeune homme ne

parvenait pas à dormir. Il se leva, marcha à pas lents en direction d'un oued que baignait la lumière lunaire. Se déplacer seul, de nuit, dans le désert, était insensé ; des divinités redoutables et des animaux fantastiques y circulaient. Ils dévoraient les imprudents dont on ne retrouvait pas les cadavres. Si l'on souhaitait se débarrasser de lui, le moment et l'endroit étaient parfaits.

Un bruit alerta Souti. Au fond de la dépression, où l'eau bouillonnait lors des pluies d'orage, une antilope aux cornes en forme de lyre grattait avec obstination, en quête d'une source. Vint la rejoindre une autre antilope aux très longues cornes, à peine incurvées, à la fourrure blanche ; les deux quadrupèdes étaient l'incarnation du dieu Seth, dont ils possédaient le dynamisme inépuisable. Ils ne s'étaient pas trompés ; bientôt, leur langue lapa le précieux liquide qui sourdait entre deux pierres rondes. Leur succédèrent un lièvre et une autruche. Fasciné, Souti s'assit. La noblesse des animaux, leur bonheur, étaient un spectacle secret qu'il garderait en lui comme un souvenir d'éternité.

La main d'Éphraïm se posa sur son épaule.

– Tu aimes le désert, petit. C'est un vice. Si tu continues à le nourrir, tu finiras par voir le monstre à corps de lion et à tête de faucon, qu'aucun chasseur ne percera de ses flèches et ne prendra au lasso. Pour toi, il sera trop tard. Le monstre te saisira dans ses griffes et t'emportera dans les ténèbres.

– Pourquoi détestes-tu les Égyptiens ?

– Je suis d'origine hittite. Jamais je ne supporterai la victoire de l'Égypte. Ici, sur ces pistes, c'est moi le maître.

– Depuis combien de temps diriges-tu des équipes de mineurs ?

– Cinq ans.

– Tu n'as pas fait fortune ?

– Tu est trop curieux.

– Si tu as échoué, j'aurai du mal à réussir.

– Qui t'a dit que j'avais échoué ?

– Tu me rassures.
– Ne te réjouis pas trop vite.
– Si tu es riche, pourquoi suer et peiner ?
– Je déteste la vallée, les champs et le fleuve. Fussé-je cousu d'or, je ne quitterais pas mes mines.
– Cousu d'or... L'expression me plaît. Jusqu'à présent, tu nous fais explorer des mines stériles.
– Tu es observateur, petit. Serait-il meilleur entraînement ? Quand le travail sérieux débutera, les plus robustes seront prêts à fouiller les entrailles de la montagne.
– Le plus tôt sera le mieux.
– Es-tu si pressé ?
– Pourquoi attendre ?
– Beaucoup d'insensés ont suivi la piste de l'or, presque tous ont échoué.
– Les filons ne sont-ils pas repérés ?
– Les cartes appartiennent aux temples et n'en sortent pas. Qui tente de voler de l'or est immédiatement arrêté par la police du désert.
– Impossible de lui échapper ?
– Ses chiens sont partout.
– Toi, tu as les cartes dans la tête.
Le barbu s'assit à côté de Souti.
– Qui te l'a appris ?
– Personne, sois tranquille. Tu n'es pas homme à conserver ailleurs des documents.
Éphraïm ramassa un caillou, referma ses doigts, et le broya.
– Si tu cherches à m'abuser, je te détruirai.
– Combien de fois faudra-t-il te répéter que mon seul but est la richesse ? Je veux une énorme propriété, des chevaux, des chars, des serviteurs, une forêt de pins, un...
– Une forêt de pins ? Il n'en existe pas, en Égypte !
– Qui te parle de l'Égypte ? Je ne peux plus rester dans ce maudit pays. C'est en Asie que je désire m'installer, dans une principauté où l'armée de Pharaon ne pénètre pas.

– Tu commences à m'intéresser, garçon. Tu es un criminel, n'est-ce pas ?

Souti resta coi.

– La police te recherche, et tu espères lui échapper en te cachant parmi des mineurs. Ce sont des limiers têtus. Ils mettront tout en œuvre pour t'épingler.

– Cette fois, ils ne me prendront pas vivant.

– As-tu fait de la prison ?

– Plus jamais je ne serai enfermé.

– Quel est le juge qui te poursuit ?

– Pazair, le Doyen du porche.

Éphraïm émit un sifflement admiratif.

– Tu es un gros gibier ! A la mort de ce juge, beaucoup de gens comme toi célébreront un fameux banquet.

– Il est obstiné.

– Le destin lui sera peut-être contraire.

– Ma bourse est vide, je suis pressé.

– Tu me plais, petit, mais je ne prendrai aucun risque. Demain, on creuse pour de bon. On verra de quoi tu es capable.

*

Éphraïm avait réparti ses hommes en deux équipes.

La première, la plus nombreuse, récoltait du cuivre, indispensable pour la fabrication des outils, notamment des ciseaux de tailleurs de pierre; martelé, lavé, le métal était fondu sur le lieu même d'extraction dans des fours rudimentaires, puis versé dans des moules. Le Sinaï et les déserts fournissaient d'importantes quantités de cuivre qu'il fallait pourtant importer de Syrie et d'Asie occidentale, tant les communautés de bâtisseurs en étaient friandes. L'armée en consommait aussi, en l'alliant à l'étain afin d'obtenir des lames solides.

La seconde équipe, où figurait Souti, ne comprenait qu'une dizaine d'hommes déterminés. Chacun savait que les véritables difficultés commençaient. Devant eux, l'entrée d'une galerie, bouche d'enfer ouverte sur des profondeurs celant peut-être un trésor. Au cou des mineurs, la bourse de cuir qui serait remplie à craquer, en cas de succès. Ils ne portaient qu'un pagne de cuir et s'étaient enduit le corps de sable.

Qui passerait le premier ? C'était la meilleure place, et la plus dangereuse. On poussa Souti. Il se retourna et frappa. Une bagarre générale s'ensuivit. Éphraïm l'interrompit, en soulevant par les cheveux un petit lutteur qui hurla de douleur.

– Toi, ordonna-t-il, passe en tête.

La file s'organisa. Le boyau était étroit, les mineurs se courbèrent, cherchant des appuis. Le regard traînait sur des parois, quêtant l'apparition d'un métal précieux dont Éphraïm n'avait pas précisé la nature. Le meneur, trop rapide, soulevait la poussière ; le second, asphyxié, le poussa dans le dos. Surpris, il perdit l'équilibre et dévala la pente, jusqu'à un palier où les explorateurs se mirent debout.

– Il est évanoui, constata l'un de ses camarades.

– Tant mieux, rétorqua un autre.

Après avoir repris leur souffle, dans une atmosphère étouffante, ils progressèrent dans le ventre de la mine.

– Là, de l'or !

Le découvreur fut aussitôt accueilli par deux envieux qui le terrassèrent.

– L'imbécile ! Ce n'était qu'une roche brillante.

Souti sentait la menace à chaque pas. Ses suiveurs ne songeaient qu'à se débarrasser de lui. Avec l'instinct d'un fauve, il se baissa à l'instant précis où ils l'attaquaient, tentant de lui défoncer le crâne avec une grosse pierre. Le premier agresseur tomba cul par-dessus tête, et Souti lui brisa les côtes à coups de pied.

– J'écrase le prochain, annonça-t-il. Êtes-vous devenus fous ? Si nous continuons ainsi, personne ne remontera. Ou on s'entre-tue tout de suite, ou on partage.

Les hommes valides choisirent la seconde solution. Ils rampèrent dans un nouveau boyau. Au bord du malaise, deux renoncèrent. La torche, formée de tissus trempés dans l'huile de sésame, fut confiée à Souti qui n'hésita plus à prendre la tête.

Plus bas encore, dans le noir, un éclair.

Le jeune homme saliva, accéléra l'allure, toucha enfin le trésor. Il hurla de rage.

– Du cuivre, ce n'est que du cuivre!

*

Souti était décidé à faire rendre gorge à Éphraïm. En s'extrayant de la galerie, il fut aussitôt étonné du silence anormal qui régnait sur le chantier. Les mineurs avaient été rassemblés en deux rangées, sous la surveillance d'une dizaine de policiers du désert et de leurs molosses. Leur chef n'était autre que le géant qui avait interrogé Souti avant son engagement.

– Voilà les autres, annonça Éphraïm.

Souti et ses camarades furent contraints de rentrer dans le rang, y compris les blessés; les chiens feulaient, prêts à mordre. Les policiers avaient en main un anneau garni de neuf lanières de cuir, qui leur permettait de porter des coups violents et décisifs.

– Nous sommes à la poursuite d'un déserteur, révéla le géant. Il a fui la corvée, une plainte a été déposée contre lui. Je suis persuadé qu'il se cache parmi vous. La règle du jeu est simple. S'il se rend, ou si vous le dénoncez, l'affaire sera vite réglée; si vous vous cantonnez dans le silence, nous procéderons à des interrogatoires avec l'anneau à lanières. Personne ne sera épargné. Nous recommencerons autant de fois que nécessaire.

Les regards de Souti et d'Éphraïm se croisèrent. Le Hittite ne se mettrait pas à dos la police du désert; trahir Souti consoliderait sa réputation auprès des forces de l'ordre.

– Un peu de courage, exigea le barbu. Le fuyard a joué, il a perdu. Les mineurs ne sont pas un ramassis de canailles.

Personne ne sortit des rangs.

Éphraïm s'approcha de ses ouvriers. Souti n'avait aucune chance de s'échapper. Les mineurs eux-mêmes se retourneraient contre lui.

Les chiens aboyèrent et tirèrent sur leur laisse. Calmes, les policiers attendaient leur proie.

Éphraïm agrippa une nouvelle fois par les cheveux le lutteur râblé, et le jeta aux pieds du chef du détachement.

– Le déserteur est à vous.

Souti sentit peser sur lui le regard du géant. Un instant, il crut qu'il remettrait en cause la dénonciation d'Éphraïm. Mais le suspect, sous la menace des chiens, passait déjà aux aveux.

*

– Tu continues à me plaire, petit.

– Tu m'as berné, Éphraïm.

– Je t'ai mis à l'épreuve. Celui qui ressort de cette mine abandonnée saura se tirer d'affaire dans n'importe quel gouffre.

– Tu aurais dû me prévenir.

– L'expérience n'aurait pas été concluante. A présent, je connais tes capacités.

– Bientôt, les policiers reviendront pour moi.

– Je sais. C'est pourquoi nous ne traînerons pas ici. Dès que j'aurai obtenu la quantité de cuivre exigée par le maître d'œuvre de Coptos, je donnerai l'ordre aux trois quarts de la troupe de transporter le métal dans la vallée.

– Ensuite ?

– Ensuite, avec les hommes que j'aurai choisis, nous effectuerons une expédition qui n'a pas été ordonnée par le temple.

– Si tu ne reviens pas à la tête de tes mineurs, la police interviendra.

– Si je réussis, il sera trop tard. Ce sera ma dernière exploration.

– Ne serons-nous pas trop nombreux ?
– Sur la piste de l'or, il faut des porteurs, pendant une partie du voyage. D'ordinaire, petit, je reviens seul.

*

Le vizir Bagey reçut Pazair avant de rentrer déjeuner chez lui. Il congédia son secrétaire, et trempa ses pieds enflés dans un récipient en pierre, rempli d'eau tiède et salée. Bien que la thérapeutique de Néféret le mît à l'abri d'un nouveau malaise, le vizir ne renonçait pas à la cuisine trop grasse de son épouse et continuait à engorger son foie.

Pazair s'habituait à la froideur de Bagey. Voûté, le visage ingrat, allongé et sévère, l'œil inquisiteur, il ne se préoccupait pas d'attirer une quelconque sympathie. Aux murs de son bureau, les plans des provinces, dont certains avaient été dessinés par lui-même, lorsqu'il était géomètre expert.

– Vous n'êtes pas de tout repos, juge Pazair. D'ordinaire, un Doyen du porche se contente de remplir ses multiples fonctions sans enquêter sur le terrain.

– La gravité du cas l'exigeait.

– Ajouterai-je que le domaine militaire n'est pas de votre ressort ?

– Le procès n'a pas lavé le général Asher de tout soupçon ; je suis en charge de la poursuite de l'instruction. C'est à sa personne que je m'intéresse.

– Pourquoi vous attarder sur son rapport concernant l'état de nos troupes ?

– Parce qu'il est mensonger, comme le prouvent les témoignages irréfutables du chef de la police et du grand prêtre de Karnak. Lorsque j'ouvrirai un nouveau procès, ce texte alourdira le dossier. Le général ne cesse de travestir la vérité.

– Ouvrir un nouveau procès... Est-ce bien votre intention ?

– Asher est un assassin. Souti, lui, n'a pas menti.

– Votre ami est en difficulté.

Pazair redoutait cette critique. Bagey n'avait pas haussé le ton, mais semblait irrité.

– Asher a déposé une plainte contre lui. Le motif est sérieux : désertion.

– Plainte irrecevable, objecta le juge. Souti a été engagé par la police, avant réception du document. Les registres de Kem sont formels. Par conséquent, l'ancien soldat Souti appartient à un corps d'État, sans aucune interruption de carrière et sans nulle désertion.

Bagey prit des notes sur une tablette.

– Je suppose que votre dossier est inattaquable ?

– Il l'est.

– Que pensez-vous vraiment du rapport d'Asher ?

– Qu'il sème la confusion afin de faire apparaître le général comme un sauveur.

– Et s'il disait vrai ?

– Mes premières investigations démontrent le contraire. Certes, elles sont limitées ; vous, en revanche, possédez la capacité de réduire à néant les arguments du général.

Le vizir réfléchit.

Soudain, Pazair fut pris d'un doute affreux. Bagey avait-il partie liée avec le général ? L'image du vizir intransigeant, honnête, incorruptible, n'était-elle qu'un trompe-l'œil ? En ce cas, la carrière du Doyen du porche ne tarderait pas à s'achever, sous un quelconque prétexte administratif.

Au moins, Pazair n'aurait pas longtemps à patienter. Selon la réponse de Bagey, il saurait à quoi s'en tenir.

– Travail excellent, estima le vizir. Chaque jour, vous justifiez votre nomination et vous me surprenez. Je commettais une erreur en privilégiant l'âge lors de la désignation des hauts magistrats ; je me console en supposant que vous êtes une exception. Votre analyse du rapport Asher est des plus troublantes ; l'appui d'un chef de la police et d'un grand prêtre de Karnak, même récemment nommés, lui donnent beaucoup de poids. De plus, vous tenez bon face à mes doutes. En conséquence, je conteste la validité du texte et ordonne un inventaire complet de l'armement dont nous disposons.

Pazair attendit d'être dans les bras de Néféret pour pleurer de joie.

*

Le général Asher s'assit sur le timon d'un char. La caserne dormait, les sentinelles sommeillaient. Que craignait un pays aussi puissant que l'Égypte, uni autour de son roi, solidement bâti sur des valeurs ancestrales que les vents les plus violents n'avaient pas ébranlées ?

Asher avait menti, trahi et assassiné afin de devenir un homme puissant et respecté. Il voulait nouer une alliance avec les Hittites et les pays d'Asie, créer un empire dont Ramsès lui-même n'aurait pas osé rêver. L'illusion se brisait, à cause d'une initiative malheureuse. On le manipulait depuis des mois. Chéchi, le chimiste à la parole rare, s'était servi de lui.

Asher le grand ! Un fantoche bientôt sans pouvoir, qui ne résisterait pas aux assauts répétés du juge Pazair. Il n'avait même pas eu le plaisir d'expédier Souti dans un camp disciplinaire, puisque l'ami du Doyen du porche avait intégré la police. Plainte rejetée et rapport refusé par le vizir ! Le réexamen aboutirait à un blâme. Asher serait condamné pour atteinte au moral des troupes. Lorsque Bagey s'emparait d'une affaire, il devenait aussi féroce et obstiné qu'un molosse serrant un os entre ses dents.

Pourquoi Chéchi l'avait-il encouragé à rédiger ce texte ? A l'idée de devenir un sauveur, d'acquérir une stature d'homme d'État, d'entraîner l'adhésion du peuple, Asher avait perdu le sens des réalités. A force de tromper les autres, il avait fini par s'abuser lui-même. Comme le petit chimiste, il croyait à l'extinction du royaume de Ramsès, au mélange des races, à un bouleversement des traditions héritées de l'âge des pyramides. Mais il avait oublié l'existence d'hommes archaïques comme le vizir Bagey et le juge Pazair, serviteurs de la déesse Maât, amoureux de la vérité.

Asher avait souffert d'être considéré comme un soldat sans envergure, à l'avenir tracé, dépourvu d'ambition. Les instructeurs s'étaient trompés sur son compte. Classé dans une catégorie d'où il ne sortirait plus, le général ne supportait plus l'armée. Ou il la contrôlerait, ou il l'anéantirait. La découverte de l'Asie, de ses princes habitués à la ruse et au mensonge, de ses clans en mouvement incessant, l'avait incité à comploter et à nouer des liens avec Adafi, le chef de la rébellion.

Un jouet entre les mains d'un tricheur : sa gloire future basculait dans le dérisoire. Mais ses faux amis ignoraient qu'une bête blessée déploie des ressources insoupçonnées. Ridiculisé à ses propres yeux, Asher se réhabiliterait en entraînant ses alliés dans sa chute.

Pourquoi le mal s'était-il emparé de lui ? Il aurait pu se contenter de servir Pharaon, d'aimer son pays, et de mettre ses pas dans ceux des généraux satisfaits d'accomplir leur devoir. Mais le goût de l'intrigue s'était insinué en lui comme une maladie, doublé du désir d'accaparer ce qui appartenait à autrui.

Asher ne supportait pas les êtres qui sortaient du rang, tels Souti ou Pazair. Ils le rapetissaient et l'empêchaient de s'épanouir. Les uns construisaient, les autres détruisaient ; s'il appartenait à cette dernière catégorie, les dieux n'en étaient-ils pas responsables ? Nul ne modifiait leur volonté.

Tel on naissait, tel on mourait.

CHAPITRE 24

Les yeux mi-clos, les minuscules oreilles frétillantes, les narines à la surface de l'eau, l'hippopotame bâilla. Lorsqu'un autre mâle le bouscula, il grogna. Tueurs de crocodiles, les deux monstres étaient à la tête des principaux clans qui se partageaient le Nil au sud de Memphis. Déchirant le fleuve de leur masse, ils aimaient nager en eau profonde où ils perdaient leur aspect pataud et devenaient presque gracieux. Pesant plus de deux tonnes, ils ne supportaient pas d'être dérangés pendant leur sieste, sous peine d'ouvrir leurs mâchoires à cent cinquante degrés, et de transpercer l'intrus avec leurs canines longues de soixante centimètres. Colériques, ils bâillaient pour effrayer l'adversaire. D'ordinaire, ils escaladaient la berge la nuit et se nourrissaient d'herbe fraîche; une journée entière de digestion leur était nécessaire, ils goûtaient le soleil sur une plage de sable, loin des habitations; leur peau fragile les contraignait à plonger souvent.

Les deux mâles, couverts de cicatrices, se défièrent en montrant les dents. Abandonnant leurs velléités de combat, ils nagèrent côte à côte en direction de la rive. Pris de folie, ils ravagèrent les champs, dévastèrent les vergers, cassèrent les arbres, et semèrent la panique parmi les cultivateurs. Un bambin, qui ne s'écarta pas assez vite, fut piétiné.

Deux fois, trois fois, les hippopotames mâles recommencèrent, pendant que les femelles protégeaient leurs petits contre les attaques des crocodiles. Plusieurs maires de villages firent appel à la police. Kem se rendit sur place et organisa la chasse. Les deux mâles furent abattus, mais d'autres calamités touchèrent les campagnes : volées de moineaux, prolifération de souris et de mulots, décès prématuré de bovins, colonies de vers dans les réserves de grains, sans compter une multiplication de scribes des champs, acharnés à vérifier les déclarations de revenus. Pour conjurer le mauvais sort, nombre d'agriculteurs portèrent en collier un fragment de cornaline ; la flamme qu'elle contenait éteignait l'agressivité des forces nocives. Néanmoins, les rumeurs allèrent bon train. L'hippopotame rouge devenait destructeur parce que la magie protectrice de Pharaon faiblissait. N'annonçait-on pas une maigre crue, preuve que le pouvoir du souverain sur la nature était épuisé, et qu'il devait renouer son alliance avec les dieux en célébrant une fête de régénération ?

*

La procédure ordonnée par le vizir Bagey suivit son cours. Pourtant, Pazair demeurait soucieux ; sans nouvelles de Souti, il avait rédigé un message en code, lui annonçant que la situation du général Asher se dégradait et qu'il était inutile de prendre des risques inconsidérés. Dans quelques jours, la mission de Souti serait peut-être sans objet.

Un autre événement était porteur de nuages noirs ; d'après un rapport de Kem, Panthère avait disparu. Elle était partie pendant la nuit, sans parler à ses voisins d'une quelconque destination. Aucun informateur ne l'avait repérée à Memphis. Déçue, blessée, n'était-elle pas retournée en Libye ?

La fête d'Imhotep, modèle des sages et patron des

scribes, offrit au juge une journée de repos qu'il consacra à soigner son rhume et sa toux en absorbant des dilutions de bryone. Assis sur un tabouret pliant, il admira un grand bouquet monté qu'avait créé Néféret, liant entre elles des fibres de feuilles de palmier, des feuilles de perséa et quantité de pétales de lotus. Le maniement de la corde, soigneusement cachée, nécessitait une dextérité certaine. A l'évidence, ce petit chef-d'œuvre plaisait beaucoup à Brave; le chien se dressait, posait les pattes avant sur le guéridon et tentait de manger les fleurs de lotus. Pazair l'avait appelé une bonne dizaine de fois, avant de lui présenter un os plus attrayant.

Un orage menaçait. De lourds nuages sombres, venus du nord, obscurciraient bientôt le soleil. Bêtes et hommes devenaient nerveux, les insectes agressifs; la femme de ménage courait en tous sens, la cuisinière avait cassé une jarre. Chacun attendait et redoutait la pluie; torrentielle, elle abîmerait les maisons les plus modestes et, dans les zones proches du désert, formerait des torrents de boue et de cailloux.

Malgré ses occupations à l'hôpital, Néféret régissait sa maisonnée avec le sourire et sans hausser le ton. Les domestiques l'adoraient, alors qu'ils craignaient Pazair, dont l'allure sévère cachait la timidité. Certes, le juge trouvait le jardinier un peu paresseux, la femme de ménage trop lente et la cuisinière gourmande; mais les uns et les autres prenaient plaisir à leurs tâches. Aussi se taisait-il.

Avec une brosse légère, Pazair nettoya lui-même son âne, qu'incommodait la chaleur étouffante; de l'eau fraîche et du fourrage réjouirent Vent du Nord, affalé sous l'ombrage d'un sycomore. En sueur, Pazair eut envie d'une douche. Il traversa le jardin où les dattes mûrissaient, longea le mur le séparant de la rue, passa devant la basse-cour où piaillaient les oies, et entra dans la vaste demeure à laquelle il commençait à s'habituer.

Les échos d'une conversation indiquaient que la salle d'eau était occupée. Une jeune servante, debout sur un muret, versait le contenu d'une jarre sur le corps doré de Néféret. L'eau tiède glissait sur la peau soyeuse, puis s'évacuait par une canalisation s'ouvrant dans la dalle de calcaire qui recouvrait le sol.

Le juge congédia la servante et prit sa place.

– Que d'honneur! Le Doyen du porche en personne... Accepterait-il de me masser?

– Il est votre serviteur le plus dévoué.

Ils passèrent dans la salle d'onction.

La taille mince de Néféret, sa sensualité solaire, ses seins fermes et haut placés, ses hanches au doux modelé, la finesse de ses mains et de ses pieds, fascinaient Pazair. Chaque jour plus amoureux, il hésitait entre l'admirer sans la toucher ou l'entraîner dans un tourbillon de caresses.

Elle s'allongea sur une banquette de pierre recouverte d'une natte, tandis que Pazair, après s'être dévêtu, choisit fioles et vases à onguent, les unes en verre multicolore, les autres en albâtre. Il étala le produit odorant sur le dos de sa compagne et, d'une main douce, monta des reins vers la nuque. Néféret estimait qu'un massage quotidien était un acte thérapeutique de première importance. Oter les tensions, supprimer les contractures, apaiser les nerfs, favoriser la circulation de l'énergie dans les organes, tous reliés à l'arbre de vie où se formait la moelle épinière, maintenait l'équilibre et la santé.

Dans une boîte en forme de nageuse nue poussant devant elle un canard dont le corps, aux ailes articulées, servait de récipient, Pazair recueillit un autre onguent parfumé au jasmin et en oignit le cou de la jeune femme.

Le frisson que provoqua cet attouchement ne lui échappa pas. A ses doigts succédèrent ses lèvres; Néféret se retourna et accueillit son amant.

*

L'orage n'éclatait pas.

Pazair et Néféret déjeunèrent dans le jardin, pour le plus grand bonheur de Brave qui tournait autour des petites tables rectangulaires en jonc et en tige de papyrus, sur lesquelles une servante disposait coupes, plateaux et jarres. Le juge avait, en vain, tenté d'éduquer son chien en lui interdisant de quémander pendant le repas des maîtres. Brave avait décelé en Néféret une alliée; comment son flair résisterait-il à des nourritures succulentes?

– J'ai bon espoir, Néféret.

– Tu es rarement optimiste.

– Asher ne devrait pas nous échapper. Assassin et traître... Comment peut-on se souiller ainsi soi-même? Je ne croyais pas devoir lutter contre le mal absolu.

– Peut-être rencontreras-tu pis encore.

– Te voilà pessimiste.

– J'ai le goût du bonheur, mais je le sens menacé.

– A cause des progrès de l'enquête?

– Tu es de plus en plus exposé. Le général Asher se laissera-t-il abattre sans réagir?

– Je suis persuadé qu'il n'est qu'un comparse, non la tête du complot. Il s'illusionnait sur la qualité du fer céleste; donc, ses complices l'abusèrent.

– Ne jouait-il pas la comédie?

– Certes pas.

Néféret plaça sa main droite dans celle de son époux. Par ce simple contact, ils communièrent. Ni le singe vert ni le chien ne les importunèrent, respectueux de la beauté d'un instant où deux êtres s'accomplissaient dans une unité au-delà d'eux-mêmes.

La cuisinière brisa ce paradis.

– Ça recommence, se plaignit-elle. La femme de chambre a chapardé le médaillon de poisson qui décorait mon plat!

Néféret se leva, contrainte d'intervenir. La coupable,

qui privait le juge de sa friandise favorite, s'était cachée, consciente de sa faute. La cuisinière l'appela en vain, puis explora la villa.

Son cri terrifia le chien qui se terra sous une table. Pazair accourut.

En larmes, la cuisinière se penchait sur la femme de chambre, allongée comme une poupée désarticulée sur le dallage de la salle de réception. Néféret l'examinait déjà.

– Elle est paralysée, constata-t-elle.

*

Lorsque l'avaleur d'ombres vit le juge Pazair sortir de sa villa, il pesta contre sa malchance. N'avait-il pas préparé sa machination avec minutie ? Grâce à une servante bavarde, il avait obtenu quantité de renseignements sur les goûts de Pazair. Se faisant passer pour un poissonnier, il avait vendu à la cuisinière un magnifique muge et un petit médaillon à la chair rose et appétissante.

Pour le fabriquer, l'avaleur d'ombres avait utilisé le foie d'un tétraodon, le poisson qui se gonflait avec de l'air quand un prédateur le menaçait. De même que les os et la tête, l'organe contenait un poison mortel, dans un rapport de quatre milligrammes par kilo. L'avaleur d'ombres avait réduit la dose à un seul milligramme, de manière à provoquer une paralysie incurable.

Une stupide gourmande le privait d'un succès certain. Il recommencerait, jusqu'au triomphe final.

*

– Nous la soignerons à l'hôpital, indiqua Néféret, mais sans espoir d'améliorer son état.

– As-tu identifié la substance qui a provoqué cette paralysie ? demanda Pazair, bouleversé.

– Je parie sur un poisson.

– Pourquoi ?

– Parce que notre cuisinière a acheté un muge à un vendeur ambulant, qui proposait du poisson frais et du poisson préparé. Le médaillon a dû être composé avec une autre chair ; quelques poissons sont porteurs de substances toxiques.

– Un crime prémédité...

– Le dosage fut calculé pour invalider, non pour tuer. Et tu étais la victime désignée. On n'assassine pas un juge, n'est-il pas vrai ? Mais on peut l'empêcher de penser et d'agir.

Tremblante, Néféret se réfugia dans les bras de Pazair. Elle l'imaginait impotent, les yeux fixes, l'écume au bord des lèvres, les membres inertes. Même ainsi, elle l'aimerait jusqu'à la mort.

– Il recommencera, affirma Pazair. La cuisinière a-t-elle donné une description ?

– Très vague... Un homme entre deux âges, dont on ne se souvient pas.

– Ni Dénès, ni Qadash. Chéchi, peut-être, ou un tueur à leur solde. Il a commis une faute : nous révéler son existence. Je lance Kem sur ses traces.

*

Le comité de médecins, de chirurgiens et de pharmaciens, chargés de la désignation du nouveau médecin-chef du royaume, reçut les premiers postulants dont la candidature avait été déclarée recevable par la justice. Se présentèrent un ophtalmologiste, un généraliste d'Éléphantine, le bras droit du défunt Nébamon et le dentiste Qadash.

Ce dernier, comme ses collègues, répondit à des questions techniques, présenta les découvertes effectuées au cours de sa carrière, précisa ses échecs et leurs causes. On l'interrogea longuement sur ses projets.

Les votes se dispersèrent, aucun candidat ne recueillit la majorité requise. Un chaud partisan de Qadash indisposa le comité, qui le mit en garde contre un récent passé ; personne n'accepterait les trucages qu'encourageait Nébamon. Le zélateur baissa pavillon.

Un second scrutin se traduisit par des résultats identiques. Force fut de constater que le royaume demeurait sans médecin-chef.

*

– Asher, ici ?

L'intendant de Dénès confirma la présence du général à l'entrée de la villa.

– Dites-lui que... et puis non, laissez-le entrer. Pas ici, à l'écurie.

Le transporteur prit le temps de se coiffer et de se parfumer. Il coupa deux poils blancs, trop longs, qui troublaient l'ordonnance de son fin collier de barbe. S'entretenir avec ce soudard borné lui déplaisait au plus haut point ; mais il pouvait encore être utile, notamment comme bouc émissaire.

Le général admirait un superbe cheval gris.

– Belle bête. A vendre ?

– Tout est à vendre, général ; c'est la loi de la vie. Le monde se partage en deux catégories : ceux qui peuvent acheter, et les autres.

– Épargnez-moi votre philosophie de pacotille. Où se trouve votre ami Chéchi ?

– Comment le saurais-je ?

– Il est votre allié le plus fidèle.

– J'en ai des dizaines.

– Il travaillait à la fabrication d'armes nouvelles, sous mes ordres. Depuis trois jours, il n'est pas revenu au laboratoire.

– J'en suis navré pour vous, mais vos mésaventures ne m'intéressent guère.

L'homme au visage de rongeur barra la route de Dénès.

– Vous m'avez pris pour un imbécile facile à manipuler, et votre ami Chéchi m'a précipité dans un piège. Pourquoi ?

– Votre imagination vous égare.

– Vendez-moi Chéchi. Votre prix sera le mien.

Dénès hésita. Un jour ou l'autre, Chéchi le lasserait, à force d'être servile. Mais le moment n'était pas propice. Il avait prévu un autre rôle pour son meilleur soutien.

– Vous êtes très exigeant, Asher.

– Refusez-vous ?

– J'ai le culte de l'amitié.

– J'ai été stupide, mais vous ignorez mes possibilités réelles. Vous avez eu tort de vous moquer de moi.

*

Qadash gesticula. Les cheveux blancs en bataille, une écharpe enroulée autour du corps et couvrant son corselet en peau de félin, le nez parsemé de veinules sur le point d'éclater, il invoqua les divinités du ciel, de la terre et du monde intermédiaire, les prenant à témoin de son infortune.

– Calme-toi, exigea Dénès, importuné. Prends modèle sur Chéchi.

Le chimiste à la petite moustache noire était assis en scribe, dans l'angle le plus obscur de la salle à manger où les trois hommes avaient déjeuné, dans une atmosphère sinistre. La dame Nénophar continuait à intriguer, au palais, contre Bel-Tran. Ses minces progrès la rendaient de plus en plus irritable.

– Me calmer ? Comment expliques-tu le rejet de ma candidature au poste de médecin-chef ?

– Échec provisoire.

– Nous avions pourtant acheté les mêmes praticiens que Nébamon.

– Simple contretemps; compte sur moi pour leur rappeler notre contrat. Lors du prochain vote, il n'y aura pas de mauvaise surprise.

– Je serai médecin-chef, tu me l'as promis ! Quand j'occuperai le poste, nous disposerons de la totalité des drogues et des poisons. Régner sur la santé publique est essentiel.

– Elle tombera dans notre bourse, comme les autres organes du pouvoir.

– Pourquoi l'avaleur d'ombres n'agit-il pas ?

– Il demande du temps.

– Du temps, toujours du temps ! Je suis âgé, moi, et je veux profiter de mes nouveaux avantages.

– Ton impatience ne nous aidera pas.

Le dentiste aux cheveux blancs s'adressa à Chéchi.

– Parle, toi ! Ne devons-nous pas nous hâter ?

– Chéchi est obligé de se cacher, expliqua Dénès.

Qadash s'insurgea.

– Je croyais que nous tenions les rênes !

– Nous les tenons, mais la position du général s'affaiblit. Le juge Pazair a contesté son rapport, le vizir a suivi ses conclusions.

– Encore ce Pazair ! Mais quand en serons-nous débarrassés ?

– L'avaleur d'ombres s'en occupe. Pourquoi nous précipiter, alors que le peuple gronde chaque jour davantage contre Ramsès ?

Chéchi sirota une boisson sucrée.

– Je suis fatigué, confessa Qadash. Toi et moi, nous sommes riches. Pourquoi en vouloir davantage ?

Les lèvres de Dénès se pincèrent.

– Je te comprends mal.

– Si nous renoncions ?

– Trop tard.

– Dénès a raison, commenta le chimiste.

Qadash interpella Chéchi.

– As-tu songé, une seule fois, à être toi-même ?

– Dénès commande, j'obéis.

– Et s'il te conduit à ta perte ?

– Je crois en un pays nouveau, que nous seuls sommes capables de construire.

– Ce sont les paroles de Dénès, pas les tiennes.
– Serais-tu en désaccord avec nous ?
– Bah !
Qadash s'écarta, boudeur.
– Je vous concède qu'il est irritant d'avoir le pouvoir suprême à portée de la main, reprit Dénès, et de devoir patienter. Mais admettez que nous ne courons aucun risque et que la toile tissée est indestructible.
– Asher me poursuivra-t-il longtemps ? s'inquiéta Chéchi.
– Tu es hors de portée, il est aux abois.
– Il est têtu et vicieux, objecta Qadash ; n'est-il pas venu t'importuner, voire te menacer ? Asher ne sombrera pas seul. Il nous entraînera dans sa chute.
– C'est sûrement son intention, admit Chéchi, mais il s'illusionne une fois de plus. Oublies-tu que le général ne détient aucune clé ? En se prenant pour un sauveur, il s'est condamné lui-même.
– Ne l'as-tu pas encouragé ?
– Ne devenait-il pas encombrant ?
– Au moins, avec lui, le juge Pazair a un os à ronger ! précisa Dénès, amusé. Entre eux, un duel à mort ; encourageons-les. Plus il s'accentuera, plus le juge sera aveuglé.
– Et si le général tentait un coup de force contre toi ? Il se doute que tu caches Chéchi.
– L'imagines-tu attaquer ma villa à la tête d'une armée ?
Vexé, Qadash se renfrogna.
– Nous sommes comme des dieux, assura Dénès. Nous avons créé un fleuve dont aucun barrage n'interrompra le cours.

*

Néféret brossait le chien, Pazair lisait un rapport de scribe truffé de fautes. Soudain, son regard fut attiré par un spectacle bizarre.

A une dizaine de mètres de lui, sur la margelle du bassin aux lotus, une pie s'acharnait sur sa proie, à coups de bec.

Le juge abandonna le papyrus, se leva, et chassa la pie. Horrifié, il découvrit une hirondelle, les ailes éployées, la tête en sang. La pie lui avait crevé un œil et déchiqueté le front. Des soubresauts animaient encore le malheureux oiseau, l'une des formes que revêtait l'âme de Pharaon pour monter au ciel.

– Néféret, viens vite!

La jeune femme accourut. Comme Pazair, elle éprouvait une vénération pour le bel oiseau qui portait deux noms, « grandeur » et « stabilité ». Ses danses joyeuses, dans l'or et l'orange du couchant, dilataient le cœur.

Néféret s'agenouilla et prit la blessée entre ses mains. Le petit corps s'abandonna, chaud et doux, heureux de trouver un refuge.

– Nous ne la sauverons pas, déplora-t-elle.

– Je n'aurais pas dû intervenir.

Pazair se reprochait sa légèreté. L'homme ne devait ni interférer dans le jeu cruel de la nature ni s'interposer entre la vie et la mort.

Les griffes de l'oiseau s'enfoncèrent dans la chair de Néféret. Il s'accrochait à elle comme à la branche d'un arbre. Malgré la douleur, elle ne l'abandonna pas.

Désemparé, Pazair avait commis une faute contre l'esprit. Était-il digne de juger, lui qui infligeait d'inutiles souffrances à une hirondelle, en l'arrachant à sa destinée? Vaniteux, stupide, il soumettait à la torture l'être qu'il avait tenté de sauver.

– Ne vaudrait-il pas mieux la tuer? S'il le faut, je...

– Tu en es incapable.

– Je suis responsable de son agonie. Qui pourrait encore m'accorder sa confiance?

CHAPITRE 25

La princesse Hattousa rêvait d'un autre monde. Elle, l'épouse diplomatique de Ramsès, offerte à l'Égypte pour sceller la paix, n'était qu'une femme délaissée.

La richesse de son harem ne la consolait pas. Elle avait espéré l'amour, l'intimité de Pharaon, et subissait une solitude plus effroyable que celle d'une recluse. Plus son existence se diluait dans l'eau du Nil, plus elle haïssait l'Égypte.

Quand reverrait-elle la capitale du royaume hittite, érigée sur un haut plateau, au sortir d'un paysage inhospitalier, composé de ravins, de gorges et de collines abruptes, succédant à des steppes arides ? Les montagnes mettaient la ville à l'abri d'une invasion. Forteresse bâtie avec d'énormes blocs au sommet d'une éminence, elle dominait coteaux et vallées encaissées, symbole de la fierté et de la sauvagerie des premiers Hittites, guerriers et conquérants. Épousant le relief, s'adaptant aux pics et aux éperons rocheux, les remparts de la capitale, par leur seule présence, repoussaient l'envahisseur. Hattousa, enfant, courait dans les ruelles pentues, volait les coupes remplies de miel déposées sur les rochers afin d'apaiser les démons, jouait à la balle avec les garçons qui rivalisaient d'adresse et de puissance.

Là-bas, elle ne comptait pas les heures.

Jamais une princesse étrangère venue résider à la cour d'Égypte en gage d'alliance et de respect d'un traité n'était retournée dans son pays. Seule l'armée hittite la délivrerait de cette prison aux apparences de paradis. Ni son père, ni sa famille n'avaient renoncé à s'emparer du Delta et de la vallée du Nil ; ils en feraient une colonie d'esclaves et un gigantesque grenier à blé. Elle devait ronger les fondations, saper l'édifice de l'intérieur, affaiblir Ramsès et s'imposer comme régente. Bien des femmes avaient régné, dans le passé, et c'étaient des femmes qui avaient inspiré la guerre de libération contre les nomades asiatiques, installés dans le nord du pays. Hattousa n'avait pas d'autre choix ; en se libérant elle-même, elle offrirait à son peuple la plus belle des victoires.

En lui proposant le fer céleste, Dénès n'avait pas eu conscience de renforcer sa conviction et ses pouvoirs. Qui possédait ce métal, chez les Hittites, obtenait la faveur des dieux. Était-il meilleur support, pour communiquer avec eux, que ce trésor issu des profondeurs de l'espace ? Dès qu'elle serait en possession du bloc, Hattousa y ferait tailler des amulettes, des colliers, des bracelets et des anneaux. Elle se vêtirait de fer céleste, apparaîtrait comme la fille des pierres de feu qui déchiraient les nuées.

Dénès était un imbécile prétentieux, mais il lui serait utile. Désorganiser le commerce des denrées porterait un coup sévère au prestige de Ramsès ; mais une autre stratégie serait plus efficace encore, afin d'ouvrir le chemin de la conquête.

Hattousa se préparait à livrer la bataille décisive. Il lui fallait convaincre un homme, un seul, pour diviser l'Égypte et ouvrir une brèche dans laquelle les Hittites s'engouffreraient.

*

A midi, le temple de Karnak sommeillait. Des trois rituels d'offrande que le grand prêtre célébrait au nom du roi, celui de la mi-journée était le plus bref. Il se contentait de vénérer le naos fermé où reposait la statue divine, réanimée lors du long cérémonial de l'aube, et s'assurait que l'invisible fécondât l'immense vaisseau de pierre, garant de l'harmonie du monde.

Le jardinier Kani, devenu pontife du temple d'Amon, et troisième personnage officiel du pays après Pharaon et le vizir, n'avait rien perdu de ses manières paysannes. Buriné, la peau ridée, les mains calleuses, il ignorait l'onctuosité hautaine des scribes éduqués dans les meilleures écoles de la capitale et gouvernait les hommes comme il faisait pousser les plantes. Malgré le poids de ses tâches matérielles, il ne laissait à personne le soin de s'occuper du jardin où il cultivait les plantes médicinales.

A la surprise générale, Kani recueillait l'adhésion de la hiérarchie religieuse, pourtant difficile à séduire. L'ancien jardinier, se moquant des privilèges acquis, entendait que les domaines du temple fussent prospères et que le service divin fût assuré dans le respect de la Règle. N'ayant découvert d'autre méthode que le travail et l'amour de l'œuvre bien faite, il continuait à l'appliquer. Le caractère de ses propos, souvent trop directs, choquait des administrateurs habitués à davantage de délicatesse; mais le nouveau grand prêtre payait de sa personne et savait s'imposer. Nulle résistance sérieuse ne se manifestait; en dépit des prédictions pessimistes, Karnak obéissait à Kani. Les courtisans ne manquèrent pas de saluer la justesse du choix de Ramsès le grand.

Balivernes, aux yeux de Hattousa.

Le roi, suprême tacticien, avait évité une forte personnalité qui lui aurait porté ombrage. Depuis le règne d'Akhénaton, les rapports entre Pharaon et le grand prêtre d'Amon se tendaient. Karnak était trop riche, trop puissant, trop vaste; là régnait le dieu des victoires. Certes, le roi nommait le pontife; mais, une fois installé, ce dernier tentait d'étendre ses prérogatives. Le jour où se produirait une scission entre un grand prêtre, maître du sud, et un roi réduit à régner sur le nord, l'Égypte serait condamnée.

La nomination de Kani était l'occasion d'y parvenir. Un homme du peuple, un paysan se laisserait griser par le faste et la richesse : devenu roi d'un temple, il aspirerait à gouverner les provinces méridionales, puis le pays entier. Lui ne le savait pas encore, mais Hattousa en avait la certitude. A elle de révéler Kani à lui-même, de faire surgir une ambition dévorante, de nouer une alliance contre Ramsès. Nul levier ne serait plus efficace que le grand prêtre d'Amon.

*

Hattousa s'était vêtue avec simplicité, sans collier ni parures ; l'austérité seyait à l'immense salle à colonnes où le grand prêtre avait accepté de la recevoir. Nul n'aurait pu distinguer Kani des autres prêtres, s'il n'avait porté l'anneau d'or, emblème de sa fonction. Le crâne rasé, le torse puissant, il manquait d'élégance. La princesse se félicita de sa mise ; l'ancien jardinier devait détester la coquetterie.

– Marchons, proposa-t-il.

– Cet endroit est grandiose.

– Il nous écrase ou nous élève.

– Les architectes de Ramsès sont des génies.

– Ils expriment la volonté de Pharaon, comme moi, comme vous.

– Je ne suis que son épouse secondaire, un aspect de sa diplomatie.

– Vous incarnez la paix avec les Hittites.

– Être un symbole ne me comble pas.

– Souhaitez-vous vous retirer au temple ? Les chanteuses d'Amon vous accueilleraient volontiers. Depuis la mort de Néfertari, la grande épouse royale, elles se sentent orphelines.

– J'ai d'autres projets, plus ambitieux.

– Me concerneraient-ils ?
– Au premier chef.
– Vous m'en voyez surpris.
– Lorsque le destin du pays est en jeu, le grand prêtre de Karnak resterait-il indifférent ?
– Ce destin est entre les mains de Ramsès.
– Même s'il vous méprise ?
– Je n'ai pas cette impression.
– Parce que vous le connaissez mal. Sa duplicité en a trompé plus d'un. La fonction de grand prêtre d'Amon l'importune ; il n'a d'autre solution, à court terme, que de la supprimer et de l'occuper lui-même.
– N'est-ce pas déjà le cas ? Pharaon est l'unique intermédiaire entre le sacré et son peuple.
– Je ne me préoccupe pas de théologie ; Ramsès est un despote. Vos pouvoirs l'importunent.
– Que proposez-vous ?
– Que Thèbes et son grand prêtre refusent cette dictature.
– S'opposer à Pharaon, c'est nier la vie.
– Vous venez d'un milieu modeste, Kani ; je suis une princesse. Soyons alliés ; nous aurons l'oreille du peuple et des courtisans. Nous créerons une autre Égypte.
– Opposer le sud au nord serait briser la colonne vertébrale du pays et le rendre invalide. Si Pharaon ne relie plus les deux terres, misère, pauvreté et invasion seront notre lot.
– C'est Ramsès qui nous conduit à ce désastre ; nous seuls pouvons l'éviter. Si vous me secondez, vous deviendrez riche !
– Levez la tête, princesse. Est-il plus grande richesse que de contempler les divinités, à jamais vivantes dans la pierre ?
– Vous êtes l'ultime recours, Kani. Si vous n'intervenez pas, Ramsès mènera l'Égypte à sa ruine.
– Vous êtes une femme déçue, avide de vengeance. Le malheur vous oppresse, vous souhaitez ruiner votre terre d'adoption. Diviser l'Égypte, lui rompre l'échine, en faire une province hittite... Vos intentions secrètes ?

– Et quand bien même ?
– Haute trahison, princesse. Les juges réclameront la peine de mort.
– Vous passez à côté de votre chance.
– Au cœur de ce temple, il n'existe plus ni chance ni malchance, seulement le service du sacré.
– Vous vous fourvoyez.
– Si l'erreur est d'être fidèle à Pharaon, ce monde ne mérite plus d'exister.
Hattousa avait échoué. Ses lèvres tremblèrent.
– Me dénoncerez-vous ?
– Le temple aime le silence. Faites taire en vous-même la voix de la destruction, et vous connaîtrez la sérénité.

*

L'hirondelle s'obstinait à vivre. Néféret l'avait installée dans un panier garni de paille, à l'abri des chats ou d'autres prédateurs. Elle humectait son bec blessé. Incapable de s'alimenter, les ailes repliées, l'oiseau s'habituait à la présence de la jeune femme.
Pazair continuait à se reprocher sa stupide intervention.
– Pourquoi n'interroges-tu pas davantage la dame Nénophar ? s'enquit Néféret. De lourds soupçons pèsent sur elle.
– Intendante des étoffes, excellente manieuse d'aiguille, je sais. Mais je ne la vois pas assassiner Branir de sang-froid. Exaltée, braillarde, sûre d'elle, pénétrée de sa propre importance...
– Ou bien suprême dissimulatrice ?
– Elle possède aussi la force physique, je l'admets.
– L'assassin n'a-t-il pas surpris Branir par derrière ?
– En effet.
– La précision comptait davantage que la force. Ajoutons-y une bonne connaissance de l'anatomie pour frapper au bon endroit.

– Nébamon reste le meilleur suspect.
– Avant de mourir, il fut sincère. Il n'est pas coupable.
– Si je fais comparaître la dame Nénophar devant un tribunal, elle niera et sera acquittée. Je ne possède que des indices troublants, pas de preuve. De nouveaux interrogatoires seront stériles. Elle protestera de son innocence, en appellera à ses relations, portera plainte pour harcèlement. Il me faudrait un élément nouveau.
– As-tu informé Kem de la tentative d'empoisonnement ?
– Il me surveille jour et nuit. Son babouin et lui dorment à tour de rôle.
– Ne pourrait-il dépêcher des policiers ?
– C'est bien mon avis, mais il ne leur fait pas confiance.
– Ne refuse pas sa protection.
– Parfois, elle m'indispose.
– Doyen du porche, vos devoirs priment vos goûts.
– Me considérerais-tu comme un vieux fonctionnaire ?
Elle sembla réfléchir, presque anxieuse.
– La question mérite examen. Nous verrons, cette nuit, si...
Il la prit dans ses bras, la souleva, et franchit le seuil de la villa.
– Le vieillard t'épousera autant de fois que nécessaire. Pourquoi attendre la nuit ?

*

Le sceau du Doyen du porche demeura suspendu audessus du papyrus.
Depuis les premières heures de la matinée, il ratifiait quantité de documents relatifs au bon déroulement des travaux agricoles, au contrôle des revenus fonciers et à la livraison des denrées. Pazair lisait vite et appréciait en quelques secondes la teneur d'un rapport. Celui-là le choqua.

– Cinq jours de retard pour un acheminement de fruits frais ?

– Exact, confirma le scribe.

– Inacceptable. Je refuse de cautionner. Avez-vous exigé une amende ?

– J'ai transmis le formulaire à mon collègue de Thèbes.

– Réponse ?

– Elle ne nous est pas parvenue.

– Explication ?

– Ils sont submergés par des retards du même ordre.

– Voilà plus d'une semaine que règne ce désordre, et personne ne m'en avertit !

Le scribe bredouilla quelques excuses.

– Des enquêtes plus importantes...

– Plus importantes ? Des dizaines de villages risquent de manquer de denrées fraîches ! L'incident vous paraît secondaire, à cause des plis de votre ventre !

De plus en plus gêné, le scribe posa une pile de papyrus sur la natte du juge.

– On nous signale d'autres retards, pour d'autres produits. D'après une note alarmiste, les légumes en provenance de Moyenne Égypte ne parviendraient pas aux casernes de Memphis avant une dizaine de jours.

Pazair blêmit.

– Imaginez-vous la réaction des soldats ? Aux docks, vite !

*

Kem conduisit lui-même le char qui longea le canal parallèle au Nil, les entrepôts, les greniers à blé, et s'immobilisa devant les docks d'arrivée. Pazair courait déjà vers le bureau d'enregistrement des denrées fraîches. Un garçonnet éventait deux fonctionnaires assoupis.

– Stocks de fruits et de légumes ? demanda Pazair.

– Qui êtes-vous ?

– Le Doyen du porche.

Les deux hommes se levèrent, affolés. Ils s'inclinèrent devant le haut magistrat.

– Pardonnez-nous. Depuis quelques jours, nous sommes désœuvrés, les livraisons ont été interrompues.

– Où les bateaux sont-ils bloqués ?

– Nulle part. Ils arrivent bien à Memphis, mais pas avec le bon chargement. Aujourd'hui, le plus gros cargo de fruits a transporté des pierres. Qu'y pouvons-nous ?

– Est-il encore à quai ?

– Il repart bientôt pour Thèbes.

Pazair et Kem, accompagnés du babouin policier, traversèrent un chantier naval, et gagnèrent le port d'où s'éloignait un bateau de mer, à destination de Chypre. Sur le cargo de fruits, on hissait les voiles. Le juge s'engagea sur la passerelle.

– Un instant, exigea Kem, en le retenant par le bras.

– Nous sommes pressés.

– J'éprouve un mauvais sentiment.

Le babouin, dressé, retroussait les narines.

– Je passe le premier.

Le Nubien comprit la raison de l'agitation de son singe. Parmi les caisses entreposées sur le pont, une cage. Derrière les barreaux de bois, une panthère allait et venait.

– Le capitaine, exigea Pazair.

Un homme d'une cinquantaine d'années, au front bas et aux formes épaisses, quitta la barre et se porta à la rencontre du juge.

– Je suis sur le départ. Descendez de mon bateau.

– Police, déclara Kem. J'interviens sous le contrôle du Doyen du porche, ici présent.

Le capitaine baissa le ton.

– Je suis en règle, bien que les docks n'acceptent pas mon chargement de grès.

– N'espéraient-ils pas des légumes ?

– Si, mais j'ai été réquisitionné.

– Réquisitionné ? s'étonna Pazair. Par quel organisme d'État ?

– Moi, j'ai obéi aux scribes. Je ne veux pas d'ennuis.
– Montrez-moi votre journal de bord.
Pendant que Pazair examinait le document, Kem fit ouvrir une caisse. Elle contenait bien du grès, destiné aux sculpteurs des temples.
Le journal de bord mentionnait une énorme cargaison de fruits frais, embarquée sur la rive est de Thèbes, réquisitionnée au milieu du fleuve par des scribes de la marine, et débarquée à Thèbes ouest. Le cargo avait fait route vers le nord, jusqu'aux carrières du Gebel Silsileh, où les carriers l'avaient chargé de caisses de grès commandé par... Karnak! Conformément à ses premières instructions, le bateau s'était dirigé vers Memphis; le contrôleur des docks avait refusé la marchandise non conforme.
Soupçonneux, Kem examina le contenu d'autres caisses, toutes remplies de blocs de grès.

*

L'avaleur d'ombres suivait Pazair depuis le matin. La présence de Kem et du babouin compliquait une tâche déjà fort ardue. Il devrait concevoir un nouveau plan et guetter le moment où la surveillance se relâcherait.
Une opportunité se présentait.
Il se joignit à un groupe de marins qui montait à bord, porteurs de rations pour l'équipage, et se cacha derrière le mât principal. Pazair discutait ferme avec le capitaine, tandis que Kem et le babouin inspectaient la cale. En rampant, l'avaleur d'ombres s'approcha de la cage.
Une à une, il tira quatre des cinq barres qui fermaient la prison du fauve. Comme si elle avait perçu son intention, la panthère s'immobilisa, prête à bondir vers la liberté.
Pazair s'enflammait.
– Où se trouve le sceau de la police fluviale? demanda-t-il pour la troisième fois au capitaine.

– Ils ont oublié de l'apposer, ils...
– Ne quittez pas Memphis.
– C'est impossible! Je dois livrer ce grès.
– J'emporte votre journal de bord pour l'examiner en détail.
Le juge se dirigea vers la passerelle.
Lorsqu'il passa devant la cage, l'avaleur d'ombres ôta la cinquième barre et se plaqua sur le pont.
La marche rapide de Pazair attira le fauve qui jaillit hors de la cage et se figea, en feulant, à l'entrée de la passerelle. Capturé dans le désert de Nubie, l'animal était splendide.
Fasciné, transi de peur, le juge plongea son regard dans celui du félin. Il n'y déchiffra aucune haine. Il se jetterait sur lui, simplement parce qu'il était une entrave sur sa route.
Un hurlement fit frémir l'équipage entier. Surgissant de la cale, le babouin s'interposa entre la panthère et le juge. Gueule ouverte, yeux rouge vif, poils dressés, bras ballants comme un lutteur, il défiait l'adversaire.
Dans la savane, la panthère, même affamée, abandonnait sa proie lorsqu'un groupe de grands singes la menaçait. Courageuse, elle montra les crocs et sortit les griffes. Le babouin, excité, bondit sur place.
Kem, poignard en main, se plaça à sa droite. Il ne laisserait pas son meilleur policier se battre seul.
La panthère recula et rentra dans la cage. Kem avança et, sans la quitter des yeux, replaça une à une les barres.
– Là-bas, un homme s'enfuit!
L'avaleur d'ombres avait quitté le bateau en glissant le long d'un cordage et disparaissait à l'angle d'un dock.
– Pourriez-vous en donner une description? demanda Pazair au marin.
– Hélas, non! Une vague silhouette de fuyard.
Le juge remercia le babouin en plaçant sa main dans la patte puissante et velue. Le singe s'était calmé; dans son regard, de la fierté.

– On a tenté de vous tuer, constata Kem.

– Plutôt de me blesser cruellement ; vous m'auriez arraché aux griffes de la panthère, mais dans quel état ?

– En tant que chef de la police, j'ai envie de vous enfermer chez vous.

– En tant que Doyen du porche, je me libérerai pour arrestation arbitraire. Que nos adversaires agissent de cette manière prouve que nous progressons dans la bonne direction.

– J'ai peur pour vous.

– Ai-je le choix ? Il faut avancer.

– Cet objet vous y aidera.

Kem ouvrit la main. Elle contenait un bouchon de jarre.

– Il en existe une dizaine du même type dans la cave : réserve de vin du capitaine. Les inscriptions permettent d'identifier le propriétaire du cargo.

La graphie était rapide, mais lisible. Sur le bouchon était écrit : « Harem de la princesse Hattousa. »

CHAPITRE 26

Le capitaine du cargo avait avoué, sans se faire prier, qu'il travaillait bien pour la princesse Hattousa. Ne se satisfaisant ni de l'indice matériel ni de cette déclaration, Pazair approfondit son enquête.

Kem convoqua les directeurs régionaux de la police fluviale. Il apparut qu'aucun n'avait donné l'ordre d'arraisonner un cargo de fruits et légumes à la hauteur de Thèbes; c'est pourquoi le sceau officiel ne figurait pas sur le livre de bord du capitaine.

Pazair le convoqua de nouveau.

– Vous m'avez menti.

– J'ai eu peur.

– De qui ?

– De la justice, de vous, d'elle surtout...

– La princesse Hattousa ?

– Je suis à son service depuis deux ans. Elle est généreuse, mais très exigeante. C'est elle qui m'a ordonné d'agir ainsi.

– Avez-vous conscience de désorganiser l'acheminement des nourritures fraîches ?

– Ou j'obéissais, ou j'étais renvoyé. Et je n'étais pas le seul... Des collègues m'ont imité.

Deux greffiers enregistrèrent la déposition du capitaine. Pazair relut les textes, s'assurant qu'ils étaient identiques. Le capitaine approuva ses déclarations.

Crispé, anxieux, le juge fit porter un message à Bel-Tran.

*

Les deux hommes se rencontrèrent dans le quartier des potiers où des artisans aux mains déliées et aux pieds agiles façonnaient mille et un récipients, depuis le petit vase à onguent jusqu'à la grande jarre destinée à conserver la viande séchée. De nombreux disciples assistaient au travail d'un maître, avant de s'exercer eux-mêmes sur le tour.

– J'ai besoin de vous.

– Ma position n'est pas très confortable, avoua Bel-Tran. La dame Nénophar mène une véritable guerre contre moi. Elle tente de former un clan de courtisans qui exigerait ma destitution. Certains auraient l'oreille du vizir.

– Bagey jugera sur pièces.

– C'est pourquoi je passe mes nuits à vérifier les pièces comptables. Personne ne décèlera la moindre irrégularité dans ma gestion.

– De quelles armes dispose Nénophar ?

– Perfidie et insinuation. Je ne sous-estime pas leur impact, ma seule réponse est le travail.

– Je viens de constater des faits qui pourraient vous desservir.

– Lesquels ?

– Une tentative de désorganisation du commerce des produits frais.

– Simple erreur administrative ?

– Non, volonté délibérée.

– Nous risquons des grèves, peut-être des émeutes !

– Rassurez-vous, j'ai identifié la coupable.

– Une femme ?

– La princesse Hattousa.

Bel-Tran rajusta son pagne.

– En êtes-vous certain ?

– Mon dossier contient preuves et témoignages.
– Cette fois, elle est allée trop loin ! Mais s'attaquer à elle, c'est mettre le roi en cause.
– Ramsès affamerait-il son peuple ?
– La question n'a pas de sens ; mais laissera-t-il condamner son épouse, symbole de la paix avec les Hittites ?
– Elle a commis une faute grave. Si les grands échappent à la justice, que deviendra le pays ? Une terre de compromissions, de privilèges et de mensonge. Je n'étoufferai pas l'affaire mais, sans une plainte officielle du Trésor, Hattousa bloquera la procédure.
Bel-Tran n'hésita pas longtemps.
– Ma carrière est en jeu, mais vous aurez votre plainte.

*

Une dizaine de fois au cours de la journée, Néféret avait humecté le bec de l'hirondelle. L'oiseau avait tourné la tête vers la lumière ; le médecin le caressait et lui parlait, désespérant de l'arracher à une mort certaine.
Pazair rentra tard, exténué.
– Vit-elle encore ?
– Elle semble moins souffrir.
– Un peu d'espoir ?
– Sincèrement, non. Son bec demeure clos. Elle s'éteint doucement, nous sommes devenues amies. Pourquoi es-tu si tourmenté ?
– La princesse Hattousa tente d'affamer Memphis et les villages de la région.
– Absurde ! Comment réussirait-elle ?
– Par la corruption, en misant sur l'inertie de l'administration. Mais c'est absurde, en effet. Il existe trop d'échelons de contrôle. Elle a perdu la raison. Le Trésor porte plainte, par l'intermédiaire de Bel-Tran, et je pars pour Thèbes afin d'inculper la princesse.

– Ne t'éloignes-tu pas de Branir, du général Asher, et des comploteurs ?

– Peut-être pas, si Hattousa est l'alliée de Dénès.

– Le procès du général le plus renommé, puis celui d'une épouse royale... Vous n'êtes pas un magistrat ordinaire, juge Pazair !

– Tu n'es pas une femme ordinaire. M'approuves-tu ?

– De quelles précautions t'entourer ?

– D'aucune. Je dois l'interroger, et lui présenter les chefs d'accusation. Ensuite, je transmettrai l'affaire au vizir ; Bagey refuserait une instruction bâclée.

– Je t'aime, Pazair.

Ils s'embrassèrent.

– Le poison, une panthère... Que prépare l'homme qui cherche à t'estropier ?

– Je l'ignore, mais sois rassurée ; Kem et moi voyagerons sur un bateau de la police fluviale.

Avant le dîner, il rendit visite à l'hirondelle. A sa grande surprise, elle redressa la tête. L'œil crevé s'était cicatrisé, le petit corps frémissait avec davantage d'énergie.

Ébahi, Pazair n'osait plus bouger. Néféret rassembla des morceaux de paille et les plaça sous les pattes de l'oiseau pour lui servir de perchoir. L'hirondelle s'y agrippa.

Soudain, avec une vivacité stupéfiante, elle battit des ailes et prit son envol.

Aussitôt, surgissant des orients du ciel, une dizaine de ses semblables l'entourèrent ; l'une d'elles l'embrassa, comme une mère retrouvant son enfant. Puis une deuxième, une troisième et le clan entier, fou de joie. La communauté des hirondelles dansa au-dessus de Néféret et de Pazair, incapables de retenir leurs larmes.

– Comme elles sont unies !

– Tu ne t'es pas trompée en l'arrachant à la mort. A présent, elle vit parmi les siens. Que lui importe demain.

*

Le ciel était lumineux, le soleil souverain.

A l'avant du bateau, Pazair admirait son pays. Il remerciait les dieux de l'avoir fait naître sur ce sol magique, sur cette terre de contrastes entre les champs cultivés et le désert. Sous les couronnes des palmiers circulait l'eau bienfaisante des canaux d'irrigation et s'abritaient les maisons blanches de paisibles villages. L'or des épis scintillait, le vert des palmeraies charmait le regard. Le blé, le lin, les vergers naissaient de la terre noire, cultivée par des générations de paysans. Acacias et sycomores rivalisaient de beauté avec les tamaris et les perséas ; sur les bords du Nil, loin des débarcadères, prospéraient papyrus et roseaux. Dans le sable du désert, les plantes surgissaient à la moindre pluie, et les profondeurs préservaient des semaines durant le liquide céleste dans des sources que détectait la baguette des sourciers. Le Delta et ses étendues fertiles, la vallée avec le fleuve divin se frayant un chemin entre les montagnes arides et les plateaux stériles, séduisaient l'âme et situaient l'homme à sa juste place dans la création, après les animaux, les minéraux, et les végétaux, selon l'enseignement des sages. Seule l'espèce humaine, dans sa vanité et dans sa folie, tentait parfois de dénaturer la vie ; c'est pourquoi la déesse Maât lui avait offert la justice afin que le bâton tordu fût redressé.

– Je suis opposé à cette démarche, précisa Kem.

– Croiriez-vous à l'innocence de la princesse ?

– Vous vous brûlerez les ailes.

– Mon dossier est solide.

– Quelle sera sa valeur face aux dénégations d'une épouse royale ? Je me demande si vous ne prêtez pas main-forte à la canaille qui vous brise les reins ! Imaginez-vous la colère de Hattousa ? Même le vizir Bagey ne pourra vous protéger.

– Elle n'est pas au-dessus des lois.

– Belle pensée, en vérité ! Belle et dérisoire.

– Nous verrons bien.
– Où puisez-vous cette confiance ?
– Dans le regard de mon épouse et, depuis peu, dans le vol d'une hirondelle.

*

Se leva un vent violent, d'imprévisibles tourbillons creusèrent le Nil. A l'avant, l'homme chargé de sonder le fleuve avec un long bâton fut incapable de remplir son office. Surpris par la soudaineté de la tempête, les marins ne manœuvrèrent pas assez vite ; les vergues se brisèrent, le mât principal se tordit, le gouvernail ne répondit plus. Erratique, le bateau heurta un banc de sable. On jeta l'ancre à l'arrière ; bloc de pierre d'un poids de onze kilos, elle stabiliserait l'embarcation au milieu du courant. Sur le pont, on s'agitait ; de sa voix puissante, Kem rétablit le calme. En compagnie du capitaine, il dressa l'inventaire des dégâts et donna l'ordre de procéder aux réparations.

Ballotté, trempé, Pazair se sentait inutile. Kem le fit entrer dans la cabine, tandis que deux marins aguerris plongeaient afin de vérifier l'état de la coque. Par chance, elle n'avait pas trop souffert ; dès que s'apaiserait la colère du Nil, la navigation reprendrait.

– L'équipage est inquiet, révéla le Nubien. Avant le départ, le capitaine a oublié de repeindre les yeux magiques qui figurent de part et d'autre de la proue. Cette négligence pourrait provoquer un naufrage, en rendant le bateau aveugle.

De son sac de voyage, le juge sortit un matériel de scribe. Il prépara une encre très noire, presque indélébile et, d'une main sûre, restaura lui-même les yeux protecteurs.

*

Prévenus par le capitaine du cargo de fruits et légumes de la princesse Hattousa, cinq gardes du corps de son harem, postés à une cinquantaine de kilomètres au nord de Thèbes, attendaient le passage du bateau de la police qui transportait le juge Pazair. Leur mission était simple : le stopper de n'importe quelle manière. En échange de leur dévouement, ils avaient reçu un lopin de terre, deux vaches, un âne, dix sacs de blé et cinq jarres de vin.

Le mauvais temps les combla d'aise; quelles circonstances seraient plus propices à un naufrage et à une noyade? Pour un juge, être absorbé par le Nil serait une belle fin; des légendes n'affirmaient-elles pas que les noyés obtenaient un accès direct au paradis, s'ils étaient de saints hommes?

A bord d'un esquif rapide, pourvu d'avirons, les cinq agresseurs profitèrent de la nuit orageuse, au ciel encombré de nuages noirs, pour s'approcher de leur proie, toujours immobilisée près d'un banc de sable. Stoppant à une vingtaine de mètres, ils se jetèrent à l'eau et nagèrent jusqu'à la poupe qu'ils escaladèrent sans peine. Armé d'un maillet, leur chef assomma le policier de garde. Ses collègues dormaient, allongés sur des nattes et enroulés dans des couvertures. Il ne restait plus qu'à forcer la porte de la cabine, à s'emparer du juge, et à le noyer. Eux seraient innocents; c'est le Nil qui le tuerait. Pieds nus, se déplaçant sans bruit, ils s'immobilisèrent devant la porte fermée. Deux surveillaient les marins, trois s'occuperaient de Pazair.

Une masse noire jaillit du sommet de la cabine et s'abattit sur les épaules du chef qui poussa un cri de douleur lorsque les crocs du babouin s'enfoncèrent dans sa chair. Défonçant la porte en bois léger, Kem se rua sur les intrus, un poignard dans chaque main. Il en blessa deux mortellement. Les deux derniers, terrorisés, tentèrent en vain de s'enfuir; brutalement arrachés au sommeil, les marins les plaquèrent sur le pont.

Le babouin ne relâcha son étreinte que sur l'ordre de Kem. Ensanglanté, le chef du commando ne tarderait pas à s'évanouir.

– Qui t'a envoyé ?

Le blessé résista.

– Si tu refuses de parler, c'est mon singe qui t'interrogera.

– La princesse Hattousa, confessa-t-il dans un souffle.

*

Le harem éblouit de nouveau le juge Pazair. Des canaux, entretenus à la perfection, desservaient de vastes jardins où aimaient se promener les grandes dames de Thèbes, venues prendre le frais sous les ombrages et montrer leur dernière robe. L'eau abondait, les parterres de fleurs chantaient leurs couleurs vives, des orchestres féminins répétaient les morceaux qu'ils joueraient lors des prochains banquets. Dans les ateliers de tissage et de poterie, on travaillait dur, mais dans un cadre à la fois somptueux et reposant ; les spécialistes de l'émail et des bois rares façonnaient leurs chefs-d'œuvre dès le lever du soleil, tandis que des porteurs chargeaient à bord d'un navire marchand des jarres remplies d'huiles odoriférantes.

Le harem de la princesse Hattousa, conformément à la tradition, était une petite ville où des artisans d'un talent exceptionnel prenaient le temps nécessaire pour vivre la beauté dans leur cœur et dans leurs mains afin de la transmettre à des objets ou à des produits sans défaut.

Pazair aurait déambulé des heures durant dans ce monde ordonné, où le labeur semblait léger, flâné dans les allées sablées, dialogué avec les jardiniers retirant les herbes inopportunes, goûté les fruits en devisant avec les veuves âgées qui avaient élu domicile ici, s'il n'avait demandé audience en tant que Doyen du porche.

Le chambellan l'introduisit dans la salle de réception où trônait la princesse Hattousa, flanquée de deux scribes.

Pazair s'inclina.

– Je suis fort occupée, aussi vous prierai-je d'être bref.

– Je souhaite m'entretenir avec vous en tête à tête.

– Le caractère officiel de votre démarche nous l'interdit.

– Je crois plutôt qu'il nous l'impose.

Pazair déroula un papyrus.

– Souhaitez-vous que des greffiers enregistrent les chefs d'accusation ?

D'un geste excédé, la princesse congédia les scribes.

– Avez-vous conscience des termes que vous utilisez ?

– Princesse Hattousa, je vous accuse de détournement des denrées alimentaires et de tentative d'assassinat sur ma personne.

Les beaux yeux noirs s'enflammèrent.

– Comment osez-vous !

– Je dispose de preuves, de témoignages et de dépositions écrites. Je vous considère donc comme inculpée ; avant d'organiser un procès, je vous somme de vous expliquer sur vos agissements.

– Personne ne m'a jamais parlé sur ce ton.

– Aucune épouse royale n'a commis de tels délits.

– Ramsès vous brisera !

– Pharaon est le fils et le serviteur de Maât. Puisque la vérité anime mes propos, il ne les étouffera pas. Votre rang ne saurait occulter vos forfaits.

Hattousa se leva et s'éloigna de son trône.

– Vous me haïssez, moi, la Hittite !

– Vous savez bien que non. Nul ressentiment ne guide ma démarche, bien que vous ayez ordonné ma disparition.

– Stopper votre bateau, vous empêcher d'arriver à Thèbes, voilà ce que j'ai exigé !

– Vos sbires auront mal compris.

– Qui prendrait le risque de supprimer un juge d'Égypte ? Le tribunal repoussera votre thèse et traitera vos témoins de menteurs.

– Votre défense est habile, mais comment justifier le détournement de denrées fraîches ?

– Si vos fausses preuves sont aussi convaincantes que vos allégations, ma bonne foi apparaîtra évidente !

– Consultez ce document.

Hattousa lut le papyrus.

Son fin visage se rida, ses longues mains se nouèrent.

– Je nierai.

– Les témoignages sont précis, les faits accablants.

Elle le défia, superbe.

– Je suis l'épouse de Pharaon.

– Votre parole n'a pas davantage de valeur que celle du paysan le plus humble. Votre position rend plus inexcusables encore vos agissements.

– Je vous empêcherai de tenir un procès.

– Le vizir Bagey le présidera.

Elle s'assit sur une marche, effondrée.

– Pourquoi exigez-vous ma déchéance ?

– Quelle ambition poursuivez-vous, princesse ?

– Désirez-vous vraiment le savoir, juge d'Égypte ?

Tendu, Pazair soutint un regard d'une violence extrême.

– Je hais votre pays, je hais son roi, sa gloire et sa puissance ! Voir les Égyptiens mourir de faim, les enfants gémir, les bêtes crever, serait mon plus grand bonheur ! En me retenant prisonnière dans ce faux paradis, Ramsès a cru que ma fureur s'estomperait. Elle ne cesse de grandir ! L'injustice, c'est moi qui la subis, et je ne la supporte plus. Que l'Égypte disparaisse, qu'elle soit envahie par les miens ou n'importe quelle tribu barbare ! Je serai le meilleur soutien des ennemis de Pharaon. Croyez-moi, juge Pazair, ils sont de plus en plus nombreux !

– Le transporteur Dénès, par exemple ?

L'exaltation de la princesse retomba.

– Je ne suis pas votre indicatrice.

– N'êtes-vous pas tombée dans un piège ?

– Je vous ai dit la vérité, cette fameuse vérité que l'Égypte aime tant !

CHAPITRE 27

Comme d'ordinaire, la réception avait été des plus brillantes. La dame Nénophar s'était exhibée dans de somptueux atours, acceptant avec délectation les compliments empressés de ses hôtes. Dénès avait conclu quelques contrats avantageux, satisfait de la croissance continue d'une entreprise de transport qui forçait l'admiration de tout ce qui comptait en Égypte. Personne ne savait qu'il détenait entre ses mains le pouvoir suprême. Dépourvu d'impatience, quoique nerveux, il éprouvait des sensations de plus en plus excitantes; demain, qui l'aurait critiqué serait placé plus bas que terre, et qui l'aurait soutenu serait gratifié. Le temps jouait pour lui.

Fatiguée, Nénophar s'était retirée dans ses appartements. Les derniers invités partis, Dénès se promena dans son verger, afin de s'assurer qu'aucun fruit n'avait été dérobé.

Une femme jaillit de la nuit.

– Princesse Hattousa! Que faites-vous à Memphis?

– Ne prononcez plus mon nom. J'attends votre livraison.

– Je ne comprends pas.

– Le fer céleste.

– Soyez patiente.

– Impossible. Il me le faut, et tout de suite.

– Pourquoi cette hâte ?
– Vous m'avez entraînée dans une folie.
– Personne ne remontera jusqu'à vous.
– Le juge Pazair y est parvenu.
– Tentative d'intimidation.
– Il m'a inculpée et compte bien me faire comparaître, comme accusée, devant un tribunal.
– Forfanterie !
– Vous le connaissez mal.
– Son dossier est vide.
– Rempli de preuves, de témoignages et de dépositions.
– Ramsès interviendra.
– Pazair confie l'affaire au juge Bagey ; le roi devra se soumettre à la loi. Je serai condamnée, Dénès, privée de mes terres et, au mieux, recluse dans un palais provincial. La peine sera peut-être plus lourde.
– Fâcheux.
– Je veux le fer céleste.
– Je ne le possède pas encore.
– Au plus tard, demain. Sinon...
– Sinon ?
– Je vous dénonce au juge Pazair. Il vous soupçonne, mais ignore que vous êtes l'instigateur du détournement de denrées fraîches. Les jurés m'écouteront, je saurai me montrer convaincante.
– Accordez-moi un délai plus long.
– La lune sera pleine dans deux jours ; grâce au fer céleste, ma magie sera efficace. Demain soir, Dénès, ou vous tomberez avec moi.

*

Sous l'œil étonné de Coquine, le singe vert de Néféret, Brave prit un bain. D'une patte prudente, le chien s'aventura dans le bassin aux lotus et trouva l'eau à son goût. En ce jour de repos des servantes, Néféret remonta elle-même la jarre du fond du puits. Sa bouche ressemblait à un bouton de lotus, ses seins évoquaient des pommes d'amour; Pazair la regardait aller et venir, disposer des fleurs sur un autel à la mémoire de Branir, nourrir les animaux, lever les yeux vers les hirondelles qui, chaque soir, tournoyaient au-dessus de leur demeure. Parmi elles, la rescapée aux ailes épanouies.

Néféret surveilla les fruits du sycomore; d'une jolie teinte jaune, ils deviendraient rouges en mûrissant. En mai, elle les ouvrirait sur l'arbre afin qu'ils se vident des insectes qui y élisaient domicile. Douces et charnues, les figues seraient alors comestibles.

– J'ai relu le dossier Hattousa, mes greffiers ont vérifié la forme. Je peux le transmettre au vizir avec mes conclusions.

– La princesse le redoute-t-elle?

– Elle connaît ma détermination.

– Comment s'interposera-t-elle?

– Peu importe. A Bagey de diriger le procès; aucune intervention ne l'empêchera d'agir.

– Même si Pharaon te demande de renoncer?

– Il me démettra, mais je ne renoncerai pas. Sinon, mon cœur serait sali à jamais; même toi, tu ne pourrais le laver.

– Kem m'a confié qu'une troisième tentative d'attentat avait été perpétrée contre toi.

– Les sbires de Hattousa espéraient me noyer; auparavant, c'est un homme seul qui essayait de me rendre invalide.

– Le chef de la police l'a-t-il identifié?

– Pas encore. Le gaillard semble particulièrement rusé et habile. Les informateurs de Kem sont muets. Qu'a décidé le conseil des médecins?

– L'élection est reportée. De nouveaux postulants sont invités à se présenter; Qadash maintient sa candidature et rend visite sur visite aux membres du comité.

Elle posa la tête sur ses genoux.

– Quoi qu'il arrive, nous aurons vécu le bonheur.

*

Pazair apposa son sceau sur le jugement d'un tribunal de province, condamnant un maire de village à vingt coups de bâton et à une lourde amende, pour dénonciation calomnieuse. L'édile ferait probablement appel ; si sa faute était confirmée, la peine serait doublée.

Le juge, peu avant midi, reçut la dame Tapéni. Petite, menue, les cheveux très noirs, elle savait jouer de son charme et avait convaincu des scribes bourrus de lui ouvrir la porte du Doyen du porche.

– Que puis-je pour vous ?

– Vous le savez bien.

– Éclairez-moi.

– Je désire connaître l'endroit où se terre votre ami Souti, qui est aussi mon mari.

Pazair s'attendait à cet assaut. Après Panthère, Tapéni ne restait pas indifférente au sort de l'aventurier.

– Il a quitté Memphis.

– Pour quelle raison ?

– Une mission officielle.

– Bien entendu, vous ne m'en confierez pas la nature.

– C'est exclu.

– Court-il un danger ?

– Il croit en sa chance.

– Souti reviendra. Je ne suis pas une femme qu'on oublie et qu'on délaisse.

La voix contenait davantage de menace que de tendresse. Pazair tenta une expérience.

– Certaines grandes dames vous auraient-elles importunée, ces temps derniers ?

– Étant donné ma position, elles quémandent volontiers les meilleurs tissus.

– Rien de plus grave ?

– Je ne comprends pas.

– La dame Nénophar, par exemple, aurait-elle exigé votre silence ?

Tapéni parut troublée.

– J'ai parlé d'elle à Souti, car elle manie admirablement l'aiguille.

– Elle n'est pas la seule, à Memphis. Pourquoi avoir jeté son nom en pâture ?

– Vos questions m'importunent.

– Elles sont néanmoins indispensables.

– A quelles fins ?

– J'enquête sur un délit grave.

Un étrange sourire flotta sur les lèvres de Tapéni.

– Nénophar serait-elle concernée ?

– Que savez-vous exactement ?

– Vous n'avez pas le droit de me retenir ici.

Vive, elle se dirigea vers la porte.

– J'en sais peut-être beaucoup, juge Pazair, mais pourquoi vous confierais-je mes secrets ?

*

Pouvait-on jamais être satisfait de la bonne marche d'un hôpital ? Dès qu'un malade était guéri, un autre le remplaçait, et le combat recommençait. Néféret ne se lassait pas de soigner ; vaincre la souffrance lui offrait une joie inépuisable. Le personnel l'aidait avec dévouement, les scribes de l'administration assuraient une gestion saine ; aussi se consacrait-elle à son art, affinait-elle les remèdes connus, tentait-elle d'en découvrir de nouveaux. Chaque jour, elle opérait des tumeurs, réparait des membres brisés, réconfortait les patients incurables. Autour d'elle, une équipe de médecins, les uns expérimentés, les autres débutants ; sans qu'elle haussât la voix, ils lui obéissaient d'un cœur léger.

La journée avait été rude. Néféret avait sauvé un homme de quarante ans, victime d'une occlusion intestinale. Lasse, elle buvait de l'eau fraîche lorsque Qadash fit irruption dans la salle où les praticiens se lavaient et se changeaient. Le dentiste à la chevelure blanche apostropha Néféret d'une voix rugueuse.

– Je veux consulter la liste des drogues que possède l'hôpital.

– A quel titre ?

– Je suis candidat au poste de médecin-chef, et j'ai besoin de cette liste.

– Que comptez-vous en faire ?

– Je dois compléter mes connaissances.

– En tant que dentiste, vous n'utilisez que quelques produits spécifiques.

– Cette liste, vite !

– Vos exigences sont infondées. Vous n'appartenez pas au personnel spécialisé de l'hôpital.

– Vous appréciez mal la situation, Néféret. Je dois prouver mes compétences. Sans une énumération des drogues, ma candidature demeurera incomplète.

– Seul le médecin-chef du royaume pourrait m'obliger à vous obéir.

– C'est moi, le futur médecin-chef !

– Nébamon n'a pas encore été remplacé, que je sache.

– Exécutez mes ordres, vous ne le regretterez pas.

– Je n'en ai pas l'intention.

– S'il le faut, je forcerai la porte de votre laboratoire.

– Vous seriez lourdement condamné.

– Ne me résistez pas davantage. Demain, je serai votre supérieur. Si vous refusez de coopérer, je vous chasserai de votre poste.

Alertés par l'altercation, plusieurs praticiens entourèrent Néféret.

– Votre meute ne m'impressionne pas.

– Sortez d'ici, ordonna un jeune médecin.

– Vous avez tort de me parler sur ce ton.

– Votre comportement est-il digne d'un thérapeute ?

– Cas d'urgence, estima Qadash.

– De votre seul point de vue, rectifia Néféret.

– Le poste de médecin-chef doit être attribué à un

homme d'expérience. Tous, ici, vous m'appréciez. Pourquoi nous heurter de cette manière? Nous œuvrons avec le même désir de servir autrui.

Qadash plaida sa cause avec émotion et conviction ; il évoqua sa longue carrière, son dévouement envers ses malades, sa volonté d'être utile au pays, sans être entravé par une ridicule démarche administrative.

Mais Néféret demeura intraitable. Si Qadash voulait obtenir la liste des poisons et des drogues, qu'il en justifie l'usage; tant que le successeur de Nébamon n'aurait pas été désigné, elle en serait la gardienne vigilante.

*

Le chef d'état-major du général Asher déplora l'absence de son supérieur. Le juge Pazair insista.

– Il ne s'agit pas d'une visite de politesse. Je dois l'interroger.

– Le général a quitté la caserne.

– Quand?

– Hier soir.

– Pour quelle destination?

– Je l'ignore.

– Le règlement ne le contraint-il pas de vous informer sur ses déplacements?

– Si.

– Pourquoi ce manquement?

– Comment le saurais-je ?

– Je ne puis me contenter de vagues explications.

– Fouillez la caserne, si vous le désirez.

Pazair interrogea deux autres officiers, sans obtenir d'autres éclaircissements. D'après plusieurs témoignages, le général était parti en char, vers le sud.

N'excluant pas une ruse, le juge se rendit au bureau des pays étrangers. Aucune expédition officielle n'était engagée en Asie.

Pazair demanda à Kem de retrouver au plus vite le général. Le chef de la police ne tarda pas à confirmer son départ vers les provinces méridionales, sans pouvoir être plus précis; Asher avait pris soin de brouiller sa piste.

*

Le vizir était irrité.

– Vos propos ne sont-ils pas excessifs, juge Pazair?

– Voici une semaine que j'enquête.

– Les casernes?

– Aucune trace d'Asher.

– Le bureau des pays étrangers?

– Il ne lui a confié aucune mission, à moins qu'elle ne soit secrète.

– En ce cas, j'en aurais été informé. Ce n'est pas le cas.

– Une conclusion s'impose: le général a disparu.

– Inadmissible. Ses charges lui interdisent pareille désertion!

– Il a tenté d'échapper au filet qui allait s'abattre sur lui.

– Vos assauts incessants l'auraient-ils usé?

– A mon sens, il a redouté votre intervention.

– Cela signifie que la justice l'aurait condamné.

– Ses amis l'ont sans doute abandonné.

– Motif?

– Asher a pris conscience qu'il était manipulé.

– Mais la fuite, pour un soldat!

– Il est un lâche et un assassin.

– Si vos accusations sont exactes, pourquoi n'a-t-il pas pris la direction de l'Asie afin d'y rejoindre ses vrais alliés?

– Son départ vers le sud n'est peut-être qu'un faux-semblant.

– Je donne l'ordre de fermer les frontières. Asher ne sortira pas d'Égypte.

S'il ne bénéficiait pas de complicité, Asher ne sortirait pas de la nasse. Qui oserait soutenir un général déchu et enfreindre un commandement du vizir?

Pazair aurait dû se réjouir de cette formidable victoire. Le général ne pourrait justifier sa désertion; trahi par des traîtres, il les trahirait à son tour lors du second procès qui lui serait intenté. Sans doute avait-il essayé de se venger de Dénès et de Chéchi; devant son échec, il avait choisi de disparaître.

– Je fais parvenir aux gouverneurs provinciaux un décret enjoignant l'arrestation immédiate d'Asher. Que Kem le transmette aux services de police.

Grâce au courrier urgent, le général serait partout recherché dans moins de quatre jours.

– Votre tâche n'est pas terminée, poursuivit le vizir. Si le général n'est qu'un exécutant, remontez à la tête.

– C'est bien mon intention, affirma Pazair, dont les pensées volaient vers Souti.

*

Dénès conduisit la princesse Hattousa à la forge clandestine où travaillait Chéchi. Implantée dans un faubourg populaire, elle se dissimulait derrière une cuisine en plein air tenue par des employés du transporteur. Le chimiste y expérimentait des alliages et y testait l'effet d'acides végétaux sur le cuivre et le fer.

La chaleur était à griller. Hattousa ôta manteau et capuchon.

– Une visite royale, annonça Dénès, réjoui.

Chéchi ne leva pas les yeux. Il se concentra sur une opération délicate, une soudure où se mélangeaient or, argent et cuivre.

– Le pommeau d'une dague, expliqua-t-il. Elle sera celle du futur roi, lorsque le tyran aura disparu.

Du pied droit, Chéchi appuyait à intervalles réguliers sur un soufflet, afin d'attiser le feu; il maniait les morceaux de métal avec des pinces de bronze, et devait aller très vite, car ce dernier fondait à la même température que l'or.

Hattousa se sentait mal à l'aise.

– Vos expériences ne m'intéressent pas. Je veux le fer céleste que j'ai acheté.

– Vous n'en avez payé qu'une partie, précisa Dénès.

– Livrez-le-moi, et vous aurez le solde.

– Toujours aussi pressée ?

– Je n'apprécie pas votre insolence! Montrez-moi mon dû.

– Il vous faudra attendre.

– Ça suffit, Dénès! M'auriez-vous menti ?

– Pas tout à fait.

– Ce métal ne vous appartiendrait-il pas ?

– Je le récupérerai.

– Vous vous êtes moqué de moi!

– Ne vous méprenez pas, princesse; simple anticipation. Nous œuvrons ensemble à la ruine de Ramsès, n'est-ce pas l'essentiel ?

– Vous n'êtes qu'un voleur.

– Inutile colère. Nous sommes condamnés à rester unis.

Un regard de mépris enveloppa le transporteur.

– Vous vous trompez, Dénès. Je me passerai de votre aide.

– Rompre notre contrat serait stupide.

– Ouvrez cette porte et laissez-moi partir.

– Vous tairez-vous ?

– J'agirai dans mon intérêt.

– Votre parole m'est indispensable.

– Écartez-vous.

Dénès restant immobile, Hattousa le bouscula. Furieux, le transporteur la repoussa. En reculant, elle heurta les pinces brûlantes que Chéchi avait posées sur une pierre. Elle hurla, trébucha, tomba dans le foyer. Sa robe s'enflamma aussitôt.

Ni Dénès ni Chéchi n'intervinrent, le second guettant les instructions du premier. Lorsque le transporteur ouvrit la porte et s'enfuit, le chimiste le suivit. La forge flambait.

CHAPITRE 28

Avant de présider la session ordinaire du tribunal, devant le porche du temple de Ptah, Pazair avait rédigé en code un message à l'intention de Souti :

Asher est perdu. Ne prends plus aucun risque. Rentre immédiatement.

Le juge avait confié le document à un courrier de la police, dûment accrédité par Kem ; dès son arrivée à Coptos, il le remettrait à la police du désert, chargée de transmettre les missives aux mineurs.

Le tribunal jugeait une série de petits délits, allant du non-remboursement d'une dette à une absence injustifiée sur le lieu de travail. Les coupables reconnurent leurs fautes, les jurés furent indulgents. Parmi eux, Dénès. A la fin de l'audience, le transporteur aborda le juge.

– Je ne suis pas votre ennemi, Pazair.

– Je ne suis pas votre ami.

– Précisément, vous devriez vous méfier de ceux qui se présentent comme vos amis.

– Qu'insinuez-vous ?

– Votre confiance est parfois mal placée. Souti, par exemple, ne la mérite guère. Il me vendait des renseignements sur votre enquête et sur vous-même, en échange d'une sécurité matérielle qu'il poursuivait en vain.

– Ma fonction m'interdit de vous frapper, mais je pourrais perdre la raison.
– Un jour, vous me remercierez.

*

Dès son arrivée à l'hôpital, Néféret fut sollicitée par plusieurs médecins qui, depuis le milieu de la nuit, tentaient d'arracher à la mort une grande brûlée. L'incendie avait éclaté dans un quartier populaire où une forge clandestine avait pris feu. La malheureuse victime avait dû commettre une imprudence; ses chances de survie étaient inexistantes.

Sur les chairs martyrisées, le praticien de garde avait appliqué de la boue noire et des excréments de petit bétail, cuits et broyés dans de la bière fermentée. Néféret réduisit en poudre de l'orge grillée et de la coloquinte, mélangés à une résine d'acacia desséchée, et trempa les ingrédients dans l'huile; puis elle confectionna un pansement gras qu'elle appliqua sur les brûlures. Elle traita les blessures les moins profondes avec de l'ocre jaune broyée dans du suc de sycomore, de la coloquinte et du miel.

– Elle souffrira moins, affirma-t-elle.
– Comment la nourrir ? demanda l'infirmier.
– Impossible pour le moment.
– Nous devons l'hydrater.
– Introduisez un roseau entre ses lèvres, et faites couler goutte à goutte de l'eau cuivrée. Surveillez-la en permanence. Au moindre incident, prévenez-moi.
– Le pansement gras ?
– Changez-le toutes les trois heures. Demain, nous utiliserons un mélange de cire, de graisse de bœuf cuite, de papyrus et de caroubes. Disposez dans sa chambre une grande quantité de bandages très fins.
– Espérez-vous quand même ?
– Honnêtement, non. Sait-on qui elle est ? Il faut prévenir ses proches.

L'intendant de l'hôpital redoutait la question de Néféret. Il l'entraîna à l'écart.

– Je redoute des complications. Notre malade n'est pas une personne ordinaire.

– Son nom ?

L'intendant exhiba un magnifique bracelet en argent. A l'intérieur était gravé le nom de la propriétaire, que les flammes n'avaient pas effacé : Hattousa, épouse de Ramsès.

*

Un vent chaud de Nubie mettait les nerfs à rude épreuve. Il soulevait le sable du désert, en recouvrait les maisons. Chacun s'évertuait à boucher les ouvertures, mais une fine poussière jaune pénétrait partout et obligeait les maîtresses de maison à d'incessants nettoyages. De nombreuses personnes se plaignaient de difficultés respiratoires, contraignant les médecins à de fréquentes interventions. Pazair n'était pas épargné. Un collyre calmait ses yeux irrités, mais il luttait contre une fatigue envahissante. Kem, en revanche, semblait aussi inaccessible aux conditions climatiques que son babouin.

Les deux hommes et le singe prenaient le frais sous l'ombrage d'un sycomore, près du bassin aux lotus ; Brave, d'abord hésitant, avait fini par sauter sur les genoux de son maître, mais ne quittait pas le babouin du regard.

– Aucune nouvelle d'Asher.

– Sortir du pays lui sera impossible, estima le juge.

– Il peut se terrer des semaines durant, mais ses partisans diminueront et le dénonceront. Les ordres du vizir ne présentent aucune ambiguïté. Pourquoi le général a-t-il agi ainsi ?

– Parce qu'il savait que, cette fois, il perdrait son procès.

– Ses alliés l'ont donc lâché ?

– Ils n'avaient plus besoin de lui.

– Qu'en concluez-vous ?

– Qu'il n'existe ni complot militaire, ni tentative d'invasion.

– Pourtant, la présence de la princesse Hattousa à Memphis...

– Éliminée, elle aussi ! Les comploteurs n'ont nul besoin de son appui. Résultats de votre enquête ?

– La forge clandestine n'appartient à personne. La cuisine en plein air était tenue par des employés de Dénès.

– Que pouvions-nous espérer de mieux ?

– Rien ne l'incrimine de manière formelle.

– A chaque pas, nous nous heurtons à lui ! L'incendie n'était-il pas criminel ?

– On a vu des gens s'enfuir, mais les témoignages divergent sur leur nombre, et je n'ai recueilli que des descriptions fantaisistes.

– Une forge... Chéchi y travaillait.

– Aurait-il attiré Hattousa dans un traquenard ?

– Brûler vive une femme, je n'ose y croire. Serions-nous aux prises avec des monstres ?

– Si telle est la vérité, préparons-nous à de rudes épreuves.

– Je suppose qu'il est inutile de vous demander de lever les mesures de protection à mon endroit.

– Même si je n'étais pas chef de la police, même si vous me donniez des ordres contraires, je maintiendrais ma surveillance.

Pazair ne percerait jamais le mystère de Kem. Froid, distant, toujours maître de lui, il désapprouvait l'action du juge, mais l'aidait sans arrière-pensée. Le Nubien n'aurait pas d'autre confident que son babouin ; blessé dans son corps, il l'était plus encore dans son âme. La justice ? Un leurre. Mais Pazair y croyait, et Kem avait confiance en Pazair.

– Avez-vous averti le vizir ?

– Je lui ai adressé un rapport détaillé. Hattousa

n'avait prévenu personne de son voyage à Memphis, semble-t-il. Néféret veille sur elle jour et nuit.

*

Le cinquième jour, Néféret réduisit en une pâte onctueuse de la coloquinte, de l'ocre jaune et des parcelles de cuivre.

Elle l'appliqua sur les brûlures et les banda avec une infinie délicatesse. Malgré la souffrance, Hattousa résistait.

Le sixième jour, son regard changea. Elle sembla sortir d'un long sommeil.

– Tenez bon. Vous êtes à l'hôpital principal de Memphis. L'étape la plus difficile est franchie. A présent, chaque heure gagnée vous rapproche de la guérison.

La belle Hittite était défigurée. Malgré les pommades et les onguents, sa peau superbe ne serait plus que traînées rosâtres. Néféret redoutait le moment où la princesse exigerait un miroir.

La main droite de Hattousa se souleva et agrippa le poignet de Néféret.

– Une maladie que je connais et que je guérirai, promit-elle.

*

Pazair regarda son épouse dormir.

Enfin, elle acceptait de prendre un peu de repos. Néféret s'était acharnée à sauver Hattousa, préparant elle-même les bandages et les remèdes qui, peu à peu, guérissaient les atroces brûlures.

Son amour pour elle grandissait et s'épanouissait comme la couronne d'un palmier. Chaque réveil lui apportait une couleur nouvelle, inespérée et sublime; Néféret possédait le don de faire sourire la vie et d'illuminer la plus sombre des nuits. Si Pazair luttait avec un enthousiasme intact, n'était-ce pas pour continuer à la séduire et lui prouver qu'elle n'avait pas commis d'erreur en l'épousant ? Au-delà de ses faiblesses, flamboyait la certitude d'une union que n'useraient ni le temps, ni les habitudes, ni les épreuves.

Un rayon de soleil illumina la chambre à coucher et baigna le visage de Néféret. La jeune femme s'éveilla doucement.

– Hattousa est sauvée, murmura-t-elle.

– M'oublierais-tu au profit de ta patiente ?

Elle se blottit contre lui.

– Comment une princesse si jeune et si belle acceptera-t-elle le malheur qui la frappe ?

– Ramsès est-il intervenu ?

– Par la voix du chambellan du palais. Dès qu'elle sera transportable, Hattousa y sera accueillie.

– A moins que ses révélations ne lui interdisent une position aussi privilégiée.

Soucieuse, Néféret s'assit sur le bord du lit.

– N'a-t-elle pas été suffisamment châtiée ?

– Pardonne-moi, mais je dois l'interroger.

– Elle n'a pas encore prononcé le moindre mot.

– Dès qu'elle sera en état de parler, préviens-moi.

*

Hattousa absorba de la bouillie d'orge et but du jus de caroube. Sa vitalité renaissait, mais son regard demeurait absent, perdu dans un cauchemar.

– Comment est-ce arrivé ? demanda Néféret.

– Il m'a poussée. Je voulais sortir de la forge, il m'en a empêchée.

Les mots s'égrenaient, lents et douloureux. Bouleversée, Néféret n'osa plus questionner sa patiente.

– Les pinces de bronze... Elles ont brûlé ma robe, une flamme a jailli, j'ai heurté la forge, le feu s'est emparé de moi.

La voix devint stridente.

– Ils se sont enfuis, ils m'ont abandonnée!

Hagarde, Hattousa tentait de regagner le passé et d'abolir le drame qui avait anéanti sa beauté et sa jeunesse. Elle se replia sur elle-même, épuisée et vaincue.

Soudain, elle se redressa et hurla sa douleur.

– Ils se sont enfuis, les maudits, Dénès, Chéchi!

*

Néféret administra un calmant à Hattousa et demeura près d'elle jusqu'à ce qu'elle s'endormît.

Alors qu'elle sortait de l'hôpital, la supérieure de la maison de la reine mère l'aborda.

– Sa Majesté désire vous voir sans tarder.

Néféret fut conviée à prendre place dans une chaise à porteurs. Les hommes se hâtèrent.

Touya reçut le médecin sans cérémonie.

– Votre santé, Majesté?

– Grâce à votre traitement, elle est excellente. Êtes-vous informée de la décision qui a été prise par le conseil des médecins?

– Non.

– La situation devenant intolérable, le médecin-chef du royaume sera nommé la semaine prochaine. Un nom doit sortir des délibérations.

– N'est-ce pas une nécessité?

– Le dentiste Qadash n'aura comme opposants que des fantoches! Il a su décourager ses adversaires. Les anciens amis de Nébamon, les faibles et les indécis voteront pour lui.

La colère de la reine mère accentuait sa solennité naturelle.

– Je refuse cette fatalité, Néféret! Qadash est un incapable, indigne de remplir une fonction de cette importance. Depuis toujours, la santé publique me préoccupe; il faut prendre des mesures pour conforter le bien-être de la population, veiller sur l'hygiène afin de demeurer à l'écart des épidémies. Ce Qadash s'en moque ! Il veut le pouvoir et la gloriole, rien d'autre. Il est pire que Nébamon. Vous devez m'aider.

– De quelle manière ?

– En vous présentant contre lui.

*

Néféret autorisa Pazair à pénétrer dans la chambre où reposait la princesse Hattousa. Son visage et ses membres étaient bandés. Afin d'éviter gangrène et infection, le médecin avait soigné les plaies avec une pommade réservée aux cas graves. Parcelles de cuivre, chrysocolle, résine de térébinthe fraîche, cumin, natron, assa-foetida, cire, cinnamome, bryone, huile et miel avaient été finement broyés et réduits en une masse onctueuse.

– Puis-je vous parler, princesse ?

– Qui êtes-vous ?

Un fin bandage recouvrait les paupières.

– Le juge Pazair.

– Qui vous a permis...

– Néféret, mon épouse.

– Elle aussi est mon ennemie.

– Ma demande était officielle. J'enquête sur l'incendie.

– L'incendie...

– Je veux identifier les coupables.

– Quels coupables ?

– N'avez-vous pas cité les noms de Dénès et de Chéchi ?

– Vous vous trompez.

– Pourquoi être venue dans cette forge clandestine ?

– Tenez-vous vraiment à le savoir ?

– Si vous y consentez.

– Je venais chercher du fer céleste afin de pratiquer la magie contre Ramsès.

– Vous auriez dû vous méfier de Chéchi.

– J'étais seule.

– Comment expliquez-vous...
– Un accident, juge Pazair. Un simple accident.
– Pourquoi mentir ?
– Je hais l'Égypte, sa civilisation et ses valeurs.
– Au point de ne pas témoigner contre vos bourreaux ?
– Qui tentera de détruire Ramsès bénéficiera de ma sympathie. Votre pays refuse la seule vérité : la guerre ! Seule la guerre exalte les passions et révèle la nature humaine. Mon peuple a eu tort de conclure la paix avec vous, et moi, je suis l'otage de cette erreur. Je voulais réveiller les Hittites, leur montrer le bon chemin... A présent, je serai cloîtrée dans l'un de ces palais que j'abhorre. Mais d'autres réussiront, j'en suis convaincue. Et vous n'aurez même pas le plaisir de me faire passer en jugement. Vous n'êtes pas assez cruel pour torturer davantage une infirme.
– Dénès et Chéchi sont des criminels. Ils se moquent de votre idéal.
– Ma décision est prise. Plus une seule parole ne sortira de ma bouche.

*

En tant que Doyen du porche, Pazair ratifia la candidature de Néféret au poste de médecin-chef du royaume d'Égypte. La jeune femme disposait des titres et de l'expérience requise ; sa position de directrice de l'hôpital principal de Memphis, l'appui officieux de la reine mère, et les encouragements chaleureux de nombre de ses collègues, donnaient un poids certain au dossier de la jeune femme.

Pourtant, elle redoutait cette épreuve qu'elle n'avait pas souhaitée. Qadash userait des méthodes les plus viles afin de la décourager ; or sa seule ambition était de soigner, non d'obtenir des honneurs et des responsabilités qu'elle n'enviait pas. Pazair ne parvint pas à la réconforter ; lui-même était ébranlé par la folie de Hattousa, condamnée à la plus désespérée des solitudes. Son témoignage aurait provoqué la chute de Dénès et de Chéchi qui, une fois de plus, échappaient au châtiment.

Le juge ne se heurtait-il pas à une muraille indestructible ? Un mauvais génie protégeait les conjurés et leur garantissait l'impunité. Savoir le général Asher en perdition, être assuré qu'aucun complot militaire ne menaçait l'Égypte, aurait dû le réconforter ; mais une sourde angoisse subsistait. Il ne comprenait pas le motif de tant de crimes et l'assurance méprisante d'un Dénès, qu'aucun coup ne semblait ébranler. Le transporteur et ses acolytes possédaient-ils une arme secrète, hors de portée du juge ?

Percevant leur détresse mutuelle, Pazair et Néféret songèrent à l'autre avant de se pencher sur eux-mêmes. En se faisant l'amour, ils virent naître une aube nouvelle.

CHAPITRE 29

Les policiers et leurs chiens, revenant des sites dangereux du désert de l'est, s'accordaient une journée de repos avant de repartir sur les pistes et de remplir leurs missions de surveillance. Venait l'heure de panser les blessures, de se faire masser et de fréquenter la maison de bière où des filles accueillantes et dociles leur vendraient leur corps pendant une nuit. « Ceux à la vue perçante » échangeaient les informations recueillies pendant les raids et conduisaient en prison bédouins et rôdeurs capturés en situation irrégulière.

Le géant chargé de surveiller le recrutement des mineurs soigna ses lévriers puis se rendit chez le scribe du courrier.

– Des messages ?

– Une dizaine.

Le policier lut le nom des destinataires.

– Tiens, Souti... drôle de type. Il n'a pas l'allure d'un mineur.

– Ce n'est pas mon affaire, répliqua le scribe. Remplissez le reçu.

Le géant distribua lui-même le courrier. Au passage, il interrogeait les destinataires sur leurs correspondants. Trois manquaient à l'appel ; deux vétérans qui travaillaient dans une mine de cuivre, et Souti. Vérification faite, l'expédition qu'avait dirigée Éphraïm était rentrée à Coptos la veille. Aussi le policier se rendit-il à la maison de bière, visita-t-il les auberges, inspecta-t-il les campements de toile. En vain ; l'inspection centrale lui apprit qu'Éphraïm, Souti et cinq hommes avaient omis de se présenter au scribe chargé de noter les allées et venues.

Intrigué, il déclencha la procédure de recherche.

Les sept ouvriers avaient disparu. D'autres, avant eux, avaient tenté de s'enfuir avec des pierres précieuses. Tous avaient été arrêtés et sévèrement punis. Pourquoi un homme d'expérience, comme Éphraïm, s'était-il lancé dans cette aventure insensée ? « Ceux à la vue perçante » se mobilisèrent aussitôt. Oubliant loisir et repos, chasseurs dans l'âme, rien ne les réjouissait davantage qu'un gibier de qualité.

Le géant mènerait la poursuite. Avec l'accord du scribe du courrier, et pour cause de force majeure, il ouvrit la lettre destinée au fuyard. Les hiéroglyphes, lisibles individuellement, formaient un ensemble incompréhensible. Un code ! Ainsi, le policier ne s'était pas trompé. Ce Souti n'était pas un mineur comme les autres. Mais quel maître servait-il ?

*

Les sept hommes avaient emprunté une piste difficile, en direction du sud-est. Aussi robustes les uns que les autres, ils marchaient selon un rythme régulier, mangeaient peu, et s'accordaient de longues haltes aux points d'eau dont Éphraïm était le seul à connaître l'emplacement. Le chef d'équipe avait exigé une obéissance absolue et ne tolérait aucune question sur leur destination.

Au bout du voyage, la fortune.

– Là-bas, un policier !

Le mineur tendit le bras vers une forme étrange, immobile.

– Avance, imbécile ! ordonna Éphraïm. Ce n'est qu'un arbre à laine.

Haut de trois mètres, le surprenant végétal présentait une écorce bleutée et crevassée ; ses larges feuilles ovales, vertes et roses, évoquaient le tissu avec lequel on fabriquait les manteaux d'hiver. Les fuyards se servirent du bois pour allumer un feu et faire cuire la gazelle tuée le matin. Éphraïm s'était assuré que l'arbre à laine ne produisait pas un latex qui provoquait l'arrêt du cœur. Il recueillit les feuilles, les malaxa, les réduisit en poudre et les partagea avec ses compagnons.

– Excellent purgatif, commenta-t-il, et remède efficace contre les maladies vénériennes. Quand vous serez riche, vous vous offrirez de superbes femelles.

– Pas en Égypte, se plaignit un mineur.

– Les Asiatiques sont chaudes et vigoureuses. Elles vous feront oublier les filles de vos provinces.

Le ventre plein et la gorge fraîche, la petite troupe se remit en marche.

*

Piqué à la cheville par une vipère des sables, le mineur mourut dans d'atroces convulsions.

– L'imbécile, marmonna Éphraïm. Le désert ne pardonne pas l'inattention.

Le meilleur ami de la victime s'insurgea.

– Tu nous conduis tous à la mort ! Qui échappera au venin de ces créatures ?

– Moi, et ceux qui mettront leurs pas dans les miens.

– Je veux savoir où nous allons.

– Un bavard comme toi parlerait au vent et nous trahirait.

– Réponds.

– Désires-tu que je te brise la tête ?

Le mineur regarda autour de lui. L'immensité n'était que pièges. Soumis, il ramassa son équipement.

– Si des tentatives comme les nôtres ont échoué, révéla Éphraïm, le hasard n'était pas responsable. Dans le groupe se glissait un mouchard, capable de renseigner la police sur ses déplacements. Cette fois, j'ai pris mes précautions. Mais je n'exclus pas la présence d'un mercenaire.

– Qui soupçonnes-tu ?

– Toi, et tous les autres. N'importe lequel peut avoir été acheté. Si le mouchard existe, il se trahira, tôt ou tard. Pour moi, ce sera un régal.

*

« Ceux à la vue perçante » quadrillèrent le désert à partir de la dernière position connue d'Éphraïm et de son groupe, et calculèrent leurs possibilités de déplacement en misant sur une allure rapide. Des courriers avertissaient leurs collègues, au nord comme au sud, de la fuite de dangereux délinquants en quête de minéraux rares. La chasse à l'homme, comme d'ordinaire, s'achèverait par un plein succès.

Seule la présence de Souti inquiétait le géant. Allié à Éphraïm, qui connaissait pistes, points d'eau et mines aussi bien que la police, ne déjouerait-il pas la stratégie des forces de l'ordre ? Il modifia les plans classiques et se fia à son instinct. A la place d'Éphraïm, il aurait tenté de gagner la région des mines abandonnées. Aucun point d'eau, une chaleur écrasante, des serpents à profusion, pas le moindre trésor... Qui se serait aventuré dans cet enfer ? Cachette admirable, en vérité, et peut-être plus encore, à supposer que les filons ne fussent pas complètement épuisés. Comme l'exigeait le règlement, le géant prit avec lui deux policiers expérimentés et quatre chiens. En coupant les pistes habituelles, il intercepterait les fugitifs dans une zone de collines où poussaient quelques arbres à laine.

*

Kem était pieds et poings liés. Comme il aurait aimé se lancer sur les traces du général Asher, toujours introuvable! Mais la protection du juge Pazair requérait sa présence à Memphis. Aucun de ses subordonnés n'aurait la vigilance nécessaire.

A la nervosité de son singe, le Nubien savait que le danger rôdait. Certes, à la suite de ses deux échecs, l'agresseur devait prendre davantage de précautions pour ne pas être repéré. L'effet de surprise éliminé, organiser un accident serait de plus en plus difficile; mais l'homme ne se résoudrait-il pas à une action plus violente et plus définitive?

Sauver Pazair devenait le but essentiel du chef de la police. A ses yeux, le juge incarnait une forme de vie impossible qu'il fallait préserver à tout prix. Durant les longues années où il avait souffert plus souvent qu'à son tour, Kem n'avait croisé aucun être de cette espèce. Jamais il n'avouerait à Pazair l'admiration qu'il éprouvait envers lui, de peur de nourrir une bête rampante et visqueuse, cette vanité si prompte à pourrir les cœurs.

Le babouin s'éveilla. Le Nubien lui donna de la viande séchée et de la bière douce, puis s'adossa contre le muret de la terrasse d'où il surveillait la villa du juge. A lui de dormir, pendant que le singe monterait la garde.

*

L'avaleur d'ombres pestait contre la malchance. Il avait eu tort d'accepter cette mission qui se situait hors de sa spécialité, tuer vite et sans trace. Un instant, il avait eu envie de renoncer; mais ses commanditaires l'auraient dénoncé, et sa parole n'aurait guère eu de poids devant la leur. De plus, il se jetait un défi à lui-même. Jusqu'alors, sa carrière n'avait été émaillée d'aucun échec; qu'un juge fût sa plus belle victime l'excitait au plus haut point.

Hélas, il jouissait d'une protection rapprochée et efficace. Kem et son singe étaient des adversaires de taille dont la vigilance semblait impossible à tromper. Depuis l'agression ratée de la panthère, le chef de la police suivait le juge pas à pas, et faisait doubler sa propre surveillance par plusieurs policiers d'élite.

La patience de l'avaleur d'ombres était infinie. Il saurait attendre la moindre faille, la moindre faute d'attention. En se promenant sur le marché de Memphis, où des vendeurs exposaient des produits exotiques venus de Nubie, une idée lui vint. Une idée susceptible de supprimer la principale ligne de défense de l'adversaire.

*

– Il est tard, chéri

Devant Pazair, assis en scribe, une dizaine de papyrus déroulés, qu'éclairaient deux lampes, hautes sur pied.

– Ces documents m'ôtent l'envie de dormir.

– De quoi s'agit-il ?

– Des comptes de Dénès.

– Où te les es-tu procurés ?

– Ils proviennent du Trésor.

– Tu ne les as pas volés ? demanda-t-elle en souriant.

– J'ai adressé une demande officielle à Bel-Tran. Il y a répondu aussitôt, en me communiquant ces pièces.

– Qu'as-tu découvert ?

– Des irrégularités. Dénès a oublié d'acquitter certaines taxes et semble avoir triché sur ses impôts.

– Que risque-t-il, sinon une amende ?

– Bel-Tran, en s'appuyant sur mes remarques, saura troubler la sérénité financière de Dénès.

– Toujours cette même obsession.

– Pourquoi le transporteur est-il si sûr de lui ? Il me faut percer sa carapace par n'importe quel moyen.

– Des nouvelles de Souti ?

– Aucune. Il aurait dû m'envoyer un message qu'aurait acheminé la police du désert.

– Il en a été empêché.
– C'est certain.
L'hésitation de Pazair surprit Néféret.
– Que soupçonnes-tu ?
– Rien.
– La vérité, juge Pazair !
– Lors de la dernière session du tribunal, Dénès a évoqué une possible trahison de Souti.
– Toi, te laisser prendre à ce piège ?
– Que Souti me pardonne.

*

– Deux dans la galerie de droite, les autres dans celle de gauche, ordonna Éphraïm. Souti et moi, nous prenons celle du milieu.
Les mineurs firent la moue.
– Elles sont en très mauvais état. Les poutres sont à moitié pourries ; si elles s'effondrent, nous n'en sortirons pas vivants.
– Je vous ai amenés dans cet enfer parce que la police du désert le croit stérile. Pas de point d'eau et des mines épuisées, voilà ce qu'on affirme, à Coptos ! L'ancien puits, je vous l'ai indiqué ; le trésor de ces galeries, débusquez-le vous-même.
– Trop risqué, décida l'un des mineurs. Je n'entre pas.
Éphraïm s'approcha du peureux.
– Nous à l'intérieur, toi seul dehors... ça ne me plaît pas.
– Tant pis pour toi.
Le poing d'Éphraïm s'abattit sur le crâne du récalcitrant avec une violence inouïe. Sa victime s'effondra. L'un de ses collègues se pencha sur lui, les yeux hagards.
– Tu l'as tué ?
– Un suspect de moins. Entrons dans les galeries.
Souti précéda Éphraïm.

– Avance doucement, petit. Tâte les poutres au-dessus de ta tête.

Souti rampa sur une terre rouge et caillouteuse. La pente était douce, mais le plafond très bas. Éphraïm tenait la torche.

Jaillissant des ténèbres, une lueur blanche. Souti tendit la main. Le métal était doux et frais.

– De l'argent... de l'argent aurifère!

Éphraïm lui passa des outils.

– Un filon entier, petit. Détache-le sans l'abîmer.

Sous le blanc de l'argent scintillait l'or; le superbe métal servait à revêtir le dallage de certaines salles des temples et d'objets sacrés en contact avec le sol afin de préserver leur pureté. L'aube ne se composait-elle pas de pierres d'argent qui transmettaient la lumière de l'origine?

– Y a-t-il de l'or, plus bas?

– Pas ici, petit. Cette mine n'est qu'une première étape.

*

Les quatre chiens guidèrent les trois policiers. Depuis deux heures, ils percevaient une présence humaine dans la zone des mines abandonnées. Le géant et ses compagnons continrent leur joie; ils préparèrent arcs et flèches, et n'échangèrent plus le moindre mot.

A plat ventre au sommet d'une colline, les chiens aux langues pendantes observèrent les mineurs sortir des galeries plusieurs blocs d'argent d'une taille et d'une qualité admirables. Une véritable fortune.

Lorsque les voleurs se regroupèrent pour fêter leur triomphe, les archers tirèrent et lâchèrent les chiens. Deux mineurs furent percés de flèches, un autre succomba aux morsures. Souti s'abrita dans une galerie, bientôt suivi d'Éphraïm qui avait étranglé un lévrier d'une seule main, et du dernier survivant de son équipe.

– Fonce! hurla Éphraïm.

– On va étouffer.

– Obéis, petit.

Éphraïm passa en tête. S'emparant d'une pierre, il creusa le fond de la galerie, vers le haut. Indifférent à la poussière et aux morceaux d'étais qui s'effondraient, il perça une cheminée dans la roche friable. Les pieds calés contre les parois, il tira Souti, lequel aida son compagnon. Les trois hommes parvinrent à s'extirper de la mine et absorbèrent goulûment l'air frais du dehors.

– Ne traînons pas ici, la police ne lâche pas facilement sa proie. Pendant deux jours, nous devrons marcher, mais sans eau.

*

Le géant caressa les chiens, pendant que ses collègues creusaient des fosses pour les cadavres. La première partie du raid était une réussite; extermination de la plupart des fugitifs et récupération d'une belle quantité d'argent. Restaient trois voleurs en fuite.

Les policiers se concertèrent. Le géant décida de continuer seul, avec le chien le plus solide, de l'eau et des vivres; ses deux collègues rapporteraient le précieux métal à Coptos. Les fugitifs n'avaient aucune chance de survivre; se sachant poursuivis, sous la menace des flèches et d'un molosse, ils devraient presser l'allure. Aucun point d'eau à moins de trois jours de marche. En allant vers le sud, ils se heurteraient forcément à une patrouille de surveillance.

Le géant et son chien ne prendraient aucun risque et se contenteraient de rabattre le gibier en lui coupant toute possibilité de retraite. Une fois de plus, « ceux à la vue perçante » auraient vaincu la pègre.

*

Au matin du second jour, les trois fugitifs lapèrent la rosée qui ourlait les pierres de la piste. Le mineur rescapé portait au cou son sac de cuir où il avait glissé des parcelles d'argent. Les mains crispées sur son trésor, il fut le premier à céder. Ses jambes fléchirent, il tomba à genoux sur la rocaille.

– Ne m'abandonnez pas, supplia-t-il.

Souti revint en arrière.

– Si tu tentes de l'aider, prévint Éphraïm, vous mourrez tous les deux. Suis-moi, petit.

En portant le mineur sur son dos, Souti serait vite distancé. Ils se perdraient dans ce désert torride où seul Éphraïm était capable de repérer un chemin.

La poitrine en feu, les lèvres craquelées, le jeune homme suivit Éphraïm.

*

La queue du molosse s'agitait en cadence. Le policier le félicita de sa découverte : le cadavre d'un mineur, que le géant retourna du pied. Le fuyard n'était pas mort depuis longtemps. Ses mains serraient si fort la bourse de cuir que le géant fut contraint de les trancher pour récupérer les parcelles d'argent.

Il s'assit, apprécia la valeur de la prise, nourrit son chien, lui donna à boire, et se sustenta lui-même. Habitués à d'interminables marches, ni l'un ni l'autre ne ressentait les morsures du soleil. Ils respectaient les temps de repos nécessaire et ne gaspillaient pas une once d'énergie.

A présent, ils étaient deux contre deux, et la distance entre policiers et voleurs ne cessait de diminuer.

Le géant se retourna. A plusieurs reprises, il avait eu la sensation d'être suivi ; le chien, tendu vers ses proies, ne signalait rien.

Il nettoya son poignard dans le sable, s'humecta les lèvres, et reprit la poursuite.

*

– Encore un effort, petit. Près de la mine d'or, il y a un puits.

– Alimenté ?

Éphraïm ne répondit pas. Tant de souffrances ne pouvaient être vaines.

Un cercle de pierres signalait la présence du point d'eau. Éphraïm creusa à mains nues, bientôt secondé par Souti. D'abord, le sable et les cailloux ; puis une terre plus meuble, presque humide ; enfin, une sorte de glaise, les doigts mouillés, et l'eau, l'eau qui montait du Nil souterrain.

*

Le policier et son chien assistèrent au spectacle. Depuis une heure, ils avaient rejoint les fugitifs et se tenaient à distance. Ils les entendirent chanter, les virent boire à petites gorgées, se congratuler, puis se diriger vers la mine d'or abandonnée qui ne figurait plus sur aucune carte.

Éphraïm avait bien mené son jeu. Il ne s'était ouvert à personne, gardant pour lui un secret qu'il avait dû extirper à un vieux mineur.

Le policier vérifia son arc et ses flèches, but une rasade d'eau fraîche et se prépara à son ultime intervention.

*

– L'or est ici, petit. Le dernier filon d'une galerie oubliée. Suffisamment d'or pour permettre à deux bons amis de couler des jours heureux en Asie.

– Existe-t-il d'autres endroits comme celui-ci ?

– Quelques autres.

– Pourquoi ne pas les exploiter ?

– Époque révolue. Nous devons nous enfuir, nous et notre patron.

– Qui est-il ?

– L'homme qui nous attend dans la mine. A trois, nous sortirons l'or et nous le transporterons avec des traîneaux jusqu'à la mer. Un bateau nous conduira jusqu'à une zone désertique où sont dissimulés des chariots.

– As-tu volé beaucoup d'or, pour ton patron ?

– Il n'aimerait pas tes questions. Regarde, le voilà.

Un personnage de petite taille, aux cuisses épaisses, et à la tête de fouine, s'avança vers les deux rescapés. En dépit du soleil brûlant, le sang de Souti se glaça.

– On a la police aux trousses, déclara Éphraïm. Sortons l'or et partons.

– Tu m'as amené un drôle de compagnon, s'étonna le général Asher.

Puisant dans ses ultimes ressources, Souti s'enfuit vers le désert. Il n'avait aucune chance de terrasser Éphraïm et Asher, armé d'une épée. D'abord, leur échapper ; ensuite, réfléchir.

Un policier et son chien lui barrèrent la route. Souti reconnut le géant qui surveillait l'engagement des mineurs. Il banda son arc ; le chien n'attendait qu'un mot pour bondir.

– Ne va pas plus loin, garçon.

– Vous êtes mon sauveur !

– Invoque les dieux avant de mourir.

– Ne vous trompez pas de cible. Je suis en mission.

– Sur l'ordre de qui ?

– Du juge Pazair. Je devais prouver la participation du général Asher à un trafic de métaux précieux... Cette preuve, je l'ai ! A nous deux, nous pouvons l'arrêter.

– Tu ne manques pas de courage, garçon, mais la chance t'a quitté. Je travaille pour le général Asher.

CHAPITRE 30

Néféret souleva le double couvercle de son coffret de toilette, subdivisé en compartiments décorés de fleurs rouges. Ils contenaient vases à onguents, cosmétiques, maquillage pour les yeux, pierre ponce et parfums. Alors que la maisonnée dormait encore, y compris le singe vert et le chien, elle aimait se faire belle, puis marcher pieds nus dans la rosée, à l'écoute du premier chant des mésanges et des huppes. L'aube était son heure, vie renaissante, éveil d'une nature dont chaque son transmettait la parole divine. Le soleil venait de vaincre les ténèbres, après un long et périlleux combat; son triomphe nourrissait la création, sa lumière se transformait en joie, animait les oiseaux dans le ciel et les poissons dans le fleuve.

Néféret savourait le bonheur que les dieux lui avaient offert et qu'elle devait leur offrir en retour. Il ne lui appartenait pas, mais passait à travers elle comme un flux d'énergie, issu de la source et retournant à la source. Qui tentait de s'approprier les présents de l'au-delà se condamnait au dessèchement de la branche morte.

Agenouillée devant l'autel érigé près du lac, la jeune femme y déposa une fleur de lotus. En elle s'incarnait le jour nouveau où l'éternité s'accomplirait dans l'instant. Le jardin entier se recueillit, les feuillages des arbres s'inclinèrent sous la brise du matin.

Lorsque la langue de Brave lui lécha la main, Néféret sut que le rite était terminé. Le chien avait faim.

*

– Merci de me recevoir avant de partir pour l'hôpital, dit Silkis. La douleur est intolérable. Cette nuit, elle m'a empêchée de dormir.

– Penchez la tête en arrière, demanda Néféret, qui examina l'œil gauche de l'épouse de Bel-Tran.

Silkis, anxieuse, ne tenait pas en place.

– Une maladie que je connais et que je guérirai. Vos cils s'infléchissent de manière anormale, touchent l'œil, et l'irritent.

– C'est grave ?

– Gênant, tout au plus. Désirez-vous que je m'en occupe sur-le-champ ?

– Si ce n'est pas trop douloureux...

– L'opération est bénigne.

– Nébamon m'a fait beaucoup souffrir en modifiant mon corps.

– Mon intervention sera beaucoup plus légère.

– J'ai confiance en vous.

– Restez assise et détendez-vous.

Les maladies oculaires étaient si fréquentes que Néféret disposait en permanence, dans sa pharmacie privée, de quantité de produits, fussent-ils rares comme le sang de chauve-souris, qu'elle mélangea à l'oliban pour obtenir une pommade gluante qu'elle étala sur les cils inopportuns, après les avoir étirés. Alors qu'ils séchaient, elle les maintint rigides et extirpa sans difficulté les bulbes des poils. Afin d'empêcher une repousse, elle appliqua une seconde pommade composée de chrysocolle et de galène.

– Vous voilà sauvée, Silkis.

L'épouse de Bel-Tran sourit, soulagée.

– Votre main est merveilleuse... je n'ai rien senti !
– J'en suis ravie.
– Un traitement complémentaire est-il indispensable ?
– Non, vous êtes délivrée de cette petite anomalie.
– J'aimerais tant que vous soigniez mon mari ! Sa maladie de peau m'inquiète beaucoup. Il est si affairé qu'il ne songe pas à son bien-être... Je ne le vois presque plus. Il part tôt le matin et revient tard le soir, chargé de papyrus qu'il consulte une partie de la nuit.
– Ce surmenage n'aura peut-être qu'un temps.
– Je crains que non. Au palais, on apprécie ses compétences ; au Trésor, on ne peut se passer de lui.
– Ce sont plutôt de bonnes nouvelles.
– De l'extérieur, oui, mais pour notre vie de famille à laquelle nous tenons tant, lui et moi... L'avenir me fait peur. On parle de Bel-Tran comme futur directeur de la Double Maison blanche ! Les finances de l'Égypte entre ses mains, quelle responsabilité écrasante !
– N'éprouvez-vous pas de la fierté ?
– Bel-Tran s'éloignera davantage de moi, mais qu'y puis-je ? Je l'admire tant !

*

Les pêcheurs étalèrent leurs prises devant Mentmosé, l'ancien chef de la police révoqué par le vizir, et relégué au rang de surintendant des pêcheries du Delta, dans une petite cité proche de la côte. Gras, lourd, lent, Mentmosé s'empâtait dans un ennui chaque jour plus épais. Il détestait sa misérable demeure de fonction, ne supportait pas le contact avec les pêcheurs et les poissonniers, et entrait dans de violentes colères à propos du détail le plus anodin. Comment sortir de ce trou perdu ? Il ne fréquentait plus aucun courtisan.

Lorsqu'il vit apparaître Dénès au bout du quai, il se crut victime d'une hallucination. Oubliant ses interlocuteurs, il fixa la silhouette massive du transporteur, son visage carré, son fin collier de barbe blanche. C'était bien lui, l'un des hommes les plus riches et les plus influents de Memphis.

– Décampez, ordonna Mentmosé à un patron pêcheur quêtant une autorisation.

Dénès observait la scène d'un air goguenard.

– Vous voilà bien loin des opérations de police, cher ami.

– Ironiseriez-vous sur mon malheur ?

– Je souhaiterais alléger votre fardeau.

Pendant sa carrière, Mentmosé avait beaucoup menti. En matière de ruse, de dissimulation et de chausse-trape, il se considérait comme un expert, mais admettait volontiers que Dénès était un concurrent sérieux.

– Qui vous envoie ?

– Initiative personnelle. Désirez-vous vous venger ?

– Me venger...

La voix de Mentmosé devint nasillarde.

– N'avons-nous pas un ennemi commun ?

– Pazair, le juge Pazair...

– Personnage encombrant, estima Dénès. Sa position de Doyen du porche n'a pas éteint ses ardeurs.

Rageur, l'ancien chef de la police serra les poings.

– M'avoir remplacé par ce médiocre Nubien, plus sauvage que son singe !

– Injuste et stupide, il est vrai. Réparons cette erreur, voulez-vous ?

– Vos projets ?

– Ternir la réputation du juge Pazair.

– N'est-il pas irréprochable ?

– En apparence, cher ami ! Tout homme a ses faiblesses. Sinon, inventons-les. Connaissez-vous ceci ?

Dénès ouvrit la main droite. Elle contenait une bague à cachet.

– Elle lui sert à sceller ses actes.

– L'avez-vous volée ?

– Je l'ai reproduite à partir du modèle que m'a

fourni l'un des scribes de son administration. Nous l'apposerons sur un document assez compromettant pour mettre fin à la carrière du juge Pazair et vous réhabiliter.

L'air marin, pourtant chargé de senteurs fortes, parut très doux aux narines de Mentmosé.

*

Pazair posa la boîte en bois d'ébène entre Néféret et lui. Il tira le tiroir à glissière, en sortit des pions en terre cuite vernissée qu'il disposa sur les trente cases en os. Néféret fut la première à jouer ; la règle consistait à faire progresser un pion des ténèbres vers la lumière, en évitant de le faire tomber dans l'un des pièges disposés sur son passage, et en franchissant de nombreuses portes.

Pazair commit une erreur dès son troisième coup.

– Tu n'es guère attentif.

– Je n'ai aucune nouvelle de Souti.

– Est-ce vraiment anormal ?

– Je le redoute.

– En plein désert, comment communiquerait-il avec toi ?

Le juge ne se dérida pas.

– Oserais-tu envisager une trahison ?

– Il devrait au moins me donner signe de vie.

– Ne songes-tu pas plutôt au pire ?

Pazair se leva, oubliant le jeu.

– Tu as tort, affirma la jeune femme. Souti est vivant.

*

La rumeur fit l'effet d'un coup de tonnerre : Bel-Tran, après avoir été trésorier principal et surintendant des greniers, venait d'être nommé directeur de la Double Maison blanche, donc responsable de l'économie égyptienne sous les ordres du vizir. A lui de recevoir et d'inventorier minéraux et matériaux précieux, l'outillage destiné aux chantiers des temples et aux corporations artisanales, les sarcophages, les onguents, les tissus, les amulettes et objets liturgiques. Il paierait leurs récoltes aux paysans et fixerait les impôts, assisté d'un personnel nombreux et spécialisé.

La surprise passée, personne ne contesta cette nomination. Quantité de fonctionnaires de la cour étaient intervenus à titre individuel auprès du vizir pour lui recommander Bel-Tran ; bien que son ascension parût trop rapide au gré de certains, n'avait-il pas prouvé de remarquables qualités de gestionnaire ? Réorganisation des services, amélioration des résultats, meilleur contrôle des dépenses pouvaient être portés à son actif, en dépit d'un caractère difficile et d'une tendance marquée à l'autoritarisme. A côté de lui, l'ancien surintendant faisait pâle figure ; mou, lent, il s'était englué dans la routine, avec une obstination coupable qui avait découragé ses ultimes partisans. Conduit malgré lui vers un poste envié, récompensé d'un travail opiniâtre, Bel-Tran ne cachait pas son intention de sortir des sentiers battus et de donner à la Double Maison blanche un prestige et une autorité grandissants. D'ordinaire insensible au concert de louanges, le vizir Bagey avait été impressionné par l'abondance des avis favorables.

Les bureaux de Bel-Tran occupaient un espace considérable au cœur de Memphis ; à l'entrée, deux gardiens filtraient les visiteurs. Néféret déclina son identité, et patienta jusqu'à ce que sa convocation fût confirmée. Elle longea un enclos à bestiaux et une basse-cour où les scribes comptables recevaient les impôts en nature. Un escalier menait à des greniers qui se vidaient et se remplissaient au gré des contributions. Une armée de scribes, assis sous un dais, occupait un étage du bâtiment. Le receveur-chef surveillait en permanence l'entrée des magasins où les paysans déposaient fruits et légumes.

Le médecin fut convié à entrer dans un autre bâtiment ; Néféret traversa un vestibule en trois travées, divisé par quatre piliers où de hauts fonctionnaires rédigeaient des procès-verbaux. Un secrétaire l'introduisit dans une vaste salle à six piliers où Bel-Tran recevait ses hôtes de marque. Le nouveau directeur de la Double Maison blanche distribuait ses directives à trois collaborateurs ; il parlait vite, sautait d'une idée à l'autre, traitait plusieurs dossiers en même temps.

– Néféret ! Merci d'être venue.

– Votre santé devient une affaire d'État.

– Elle ne doit pas contrarier mes activités.

Bel-Tran congédia ses subordonnés et montra sa jambe gauche au médecin. Une large plaque rouge, bordée de boutons blancs, s'étalait sur plusieurs centimètres.

– Votre foie est encombré et vos reins fonctionnent mal. Sur la peau, vous appliquerez une pommade composée de fleurs d'acacia et de blancs d'œuf ; vous boirez plusieurs fois par jour dix gouttes de jus d'aloé, sans oublier vos remèdes habituels. Soyez patient et soignez-vous de manière régulière.

– Je vous avoue être souvent négligent.

– Cette affection pourrait devenir grave si vous n'y prenez pas garde.

– Comment s'occuper de tout ? J'aimerais voir davantage mon fils, lui faire comprendre qu'il sera mon héritier, lui donner le sens de ses futures responsabilités.

– Silkis se plaint de vos absences.

– Ma chère et douce Silkis ! Elle perçoit l'importance de mes efforts. Comment se porte Pazair ?

– Le vizir vient de le convoquer, sans doute pour lui parler de l'arrestation du général Asher.

– J'admire votre mari. A mon sens, c'est un prédestiné ; en lui s'inscrit une volonté qu'aucun accident ne fera dévier de sa route.

*

Bagey était penché sur un texte législatif concernant la gratuité des passages en bac pour les personnes aux faibles revenus. Lorsque Pazair se présenta devant lui, il ne leva pas la tête.

– Je vous attendais plus tôt.

Le ton, cassant, surprit le juge.

– Asseyez-vous. Je dois terminer ce travail.

Les épaules voûtées, le dos arrondi, le visage allongé et ingrat, le vizir accusait le poids des ans.

Pazair, qui croyait avoir suscité l'amitié de Bagey, faisait soudain l'objet d'une colère froide, sans en connaître la raison.

– Le Doyen du porche doit se montrer irréprochable, décréta le vizir, d'une voix enrouée.

– Je me suis moi-même battu afin que cette fonction ne soit plus entachée d'irrégularités.

– Aujourd'hui, vous l'occupez.

– M'adresseriez-vous un reproche ?

– Pis que cela, juge Pazair. Comment justifiez-vous votre conduite ?

– De quoi suis-je accusé ?

– J'aurais apprécié davantage de sincérité.

– Serai-je une nouvelle fois condamné sans motif ?

Excédé, le vizir se leva.

– Oubliez-vous à qui vous parlez ?

– Je refuse l'injustice, d'où qu'elle vienne.

Bagey s'empara d'une tablette de bois, couverte de hiéroglyphes, et la mit sous les yeux de Pazair.

– Reconnaissez-vous votre sceau, au bas de ce texte ?

– En effet.

– Lisez.

– Il s'agit d'une livraison de poissons de premier choix dans un entrepôt de Memphis.

– Livraison que vous avez ordonnée. Or l'entrepôt n'existe pas. Vous avez détourné cette marchandise de luxe de sa véritable destination, le marché de la ville.

Les caisses ont été retrouvées dans les dépendances de votre villa.

– Enquête rondement menée !

– Vous avez été dénoncé.

– Par qui ?

– Lettre anonyme, mais dont les détails étaient exacts. En l'absence du chef de la police, c'est l'un de ses subordonnés qui s'est aussitôt chargé des vérifications.

– Un ancien collaborateur de Mentmosé, je suppose ?

Bagey sembla gêné.

– Exact.

– N'avez-vous pas envisagé une manipulation ?

– Bien sûr que si. Les indices vont dans ce sens : les poissonneries dont Mentmosé est responsable, l'intervention d'un de ses fidèles, son désir de revanche... Mais reste votre sceau apposé sur un document compromettant.

Le regard du vizir avait changé. Pazair y lut un espoir de découvrir une autre vérité.

– Je détiens la preuve formelle de mon innocence.

– Rien ne me réjouirait davantage.

– Simple précaution, expliqua Pazair. Au fur et à mesure de mes épreuves, ma niaiserie s'est atténuée. Chaque titulaire d'un sceau ne doit-il pas prendre des précautions ? Je me doutais qu'un jour ou l'autre, mes ennemis s'en serviraient. Dans tous les documents officiels, j'appose un petit point rouge après les neuvième et vingt et unième mots. Sous mon sceau, je dessine une minuscule étoile à cinq branches, presque noyée dans l'encre, mais visible de très près. Veuillez examiner cette tablette, je vous prie, et vérifier l'absence de ces signes distinctifs.

Le vizir se leva et s'approcha d'une fenêtre ; un rayon de soleil illumina le document.

– Ils n'y figurent pas, constata-t-il.

*

Bagey ne laissa rien dans l'ombre. Il dépouilla lui-même quantité d'actes signés par Pazair; ne manquaient ni les points rouges ni la petite étoile. Plutôt que de partager ce secret, il conseilla au Doyen du porche de modifier sa marque et de n'en parler à personne.

Sur l'ordre du vizir, Kem interrogea le policier qui avait reçu la dénonciation et omis de la lui signaler. L'homme s'effondra, et avoua avoir cédé à la corruption, en recevant de Mentmosé l'assurance que le juge Pazair serait condamné. Le Nubien, fort irrité, envoya dans le Delta une escouade de cinq fantassins qui ramenèrent à Memphis l'ancien chef de la police, protestant de son innocence.

– Je vous reçois en privé, indiqua Pazair, afin de vous éviter un procès.

– On m'a calomnié!

– Votre complice a avoué.

Le crâne chauve de Mentmosé rosit. Pris d'une furieuse démangeaison, il se contint. Lui qui avait tenu tant de destinées au creux de la main, ne disposait d'aucune influence sur le magistrat. Aussi fut-il onctueux.

– Le poids du malheur m'accable, de mauvaises langues m'agressent. Comment me défendre?

– Renoncez-y et admettez votre culpabilité.

Mentmosé respira avec difficulté.

– Quel sort me réservez-vous?

– Vous n'êtes pas digne de commander. Le fiel qui coule dans vos veines pourrit ce que vous touchez. Je vous envoie à Byblos, au Liban, loin de l'Égypte. Vous appartiendrez à une équipe d'entretien de nos navires.

– Travailler de mes mains?

– Est-il plus grand bonheur?

La voix nasillarde de Mentmosé s'emplit de colère.

– Je ne suis pas le seul responsable. C'est Dénès qui a inspiré mon geste.

– Comment vous croire ? Le mensonge fut votre pratique favorite.

– Je vous aurais prévenu.

– Étrange et soudaine bonté.

Mentmosé ricana.

– Bonté ? Certes pas, juge Pazair ! Jouissance de vous voir abattu par la foudre, noyé sous le flot, enseveli sous un déluge de pierres ! La chance vous abandonnera, vos ennemis se multiplieront.

– Ne vous mettez pas en retard ; votre bateau part dans une heure.

CHAPITRE 31

– Lève-toi, ordonna Éphraïm.

Nu, un carcan de bois autour du cou, les bras liés derrière lui à la hauteur du coude, Souti parvint à se redresser. Éphraïm le tira par une corde serrée autour de sa taille.

– Un mouchard, un sale mouchard! Je m'étais trompé sur ton compte, petit.

– Pourquoi t'es-tu inclus dans une équipe de mineurs? demanda le général Asher avec douceur.

Les lèvres sèches, le corps meurtri par les coups de poing et de pied, les cheveux maculés de sable et de sang, Souti tança son ennemi. Une flamme intense animait encore le regard.

– Laissez-moi le corriger, demanda le policier du désert, à la solde du général.

– Plus tard. Sa fierté m'amuse. Tu espérais me piéger, prouver que j'étais à la tête d'un trafic d'or? Bonne intuition, Souti. La solde d'officier supérieur ne me suffisait pas. Puisqu'il n'est pas possible de modifier le gouvernement de ce pays, autant profiter de ma fortune.

– Remontons-nous vers le nord? s'enquit Éphraïm.

– Surtout pas. L'armée nous attend à la frontière du Delta. Partons vers le sud, passons derrière Éléphantine et bifurquons vers le désert de l'ouest où nous rejoindrons Adafi.

Avec des chariots, des vivres et de l'eau, il réussirait.

– J'ai la carte des puits, précisa Asher. Avez-vous chargé l'or ?

Éphraïm sourit.

– Cette fois, la mine est vraiment épuisée! Ne devrions-nous pas nous débarrasser de cet espion ?

– Effectuons une expérience intéressante : combien de temps survivra-t-il, en marchant la journée entière, et en buvant deux gorgées d'eau ? Souti est particulièrement robuste. Le résultat nous servira lors de l'entraînement des troupes libyennes.

– J'aimerais quand même l'interroger encore, insista le géant.

– Un peu de patience. A l'étape, il sera moins têtu.

*

La hargne. Une hargne chevillée au corps, imprimée dans chaque muscle, dans chaque pas. Grâce à elle, Souti lutterait jusqu'à ce que son cœur refusât de parler dans ses membres. Prisonnier de trois tortionnaires, il n'avait aucune chance de leur échapper. A l'instant même où il tenait enfin Asher, sa victoire s'était transformée en déroute. Impossible de communiquer avec Pazair, de lui apprendre ce qu'il avait découvert. Son exploit resterait inutile, il disparaîtrait loin de son ami, de Memphis, du Nil, des jardins et des femmes. Mourir était stupide. Souti ne désirait pas rentrer sous terre, dialoguer avec Anubis à tête de chacal, affronter Osiris et la balance du jugement; il voulait tomber amoureux, se battre avec ses ennemis, galoper dans le vent du désert, devenir plus riche que le plus fortuné des nobles, pour le plaisir d'en rire. Mais le carcan pesait de plus en plus lourd.

Il avançait, tiré par la corde qui lui déchirait la peau des hanches, des reins et du ventre; accrochée à l'arrière d'un chariot chargé d'or, elle se tendait dès qu'il tirait la jambe. Les roues tournaient lentement, car le véhicule ne devait pas quitter la piste étroite, sous peine de s'ensabler ; pour Souti, leur mouvement infernal s'accélérait mètre après mètre, l'obligeant à puiser dans ses dernières forces. Au moment où il renonçait, une nouvelle énergie l'animait. Un pas encore, et encore un pas.

Et la journée passa à travers son corps meurtri.

Le chariot s'arrêta. Souti resta debout une longue minute, immobile, comme s'il ne savait plus s'asseoir. Puis ses genoux plièrent, et il s'affaissa, les fesses sur les talons.

– Tu as soif, petit ?

Éphraïm, goguenard, balança une outre devant son nez.

– Tu es aussi costaud qu'une bête sauvage, mais tu ne résisteras pas plus de trois jours. J'ai parié avec le policier et je déteste perdre.

Éphraïm donna à boire au prisonnier. Le liquide frais imprégna ses lèvres et se répandit dans tout son être. Le policier, d'un coup de pied, le renversa dans le sable.

– Mes amis vont se reposer ; moi, je monte la garde et je t'interroge.

Le mineur s'interposa.

– Nous avons parié ; tu n'as pas le droit de l'abîmer.

Souti demeura étendu sur le dos, les yeux fermés. Éphraïm s'éloigna, le policier tourna autour du jeune homme.

– Demain, tu mourras. Avant, tu parleras. J'ai fait céder des mineurs plus coriaces que toi.

Souti entendait à peine le bruit des pas qui martelaient le sol.

– Tu as peut-être tout dit sur ta mission, mais je veux en avoir le cœur net. Comment maintenais-tu le contact avec le juge Pazair ?

Souti eut un pauvre sourire.

– Il viendra me chercher. Tous les trois, vous serez condamnés.

Le policier s'assit près de la tête de Souti.

– Tu es seul, tu n'as pas réussi à communiquer avec le juge. Personne ne te procurera le moindre secours.

– Ce sera ta dernière erreur.

– Le soleil te rend fou.

– A force de trahir, tu perds le sens de la réalité.

Le policier gifla Souti.

– Ne m'irrite pas davantage; sinon, tu seras le jouet de mon chien.

La nuit tombait.

– N'espère pas dormir; tant que tu n'auras pas parlé, mon poignard chatouillera ta gorge.

– J'ai tout dit.

– Je suis sûr que non. Sinon, pourquoi te serais-tu jeté tête baissée dans un guet-apens?

– Parce que je suis un imbécile.

Le policier planta son poignard au ras de la tête du prisonnier.

– Dors, petit; demain sera ton dernier jour.

Malgré l'épuisement, Souti ne parvint même pas à s'assoupir. Du coin de l'œil, il vit le policier passer l'index sur la pointe de sa dague, puis sur le tranchant. Las, il la posa à côté de lui. Souti savait qu'il s'en servirait avant l'aube. Dès qu'il le sentirait fléchir, il lui trancherait la gorge, trop heureux de se débarrasser d'un poids inutile. Il se justifierait sans peine auprès du général Asher.

Souti lutta. Il n'acceptait pas de mourir par surprise. Quand la brute l'agresserait, il lui cracherait au visage.

*

La lune, souveraine guerrière, pointait son couteau recourbé au sommet du ciel. Souti la supplia de s'abaisser vers lui et de le transpercer, afin d'abréger ses souffrances. En échange de son impiété, les dieux ne pouvaient-ils lui accorder cette maigre faveur?

S'il vivait encore, c'était à cause du désert. En sympathie avec la puissance de la désolation, de l'aridité et de la solitude, il respirait à son rythme. L'océan de sable et de pierre devenait son allié. Au lieu de l'épuiser, il lui redonnait de la force. Ce linceul-là, brûlé de soleil et battu de vent, lui plaisait davantage qu'un tombeau de noble.

Le policier demeurait assis, guettant la défaillance du prisonnier. Dès qu'il fermerait les yeux, il se glisserait dans son sommeil, comme la mort ravisseuse, et lui volerait son âme. Nourri par le sol, abreuvé par la lune, Souti tenait bon.

Le tortionnaire poussa un cri rauque. Il battit des bras, tel un oiseau blessé, tenta de se lever, et tomba en arrière.

Sortant de la nuit, apparut la déesse de la mort. Un instant lucide, Souti comprit qu'il délirait. Ne traversait-il pas l'espace redoutable entre les mondes, où des créatures monstrueuses attaquaient le défunt ?

– Aide-moi, exigea la déesse. Retournons le cadavre.

Souti se redressa sur le côté.

– Panthère ! Mais comment...

– Plus tard. Faisons vite, je dois récupérer le poignard que j'ai planté dans sa nuque.

La Libyenne blonde soutint son amant, qui parvint à se mettre debout. Elle poussa le corps avec ses mains, lui avec ses pieds. Panthère arracha l'arme, coupa les liens de Souti, ôta le carcan et le serra contre elle.

– Comme c'est bon de te sentir... C'est Pazair qui t'a sauvé. Il m'a confié que tu étais parti de Coptos, comme mineur. J'y ai appris que tu avais disparu, et j'ai suivi le groupe de policiers qui se vantait de pouvoir te retrouver. Il s'est vite réduit au traître que j'ai supprimé. Nous autres Libyens, savons survivre sans peine dans cet enfer. Viens boire quelques gorgées.

Elle l'entraîna derrière une butte d'où elle avait observé le campement et les chariots sans être vue. Avec une incroyable énergie, Panthère avait porté deux outres qu'elle remplissait à chaque point d'eau, un sac de viande séchée, un arc et des flèches.

– Asher et Éphraïm ?
– Ils dorment, dans les chariots, en compagnie d'un énorme chien. Impossible de les attaquer.
Souti s'évanouissait ; Panthère le couvrit de baisers.
– Non, pas maintenant !
Elle l'aida à s'allonger, le caressa, et s'allongea sur lui. Malgré l'extrême faiblesse de son amant, elle savoura l'éveil de sa virilité.
– Je t'aime, Souti, et je te sauverai.

*

Un cri d'effroi arracha Néféret au sommeil. Pazair bougea, mais ne se réveilla pas. La jeune femme passa une robe et sortit dans le jardin.
Une servante, qui apportait du lait frais, était en larmes. Elle avait abandonné ses pots, dont le contenu se répandait sur le sol.
– Là, gémit-elle, en pointant l'index vers le seuil de pierre.
Néféret s'accroupit.
Des fragments de vases rouges, brisés, et portant inscrits au pinceau et à l'encre noire le nom du juge Pazair, suivi de formules magiques incompréhensibles.
– Le mauvais œil ! s'exclama la servante. Il faut quitter cette maison sans tarder.
– Le pouvoir de Maât n'est-il pas plus puissant que celui des ténèbres ? interrogea Néféret, en prenant la servante par l'épaule.
– L'existence du juge sera brisée, comme ces vases !
– Crois-tu que je ne la défendrai pas ? Surveille ces morceaux. Je passe à l'atelier.
Néféret revint avec une colle qu'utilisaient les réparateurs de vases. En compagnie de la servante, elle étala les éléments du puzzle et, sans hâte, les rassembla. Avant de reconstituer les objets, Néféret effaça les inscriptions.
– Tu donneras ces récipients au blanchisseur. A

force de contenir l'eau qui lave les souillures, ils seront eux-même purifiés.

Elle embrassa les mains de Néféret.

– Le juge Pazair a beaucoup de chance. La déesse Maât le protège.

– Nous livreras-tu du lait frais ?

– Je vais traire ma meilleure vache.

La servante partit en courant.

*

Le paysan enfonça dans la terre meuble un pieu deux fois plus haut que lui, et fixa à son sommet une longue perche flexible. A l'extrémité la plus épaisse, il attacha un contrepoids en pisé, à la plus mince une corde soutenant un récipient en poterie. D'un geste lent, répété des centaines de fois chaque jour, il tirerait sur la corde, enfoncerait le récipient dans l'eau du canal, relâcherait la pression afin que le contrepoids élevât le pot à hauteur de la perche, et en déversât le contenu sur la terre du jardin. En une heure, il soulèverait ainsi trois mille quatre cents litres et irriguerait ses cultures. Grâce à ce système, l'eau était transportée sur de hautes terres que ne recouvrait pas l'inondation.

Sa première manœuvre à peine entamée, le paysan perçut un bruit sourd, tout à fait inhabituel. Les mains serrées sur la corde, il tendit l'oreille. Le grondement s'amplifia. Inquiet, il s'éloigna de sa machine à irriguer, gravit la pente, et se campa au sommet de la colline.

Tétanisé, il vit venir vers lui un flot furieux qui dévastait tout sur son passage. En amont, la digue avait été rompue ; hommes et bêtes se noyaient, luttant en vain contre le torrent boueux.

*

Pazair fut le premier officiel sur les lieux. Dix morts, la moitié d'un troupeau de bœufs décimée, quinze machines à irriguer détruites... Le bilan de l'accident était très lourd. Déjà, des ouvriers rebâtissaient la digue, aidés par des soldats du génie; mais la réserve d'eau était perdue. L'État, par la présence du Doyen du porche qui rassembla la population sur la place du village le plus proche, s'engagea à l'indemniser et à la nourrir. Mais chacun voulait connaître le responsable du drame; aussi Pazair interrogea-t-il longuement les deux fonctionnaires chargés, à cet endroit, de l'entretien des canaux, des réservoirs et des digues. Aucune faute n'avait été commise; les tournées d'inspection, effectuées dans les règles, n'avaient rien révélé d'anormal. Le juge disculpa les techniciens lors d'une audience publique.

Chacun nomma donc le seul coupable possible : le mauvais œil. Une malédiction s'était abattue sur la digue, avant de gagner le village, puis la province, puis le pays entier.

Pharaon n'exerçait plus son rôle protecteur. S'il ne célébrait pas dans l'année sa fête de régénération, qu'adviendrait-il de l'Égypte ? Le peuple demeura confiant. Sa voix et ses exigences atteindraient les maires des bourgades, les chefs des provinces, les dignitaires de la cour, et Ramsès lui-même. Chacun savait que le roi voyageait beaucoup, et n'ignorait rien des aspirations de ceux qu'il gouvernait. Confronté à la difficulté, parfois perdu dans la tourmente, il avait toujours pris la voie juste.

*

L'avaleur d'ombres sortait enfin de l'impasse. Pour s'approcher du juge Pazair, et le rendre victime d'un accident, il devait d'abord éliminer ses protecteurs. Le plus dangereux n'était pas Kem, mais le babouin policier aux canines plus longues que celles d'une panthère, et capable de terrasser n'importe quel fauve. Pourtant, l'avaleur d'ombres avait déniché l'adversaire adéquat, à un prix élevé.

Le babouin de Kem ne résisterait pas à un autre mâle, plus gros et plus trapu. L'avaleur d'ombres l'avait enchaîné, muselé, et ne le nourrissait plus depuis deux jours, guettant l'occasion propice. Elle se présenta en plein midi, lorsque Kem offrit à manger à son singe. Ce dernier s'empara d'un morceau de bœuf et commença à le grignoter, à l'extrémité de la terrasse d'où le Nubien observait la demeure de Pazair, qui déjeunait en tête à tête avec son épouse.

L'avaleur d'ombres détacha son babouin et ôta la muselière avec prudence. Attiré par l'odeur de la viande, il grimpa sans bruit le long de la façade blanche et se dressa face à son congénère.

Les oreilles rouges de colère, les yeux injectés de sang, les fesses violacées, l'agresseur montra les dents, prêt à mordre. Le babouin policier délaissa son repas et répliqua de la même manière. La manœuvre d'intimidation échoua ; l'un et l'autre virent, dans leur regard, le même désir de combattre. Aucun son n'avait été proféré.

Lorsque l'instinct de Kem lui commanda de se retourner, il était trop tard. Les deux singes hurlèrent en même temps et se ruèrent à l'assaut.

Impossible de les séparer ou d'abattre l'ennemi ; les babouins ne formaient plus qu'une masse, sans cesse en mouvement, roulant de droite et de gauche. Avec une incroyable férocité, ils se déchiraient en lançant des cris stridents.

Le combat fut de courte durée. La masse informe s'immobilisa.

Kem n'osa s'approcher.

Très lentement, un bras émergea, et repoussa le cadavre du vaincu.

– Tueur !

Le Nubien se précipita vers son singe et le soutint à l'instant où il s'effondrait, couvert de sang. Il avait réussi à égorger l'agresseur, au prix de profondes blessures.

L'avaleur d'ombres cracha de rage et s'éloigna.

*

Le babouin regarda fixement Néféret pendant qu'elle désinfectait ses plaies, avant de les enduire de boue du Nil.

– Souffre-t-il beaucoup ? demanda Kem, nerveux.

– Peu d'humains seraient aussi courageux.

– Le sauverez-vous ?

– Sans aucun doute. Son cœur est aussi fort qu'un roc, mais il lui faudra accepter des pansements et une relative immobilité pendant quelques jours.

– Il m'obéira.

– Pendant une semaine, ne le nourrissez pas trop. A la moindre rechute, alertez-moi.

La patte de Tueur se posa sur la main du médecin. Dans les yeux du singe, une reconnaissance sans bornes.

*

Le conseil des médecins se réunit pour la dixième fois.

En faveur de Qadash, l'âge, la notoriété, l'expérience, et sa qualité de dentiste que Pharaon apprécierait ; pour Néféret, ses qualités de guérisseuse hors du commun, ses compétences chaque jour démontrées à l'hôpital, l'opinion favorable de quantité de praticiens, l'appui de la reine mère.

– Mes chers collègues, estima le doyen d'âge, la situation devient scandaleuse.

– Eh bien, élisons Qadash ! intervint l'ancien bras droit de Nébamon. Avec lui, nous ne prenons aucun risque.

– Que reprochez-vous à Néféret ?

– Trop jeune.

– Si elle ne dirigeait pas l'hôpital avec autant de brio, précisa un chirurgien, j'aurais partagé votre avis.

– La fonction de médecin-chef exige un homme

représentatif et pondéré, pas une jeune femme, si douée soit-elle.

– Au contraire! Elle dispose d'une énergie qui n'habite plus Qadash.

– Parler en ces termes de notre estimé collègue est insultant.

– Estimé... pas par tous! Ne serait-il pas mêlé à des trafics commerciaux, et poursuivi par le juge Pazair?

– Le mari de Néféret, faut-il le dire!

Les controverses s'envenimèrent, le ton monta.

– Mes chers collègues, un peu de dignité!

– Finissons-en, et proclamons l'élection de Qadash.

– Hors de question! Néféret, personne d'autre.

La session, malgré les promesses, s'acheva sur le statu quo. Une décision ferme fut prise : lors de la prochaine réunion du comité, le nouveau médecin-chef du royaume serait désigné.

*

Bel-Tran fit visiter son domaine à son fils. Le gamin joua avec les papyrus, sauta sur les tabourets pliants, brisa un pinceau de scribe.

– Ça suffit, ordonna son père. Respecte le matériel du haut fonctionnaire que tu vas devenir.

– Je veux être comme toi et commander aux autres, mais pas travailler.

– Sans effort, tu ne seras même pas scribe des champs.

– Je préfère être riche et posséder des terres.

L'arrivée de Pazair interrompit le dialogue. Bel-Tran remit son fils à un serviteur qui le conduirait au manège où il apprenait à monter à cheval.

– Vous semblez préoccupé, Pazair.

– Je ne dispose d'aucune information sur le sort de Souti.

– Asher?

– Pas la moindre trace. Les postes frontières n'ont rien signalé.

– Fâcheux.
– Les comptes de Dénès, d'après vous ?
– Des irrégularités, certes, des erreurs volontaires, et des malversations.
– Ensemble suffisant pour l'inculper ?
– Vous touchez au but, Pazair.

*

La nuit était douce. Brave, après une course folle autour du bassin aux lotus, dormait aux pieds de son maître. Épuisée après une longue journée à l'hôpital, Néféret s'était assoupie. Le juge, à la lueur de deux lampes, préparait l'acte d'accusation.

Asher se condamnait par sa propre fuite, justifiant les griefs du procès précédent. Dénès avait fraudé le fisc, détourné des marchandises, corrompu des consciences. Chéchi était à la tête de commerces clandestins. Qadash, complice, ne pouvait ignorer ces menées obscures. Quantité de points précis et de témoignages accablants, écrits et oraux, seraient présentés aux jurés.

La réputation des quatre hommes ne survivrait pas à l'audience, des peines plus ou moins lourdes leur seraient infligées. Le juge aurait peut-être brisé le complot, mais il lui resterait à retrouver Souti et à poursuivre son chemin vers la vérité, le chemin qui menait à l'assassin de son maître Branir.

CHAPITRE 32

L'autruche s'immobilisa, percevant un danger. Inquiète, elle battit des ailes, incapable de s'envoler, effectua un pas de danse pour saluer le soleil levant, et se lança dans une course fulgurante en direction d'une dune. Souti avait vainement tenté de bander son arc. Ses muscles étaient douloureux, presque tétanisés. Panthère le massa et le frotta avec l'onguent que contenait une fiole accrochée à sa ceinture.

– Combien de fois m'as-tu trompée ?

Souti émit un soupir d'exaspération.

– Si tu refuses de me répondre, je t'abandonne. N'oublie pas que je possède une outre d'eau et la viande séchée.

– Tant d'efforts pour en arriver là ?

– Quand on veut la vérité, aucune épreuve n'est insurmontable. Le juge Pazair m'a convaincue.

Souti ressentit un bien-être immédiat. Bientôt, Éphraïm et Asher s'apercevraient de la mort du policier, et se lanceraient à la recherche du prisonnier.

– Éloignons-nous au plus vite.

– Réponds-moi d'abord.

Le poignard menaça le ventre de Souti.

– Si tu m'as trompée, je fais de toi un eunuque !

– Tu n'ignores pas mon mariage avec la dame Tapéni.

– Je l'étranglerai de mes mains. Une autre ?
– Bien sûr que non.
– A Coptos, dans cette ville de luxure...
– Je me suis engagé comme mineur. Après, ce fut le désert.
– A Coptos, personne ne reste chaste.
– Moi, si.
– J'aurais dû te tuer dès que je t'ai rencontré.
– Regarde !

Éphraïm venait de découvrir le cadavre. Il détacha le chien. Ce dernier huma le vent, mais ne consentit pas à s'écarter de son maître. Le mineur se concerta avec Asher ; ils reprirent la route. Fuir l'Égypte et sauver l'or leur semblait plus important que poursuivre un adversaire diminué. Le policier éliminé, ils partageraient à deux.

– Ils s'en vont, soupira Panthère.
– Suivons-les.
– As-tu perdu la tête ?
– Asher ne m'échappera pas.
– Oublies-tu ton état ?
– Grâce à toi, il s'améliore d'heure en heure. Marcher me rétablira.
– Je suis amoureuse d'un fou.

*

Assis sur la terrasse de sa villa, Pazair contemplait l'orient. Ne parvenant pas à dormir, il avait quitté sa chambre afin de se confier à la nuit étoilée. Le ciel était si clair qu'il distinguait la forme des pyramides de Guizeh, drapées dans un bleu profond où perçait le premier sang de l'aube. Ancrée dans une paix millénaire, bâtie de pierre, d'amour et de vérité, l'Égypte se déployait dans le mystère du jour à naître. Pazair n'était plus le Doyen du porche, ni même un juge ; absorbé dans l'immensité où se célébrait l'impossible mariage entre l'invisible et le visible, en communion avec l'esprit des ancêtres dont la présence demeurait tangible dans chaque murmure de sa terre, il tenta de s'oublier lui-même.

Pieds nus, silencieuse, Néféret apparut près de lui.

– Il est si tôt... Tu devrais dormir.

– C'est mon heure préférée. Dans quelques instants, l'or illuminera la frange des montagnes et le Nil ressuscitera. Pourquoi es-tu si inquiet ?

Comment lui avouer que lui, le magistrat sûr de ses vérités, était en proie au doute ? On le croyait inébranlable, insensible aux événements, alors que le moindre d'entre eux le marquait, parfois comme une blessure. Pazair n'admettait pas l'existence du mal et ne s'habituait pas au crime. Le temps n'effaçait pas la mort de Branir qu'il était incapable de venger.

– J'ai envie de renoncer, Néféret.

– Tu es épuisé.

– Je partage l'avis de Kem. La justice, si elle existe, n'est pas applicable.

– Redouterais-tu un échec ?

– Mes dossiers sont solides, mes accusations fondées, mes arguments décisifs... Mais Dénès, ou l'un de ses acolytes, peut encore utiliser une arme juridique et détruire l'édifice patiemment construit. En ce cas, pourquoi continuer ?

– Ce n'est qu'un moment de lassitude.

– L'idéal de l'Égypte est sublime, mais n'empêche pas l'existence d'un général Asher.

– N'as-tu pas réussi à freiner ses agissements ?

– Après lui, un autre, puis encore un autre...

– Après un malade, un autre, puis encore un autre... Faudrait-il cesser de soigner ?

Il prit ses mains avec tendresse.

– Je suis indigne de ma fonction.

– Les mots inutiles insultent Maât.

– Un vrai juge douterait-il de la justice ?

– Tu ne remets en cause que toi-même.

Le jeune soleil les baigna d'un rayon à la fois acéré et caressant.

– C'est notre vie que je joue, Néféret.

– Nous ne luttons pas pour nous-mêmes, mais pour faire croître la lumière qui nous unit. Dévier de notre route serait criminel.

– Tu es plus forte que moi.

Elle sourit, amusée.

– Demain, c'est toi qui me soutiendras.

Unis, ils vécurent la naissance du jour.

*

Avant de partir pour le bureau du vizir, Pazair éternua une dizaine de fois et se plaignit d'une violente douleur dans la nuque. Néféret ne manifesta aucun affolement ; elle lui fit boire une décoction de feuilles et d'écorce de saule *, remède qu'elle utilisait fréquemment pour supprimer la fièvre et les maux les plus divers.

Le soulagement fut rapide. Pazair respira mieux et se présenta ragaillardi devant Bagey, de plus en plus voûté.

– Voici le dossier complet concernant le général Asher, le transporteur Dénès, le chimiste Chéchi et le dentiste Qadash. En tant que Doyen du porche, je sollicite de votre part la tenue d'un procès public, avec comme chefs d'accusation haute trahison, atteinte à la sécurité du royaume, tentative délibérée de supprimer la vie, prévarications et malversations. Certains points sont bien établis, d'autres demeurent obscurs. Les charges sont telles, néanmoins, qu'il m'a paru inutile d'attendre davantage.

– L'affaire est d'une exceptionnelle gravité.

– J'en ai conscience.

– Les accusés sont des personnalités considérables.

– Leurs fautes sont d'autant plus répréhensibles.

* Le saule contient la substance qui forme la composante essentielle de l'aspirine, qui fut donc « inventée » et utilisée plus de deux mille ans avant J.-C.

– Vous avez raison, Pazair. J'ouvrirai le procès après la fête de la déesse Opet *, bien qu'Asher demeure introuvable.

– Souti également.

– Je partage votre inquiétude. Aussi ai-je ordonné à une division d'infanterie de ratisser le désert autour de Coptos, en compagnie des policiers spécialisés. Dans vos conclusions, identifiez-vous l'assassin de Branir ?

– J'ai échoué. Je ne dispose d'aucune certitude.

– Je veux son nom.

– Jamais je n'abandonnerai l'enquête.

– La candidature de Néféret au poste de médecin-chef est gênante. De bons esprits ne manqueront pas de souligner que l'inculpation de Qadash libère la voie pour votre épouse, et tenteront de la discréditer.

– J'y ai songé.

– Qu'en pense Néféret ?

– Si Qadash est complice, il doit être condamné.

– Vous n'avez pas le droit à l'échec. Ni Dénès ni Chéchi ne seront des proies faciles. Et je redoute l'un de ces retournements de situation dont Asher est coutumier. Les traîtres possèdent un don particulier pour justifier leur félonie.

– Je place mes espoirs dans votre tribunal. Le mensonge y fait naufrage.

Bagey posa la main sur le cœur de cuivre qu'il portait au cou. Par ce geste, il plaçait la conscience de son devoir avant tout.

*

Les conjurés s'étaient réunis dans la ferme abandonnée où ils avaient coutume de s'entretenir en cas d'urgence. Dénès, d'ordinaire triomphant et sûr de lui, semblait préoccupé.

* Déesse hippopotame, symbolisant la fécondité, tant spirituelle que matérielle.

– Nous devons réagir très vite. Pazair a déposé un dossier chez Bagey.

– Rumeur ou élément sérieux ?

– L'affaire est inscrite au tribunal du vizir et sera plaidée après la fête d'Opet. Qu'Asher soit impliqué est une satisfaction, mais je ne veux pas voir ma réputation compromise.

– L'avaleur d'ombres ne devait-il pas réduire le juge Pazair à l'inaction ?

– La malchance a joué contre lui, mais il ne lâchera pas sa proie.

– Belle promesse, qui n'empêche pas votre mise en accusation !

– Nous sommes les maîtres du jeu, ne l'oubliez pas. Il suffira d'utiliser une parcelle de notre pouvoir.

– Sans nous démasquer ?

– Ce ne sera pas nécessaire. Une simple lettre suffira.

Le plan de Dénès fut accepté.

– Pour ne plus connaître de pareilles angoisses, ajouta-t-il, je vous propose d'avancer l'une des phases de notre plan : le remplacement du vizir. Ainsi, les futures démarches du juge Pazair seront sans effet.

– N'est-ce pas un peu tôt ?

– Constatez-le vous-même : le moment est devenu propice.

*

Sous les yeux étonnés d'Asher et d'Éphraïm, le molosse jaillit hors du chariot et se rua vers un monticule couvert de pierrailles.

– Depuis la disparition de son maître, dit Éphraïm, il est comme fou.

– Nous n'avons pas besoin de lui, estima le général. A présent, j'ai la certitude que nous avons échappé aux patrouilles. La route est libre.

Le molosse, l'écume aux lèvres, fit des bonds fabuleux. Il parut voler de roche en roche, insensible aux silex coupants. Souti obligea Panthère à s'aplatir dans le sable et banda son arc. A portée de flèches, le chien s'immobilisa.

L'homme et la bête se défièrent. Conscient qu'il ne devait pas manquer sa cible, Souti attendit l'attaque. Tuer un chien lui déplaisait. Soudain, l'animal poussa un cri désespéré et s'accroupit à la manière d'un sphinx. Souti posa son arc et s'approcha. Le chien, soumis, se laissa caresser. Dans ses yeux, lassitude et angoisse. Délivré d'un maître impitoyable, serait-il accepté ?

– Viens.

La queue s'agita, joyeuse. Souti avait un nouvel allié.

*

Qadash, ivre, entra en titubant dans la maison de bière. Le procès auquel il serait forcément mêlé l'affolait. Malgré l'assurance de Dénès et la parfaite assise du complot, le dentiste était de plus en plus anxieux. Il se sentait incapable de résister au juge Pazair et redoutait, en raison de son inculpation, de perdre à jamais le poste de médecin-chef. Aussi éprouvait-il un besoin incoercible de s'étourdir ; le vin ne lui procurant pas un soulagement suffisant, il comptait libérer ses nerfs dans le giron d'une prostituée.

Sababou avait repris la tête du plus grand établissement de Memphis dont elle maintenait la bonne réputation. Ses filles récitaient des poèmes, dansaient et jouaient de la musique avant d'offrir leur science érotique à une clientèle élégante et fortunée.

Qadash bouscula le portier, écarta une joueuse de flûte et se rua sur une très jeune servante nubienne qui portait un plateau chargé de pâtisseries. Il la renversa sur des coussins multicolores et tenta de la violer. Les hurlements de la fillette alertèrent Sababou; d'une poigne vigoureuse, elle écarta le dentiste.

– Je la veux.
– Cette petite n'est qu'une servante.
– Je la veux quand même!
– Quittez immédiatement cette maison.
La gamine se réfugia dans les bras de Sababou.
– Je paierai ce qu'il faut.
– Gardez vos biens et décampez.
– Je l'aurai, je vous jure que je l'aurai!
Qadash ne s'éloigna pas de la maison de bière. Tapi dans les ténèbres, il guetta la sortie des employées. Peu après l'aube, la Nubienne et d'autres jeunes serveuses rentrèrent chez elles.

Qadash suivit sa proie. Dès que se présenta une ruelle déserte, il l'attrapa par la taille et lui plaqua une main sur la bouche. La gamine se débattit, mais le dentiste était si déchaîné qu'elle ne résista guère. Qadash arracha sa robe, s'affala sur elle, et la viola.

*

– Mes chers collègues, annonça le doyen d'âge du comité des médecins, nous ne pouvons plus différer la nomination du médecin-chef du royaume. Aucun autre candidat ne s'étant présenté, il nous faut choisir entre Néféret et Qadash. Aussi longtemps que la décision n'aura pas été prise, nous poursuivrons les délibérations.

Cette ligne de conduite reçut l'approbation générale. Chaque praticien intervint, tantôt avec calme, tantôt avec véhémence. Les partisans de Qadash se montrèrent virulents à l'encontre de Néféret. Ne profitait-elle pas de la position de son mari pour faire inculper le dentiste et l'écarter ainsi de sa route? Calomnier un praticien aussi réputé et salir son renom étaient des méthodes scandaleuses qui disqualifiaient la jeune femme.

Un chirurgien à la retraite ajouta que Ramsès le grand souffrait de plus en plus fréquemment des dents et qu'il aimerait avoir auprès de lui un technicien expérimenté. Ne devait-on pas songer d'abord à la personne de Pharaon, de qui dépendait la prospérité du pays ? Nul ne contesta l'argument.

A l'issue de quatre heures d'empoignade, on passa au vote.

– Qadash sera le prochain médecin-chef du royaume, conclut le doyen d'âge.

*

Deux guêpes virevoltèrent autour de Souti et attaquèrent le molosse qui mastiquait un morceau de viande séchée. Le jeune homme observa leur manège et repéra leur nid, enfoui dans la terre.

– La chance revient. Déshabille-toi.

Panthère apprécia l'invitation. Nue, elle se lova contre Souti.

– Nous ferons l'amour plus tard.

– Alors, pourquoi...

– Chaque pouce de mon corps doit être couvert. Je vais déterrer une partie du nid et le mettre dans une outre.

– Si tu es piqué, tu mourras ! Ces guêpes sont redoutables.

– J'ai l'intention de vivre très vieux.

– Pour coucher avec d'autres femmes ?

– Encapuchonne-moi.

Après avoir repéré l'emplacement, Souti creusa. Panthère guidait ses gestes. Le dard des guêpes ne perça pas le tissu, malgré de furieux assauts. Souti enfouit dans l'outre une bonne partie de l'essaim bourdonnant.

– Que comptes-tu en faire ?

– Secret militaire.

– Cesse de te moquer de moi.

– Sois confiante.

Elle posa la main sur sa poitrine.

– Asher ne doit pas s'échapper.

– Sois confiant, le désert m'est familier.

– Si nous perdions sa trace...

Elle s'agenouilla, et lui caressa le haut des cuisses avec une lenteur si diabolique que Souti fut incapable de lui résister. Entre un nid de guêpes furieuses et un molosse assoupi, ils jouirent de leur jeunesse avec une passion inassouvie.

*

Néféret était bouleversée.

Depuis son hospitalisation, la jeune Nubienne pleurait. Blessée dans sa chair comme dans son âme, elle s'accrochait comme une naufragée au poignet du médecin. Le sauvage qui l'avait violée, en déchirant sa virginité, s'était enfui, mais plusieurs personnes en avaient donné une description assez précise. Seul le témoignage direct de la victime, cependant, se traduirait par une accusation formelle.

Néféret soigna le vagin martyrisé et administra des calmants à la fillette. Les tremblements nerveux s'atténuèrent, elle accepta de boire.

– Désires-tu parler ?

Le regard perdu de la jolie Noire se fixa sur sa protectrice.

– Guérirai-je ?

– Je te le promets.

– Il y a des vautours dans ma tête, ils dévorent mon ventre... Je ne veux pas d'enfant de ce monstre !

– Tu n'en auras pas.

– Et si j'étais enceinte ?

– Je pratiquerais moi-même l'avortement.

La Nubienne s'effondra de nouveau en larmes.

– Il était vieux, révéla-t-elle entre deux sanglots, et il sentait le vin. Quand il m'a agressée, dans la maison de bière, j'ai remarqué ses mains rouges, ses pommettes saillantes et les veinules violettes sur son nez proéminent. Un démon, un véritable démon aux cheveux blancs!

– Connais-tu son nom?

– Ma patronne le connaît.

*

C'était la première fois que Néféret s'aventurait dans ce lieu de plaisir, où la décoration et les parfums incitaient à l'abandon des sens. Pour le susciter, Sababou avait déployé un goût chargé, mais efficace. Les courtisanes devaient aisément séduire les visiteurs en mal d'amour.

La propriétaire ne fit pas attendre le médecin, qui l'avait soignée à Thèbes.

– Je suis heureuse de vous accueillir. Ne craignez-vous pas pour votre réputation?

– Elle m'indiffère.

– Vous m'avez guérie, Néféret. Depuis que je suis votre traitement à la lettre, mes rhumatismes ont presque disparu. Vous semblez si tendue, si préoccupée... Cet endroit vous offusquerait-il?

– L'une de vos servantes a été violée de la manière la plus ignoble.

– Je croyais que ce crime n'existait plus, en Égypte.

– Une fillette nubienne, que j'ai soignée à l'hôpital. Le corps se rétablira, mais il n'oubliera peut-être jamais. Elle m'a donné une description de l'agresseur, et affirme que vous connaissez son nom.

– Si je vous le donne, devrai-je comparaître au procès?

– Assurément.

– La discrétion est ma seule religion.

– Comme vous voudrez, Sababou.

Le médecin se détourna.

– Vous devez me comprendre, Néféret! Si j'apparais, on constatera que je suis en situation illégale.

– Seul m'importe le regard de cette fillette.

Sababou se mordit les lèvres.
– Votre mari m'aidera-t-il à garder cette maison ?
– Comment pourrais-je vous le promettre ?
– Le criminel s'appelle Qadash. Il s'est jeté sur la petite, ici même. Il était ivre et violent.

*

Sombre et renfrogné, Pazair faisait les cent pas.
– Je ne sais pas comment t'apprendre la mauvaise nouvelle, Néféret.
– Est-ce si grave ?
– Une injustice, une monstruosité !
– C'est d'un monstre dont je dois précisément te parler. Tu dois l'arrêter sans délai.
Il s'approcha et prit son visage dans ses mains.
– Tu as pleuré.
– C'est très sérieux, Pazair. J'ai mené l'enquête, à toi de conclure.
– Qadash a été élu médecin-chef du royaume. L'acte officiel vient de m'être transmis.
– Qadash est un assassin de la pire espèce : il a violé une fillette vierge.

CHAPITRE 33

Éphraïm et Asher prirent du repos avant de franchir la frontière du sud en contournant Éléphantine. Ils choisirent une grotte où ils passeraient une nuit tranquille après avoir mis le chariot à l'abri. Le général connaissait l'emplacement des garnisons et saurait se faufiler à travers les mailles du filet. Ensuite, il jouirait de sa fortune en Libye, chez son ami Adafi, et entraînerait des bédouins qui sèmeraient l'insécurité en Égypte. Si l'avenir s'annonçait riant, pourquoi ne pas envisager une invasion du Delta et l'appropriation des meilleures terres du nord-ouest ?

Asher ne vivait que pour nuire à son pays d'origine. En l'obligeant à s'enfuir, le juge Pazair avait créé un ennemi dont la ruse et l'obstination seraient plus destructrices qu'une armée entière. Le général s'endormit, pendant que son complice montait la garde.

*

L'outre dans la main droite, Souti rampait sur le surplomb dominant l'entrée de la grotte. La poitrine égratignée, il avançait avec peine, prenant garde à ne pas faire rouler un caillou qui eût signalé sa présence. Panthère, angoissée, l'observait. Serait-il assez rapide pour extraire le nid sans être piqué, assez habile pour le jeter à l'intérieur de la caverne ? Souti ne disposerait pas d'une seconde chance.

Parvenu à l'extrémité du surplomb, il se concentra. A plat ventre, il reprit son souffle et tendit l'oreille. Pas un bruit. Haut dans le ciel, un faucon volait en cercle. Souti ôta le bouchon, agita le bras comme un balancier, et lâcha le nid en direction du repaire de ses ennemis.

Un bourdonnement infernal brisa le calme du désert. Éphraïm sortit de la grotte. Le barbu était environné de guêpes furieuses. Maladroit, chancelant, il tentait en vain de les écarter. Victime d'une centaine de piqûres, il s'effondra sur lui-même, porta les mains à sa gorge, et mourut étouffé.

Asher avait eu le réflexe de plonger sous le chariot et de ne pas bouger. Lorsque les guêpes eurent disparu, il sortit de la grotte, l'épée à la main.

Face à lui, Souti, Panthère et le molosse.

– Trois contre un... On manque de courage ?

– Comment un lâche ose-t-il parler de vaillance ?

– Je possède beaucoup d'or. La fortune ne vous intéresse-t-elle pas, toi et ta maîtresse ?

– Je vais te tuer, Asher, et je m'en emparerai.

– Tu rêves. Ton chien a perdu son agressivité, et tu n'as pas d'arme.

– Encore une erreur, général.

Panthère ramassa l'arc et les flèches, et les tendit à Souti. Asher recula, son visage de rongeur se contracta.

– Si tu me tues, tu te perdras dans le désert.

– Panthère est un excellent guide. Moi-même, je m'habitue à l'endroit. Nous survivrons, sois-en sûr.

– Un être humain n'a pas le droit de porter la main sur un autre être humain, telle est notre loi. Tu n'oseras pas me tuer.

– Qui croirait que tu es encore un être humain ?

– La vengeance avilit. En te rendant coupable de meurtre, tu seras condamné par les dieux.

– Tu n'y crois pas davantage que moi. S'ils existent, ils me seront reconnaissants d'avoir supprimé la plus venimeuse des vipères.

– Le chargement de ce chariot n'est qu'une partie de mon trésor. Viens avec moi et tu seras plus riche qu'un noble thébain.

– Pour aller où ?

– Chez Adafi, en Libye.

– Il m'empalera.

– Je te présenterai comme mon plus fidèle ami.

Panthère se tenait derrière Souti. Il l'entendit se rapprocher. La Libye, son pays ! La proposition du général Asher ne la séduirait-elle pas ? Emmener Souti chez elle, l'avoir tout à elle, vivre dans l'aisance... Comment résister à tant de tentations ? Pourtant, il ne se retourna pas. Les traîtres ne préféraient-ils pas frapper dans le dos ?

Panthère donna une flèche à Souti.

– Tu as tort, reprit Asher d'une voix sifflante. Nous sommes nés pour nous entendre. Tu es un aventurier, comme moi ; l'Égypte nous étouffe. Nous avons besoin d'horizons plus larges.

– Je t'ai vu torturer un Égyptien, un homme sans défense qui crevait de peur. Tu n'as pas manifesté la moindre pitié.

– Je voulais ses aveux. Il menaçait de me dénoncer. Tu te serais comporté comme moi.

Souti banda son arc et tira. La flèche se ficha entre les deux yeux.

Panthère se suspendit au cou de son amant.

– Je t'aime et nous sommes riches !

*

Kem avait arrêté Qadash chez lui, à l'heure du déjeuner. Il lui lut l'acte d'accusation et lui lia les mains. Le dentiste, la tête lourde et l'œil vague, protesta mollement. Il fut aussitôt conduit chez le juge Pazair.

– Reconnaissez-vous votre forfait ?

– Bien sûr que non !

– Des témoins vous ont identifié.

– Je suis entré dans la maison de bière de la dame Sababou, y ai bousculé des filles désagréables et suis reparti presque aussitôt. Aucune ne me plaisait.

– La déclaration de Sababou est fort différente.

– Qui croira cette vieille prostituée ?

– Vous avez violé une fillette nubienne, servante chez Sababou.

– Calomnie ! Que cette menteuse ose l'affirmer devant moi.

– Vos juges trancheront.

– Vous n'avez pas l'intention de...

– Le procès sera tenu demain.

– Je veux rentrer chez moi.

– Je refuse votre liberté provisoire. Vous pourriez agresser une autre enfant. Kem assurera votre sécurité au poste de police.

– Ma... sécurité ?

– Le quartier entier souhaite vous lyncher.

Qadash s'agrippa au juge.

– Vous avez le devoir de me protéger !

– C'est, hélas, vrai.

*

La dame Nénophar se rendit à l'atelier de tissage avec la ferme intention d'obtenir, comme d'habitude, les meilleures étoffes et de faire pâlir de rage ses rivales. Combien d'heures exaltantes en prévision, passées à confectionner elle-même des robes somptueuses qu'elle porterait avec une élégance incomparable !

Avec ses yeux mutins et ses airs supérieurs, Tapéni l'irritait ; mais elle connaissait son métier à la perfection et lui procurait des tissus sans défaut. Grâce à elle, Nénophar précédait la mode.

Tapéni arborait un curieux sourire.

– Il me faut du lin de première qualité, exigea Nénophar.

– Ce sera difficile.
– Pardon ?
– A dire vrai, impossible.
– Quelle mouche vous pique, Tapéni ?
– Vous êtes très riche, pas moi.
– Ne vous ai-je pas toujours payée ?
– A présent, j'exige davantage.
– Une augmentation en cours d'année... Ce n'est pas très correct, mais j'accepte.
– Ce n'est pas une étoffe que je désire vous vendre.
– Quoi d'autre ?
– Votre mari est un homme en vue, très en vue.
– Dénès ?
– Il se doit d'être irréprochable.
– Que sous-entendez-vous ?
– La haute société est cruelle. Si l'un de ses membres est reconnu coupable d'immoralité, il perd vite son influence, voire sa fortune.
– Expliquez-vous !
– Ne vous énervez pas, Nénophar ; si vous êtes raisonnable et généreuse, votre position ne sera pas menacée. Il vous suffit d'acheter mon silence.
– Que savez-vous donc de si compromettant ?
– Dénès n'est pas un mari fidèle.

La dame Nénophar crut que le toit de l'atelier lui tombait sur la tête. Si Tapéni possédait la moindre preuve de ce qu'elle avançait, si elle la répandait dans la noblesse thébaine, l'épouse du transporteur sombrerait dans le ridicule et n'oserait jamais réapparaître à la cour ou dans une quelconque réception.

– Vous... vous fabulez !
– Ne prenez aucun risque, je sais tout.

Nénophar ne tergiversa pas. L'honorabilité était son bien le plus précieux.

– Qu'exigez-vous, en échange de votre silence ?
– Les revenus d'une de vos propriétés agricoles et, dès que possible, une belle villa à Memphis.
– C'est exorbitant !

– Vous imaginez-vous en femme bafouée, le nom de la maîtresse de Dénès sur toutes les lèvres ?

Paniquée, la dame Nénophar ferma les yeux. Tapéni éprouvait une joie sauvage. Avoir partagé une seule fois la couche de Dénès, amant médiocre et méprisant, lui ouvrait le chemin de la fortune. Demain, elle serait une grande dame.

*

Qadash tempêtait. Il exigeait sa libération immédiate, certain que Dénès avait déjà levé tous les obstacles. Dégrisé, le dentiste se targuait de ses nouvelles fonctions afin de sortir de sa cellule.

– Calmez-vous, exigea Kem.

– De la déférence, mon ami ! Savez-vous à qui vous parlez ?

– A un violeur.

– Inutile d'utiliser de grands mots.

– La simple et horrible vérité, Qadash.

– Si vous ne me relâchez pas, vous aurez de graves ennuis.

– Je vais vous ouvrir cette porte.

– Enfin... Vous n'êtes pas stupide, Kem. Je saurai me montrer reconnaissant.

Au moment où le dentiste aspirait l'air de la rue, le Nubien l'agrippa à l'épaule.

– Bonne nouvelle, Qadash : le juge Pazair a réuni les jurés plus vite que prévu. Je vous emmène au tribunal.

*

Lorsque Qadash aperçut Dénès parmi les membres du jury, il sut qu'il était sauvé. Régnait une atmosphère grave et tendue sous le porche, devant le temple de Ptah, où Pazair avait convoqué le tribunal. Une foule nombreuse, prévenue par le bouche à oreille, désirait assister au procès. La police la maintint à l'extérieur de l'édifice en bois, formé d'un toit et de minces colonnes; à l'intérieur, les témoins et les jurés, six hommes et six femmes d'âge et de condition sociale différents.

Pazair, vêtu d'un pagne à l'ancienne et d'une perruque courte, semblait en proie à une vive émotion. Après avoir placé les débats sous la protection de la déesse Maât, il lut l'acte d'accusation.

– Le dentiste Qadash, médecin-chef du royaume, résidant à Memphis, est accusé d'avoir violé, hier matin à l'aube, une fillette qui travaille comme servante chez la dame Sababou. La victime, actuellement hospitalisée, ne désire pas comparaître et sera représentée par le docteur Néféret.

Qadash fut soulagé. Il ne pouvait espérer meilleur cas de figure. Lui affrontait ses juges, l'employée de la courtisane les fuyait! Outre Dénès, le dentiste connaissait trois autres membres du jury, personnalités influentes qui plaideraient en sa faveur. Non seulement il sortirait blanchi du tribunal, mais encore il attaquerait Sababou et obtiendrait un dédommagement.

– Reconnaissez-vous les faits? demanda Pazair.

– Je les récuse.

– Que la dame Sababou vienne témoigner.

Les regards convergèrent vers la célèbre patronne de la maison de bière la plus réputée d'Égypte. Les uns la croyaient morte, les autres en prison. Un peu trop maquillée, mais superbe et le front haut, elle s'avança avec assurance.

– Je vous rappelle que le faux témoignage est passible d'une lourde peine.

– Le dentiste Qadash était ivre. Il a forcé ma porte et s'est précipité sur la plus jeune de mes servantes nubiennes dont l'unique rôle est d'offrir aux clients des pâtisseries et des boissons. Si je n'étais pas intervenue pour le jeter dehors, il aurait violenté la petite.

– En êtes-vous certaine?

– Un sexe en érection vous paraît-il une preuve suffisante?

L'assistance murmura. La brutalité de langage choqua le jury.

Qadash demanda la parole.

– Cette personne est en situation irrégulière. Chaque jour elle souille le renom de Memphis. Pourquoi la police et la justice ne s'occupent-elles pas de cette prostituée ?

– Nous ne faisons pas le procès de Sababou, mais le vôtre. De plus, votre moralité ne vous a pas empêché de vous rendre chez elle et d'y agresser une fillette.

– Un moment d'égarement... Qui n'en a pas connu ?

– La servante nubienne a-t-elle été violée dans votre établissement ? demanda Pazair à Sababou.

– Non.

– Que s'est-il passé, après l'agression ?

– J'ai calmé la petite, elle a repris son travail et quitté la maison à l'aube pour rentrer chez elle.

A Sababou succéda Néféret, qui décrivit l'état physique de la fillette après le drame. Elle n'épargna aucun détail à l'assemblée, horrifiée de tant de sauvagerie.

Qadash intervint de nouveau.

– Je ne mets pas en doute les constatations de mon excellente collègue, et je déplore les malheurs de cette petite, mais en quoi suis-je concerné ?

– Je rappelle, déclara Pazair avec gravité, que l'unique châtiment applicable à un viol est la peine de mort. Docteur Néféret, avez-vous la preuve formelle que Qadash est le coupable ?

– La description donnée par la victime correspond.

– Je rappelle à mon tour, intervint Qadash, que le docteur Néféret a tenté d'obtenir le poste de médecin-chef. Elle a échoué et en conçoit certainement quelque dépit. De plus, ce n'est pas à elle de mener une enquête. Le juge Pazair a-t-il enregistré les déclarations de la fillette ?

L'argumentation de Qadash porta. Le Doyen du porche appela les riverains qui avaient vu le dentiste s'enfuir après son forfait. Tous le reconnurent.

– J'étais ivre, protesta-t-il. Sans doute me suis-je endormi à cet endroit. Cela suffit-il pour m'accuser d'un crime aussi odieux pour lequel, si j'étais moi-même juré, j'appliquerais la loi sans hésiter ?

La défense de Qadash fit excellente impression. La fillette avait été violée, le dentiste se trouvait bien dans les parages, il avait tenté de l'agresser : l'ensemble des indices concourait à le désigner comme le violeur, mais le juge Pazair, dans le respect de la règle de Maât, ne pouvait aller au-delà d'une forte présomption. Ses liens avec Néféret affaiblissaient un témoignage capital, sur lequel Qadash était parvenu à jeter la suspicion.

Le Doyen du porche, cependant, la pria de s'exprimer à nouveau au nom de la fillette, avant de donner ses conclusions et de présider les délibérations du jury.

Une main tremblante saisit celle de Néféret.

– Accompagne-moi, supplia la Nubienne, qui s'était glissée près du médecin. Je parlerai, mais pas seule.

Hésitante, trébuchant sur chaque mot, elle évoqua les violences subies, la douleur atroce, le désespoir.

Quand sa déposition fut terminée, un épais silence enveloppa le porche. La gorge sèche, le juge lui posa la question décisive.

– Reconnaissez-vous l'homme qui vous a violée ?

La fillette désigna Qadash.

– C'est lui.

*

La délibération fut de courte durée. Les jurés appliquèrent l'ancienne loi, si dissuasive qu'aucun viol n'avait été commis en Égypte depuis de très nombreuses années. En raison de sa position éminente de thérapeute et de médecin-chef, Qadash ne bénéficia d'aucune circonstance atténuante. A l'unanimité du jury, il fut condamné à mort.

CHAPITRE 34

– Je fais appel, déclara Qadash.
– J'ai entamé la procédure, indiqua Pazair. Au-delà du porche, il ne reste plus que le tribunal du vizir.
– Il cassera cette décision inique!
– Soyez sans illusion. Bagey entérinera la condamnation, si votre victime confirme ses accusations, dûment enregistrées.
– Elle n'osera pas!
– Détrompez-vous.
Le dentiste ne parut pas ébranlé.
– Croyez-vous vraiment que je serai châtié ? Pauvre juge! Vous déchanterez.
Qadash partit dans un rire sombre. Dépité, Pazair sortit de la cellule.

*

En cette fin septembre, deuxième mois d'une inondation médiocre, l'Égypte vivait avec ferveur la fête de la mystérieuse déesse Opet, symbole de l'abondance et de la générosité. Pendant une vingtaine de jours, pendant que le Nil se retirait en abandonnant derrière lui un limon fertilisateur, la population fréquenterait les berges où des marchands ambulants vendaient des pastèques, des melons, du raisin, des grenades, du pain, des gâteaux, des volailles grillées et de la bière. Des cuisines en plein air servaient de copieux repas à bon marché, tandis que musiciennes et danseuses professionnelles réjouissaient l'œil et l'oreille. Chacun savait que les temples célébraient la renaissance de l'énergie créatrice, épuisée au terme d'une longue année au cours de laquelle les divinités avaient fécondé la terre. Afin qu'elles ne s'écartent pas du monde des hommes, il fallait leur offrir la joie et la reconnaissance de tout un peuple, où personne ne mourait de faim et de soif. Le Nil garderait ainsi sa puissance originelle, puisée dans l'océan d'énergie où baignait l'univers.

Au sommet de la fête, Kani, grand prêtre d'Amon, ouvrit le naos où résidait la statue du dieu, dont la forme véritable était à jamais inaccessible. Recouverte d'un voile, elle fut déposée dans une barque en bois doré que soutenaient vingt-quatre prêtres au crâne rasé, vêtus d'une longue robe de lin. Amon sortit de son temple en compagnie de son épouse, Mout, la mère divine, et de son fils Khonsou, celui qui traversait les espaces célestes sous la forme de la lune. Deux processions s'organisèrent en direction du temple de Louxor, l'une par le fleuve, l'autre par voie de terre.

Des dizaines d'embarcations escortèrent l'énorme bateau de la divine trinité, recouvert d'or, tandis que des joueuses de tambourins, de sistres et de flûtes saluaient sa progression vers le sanctuaire du sud. Pazair, Doyen du porche de Memphis, avait été convié à la cérémonie qui se déroulait dans la grande cour du temple de Louxor. Liesse au-dedans, silence et recueillement derrière les hauts murs du sanctuaire.

Kani offrit des fleurs à la divine trinité et versa une libation en son honneur. Puis les rangs des courtisans s'écartèrent pour laisser le passage au pharaon d'Égypte, et s'inclinèrent avec ensemble. La noblesse innée et la gravité du monarque impressionnèrent Pazair; de taille moyenne, très robuste, le nez busqué, le front large, les cheveux roux dissimulés sous une couronne bleue, il n'accordait de regard à quiconque et fixait la statue d'Amon, image du mystère de la création dont Pharaon était le dépositaire.

Kani lut un texte chantant les multiples formes du dieu, lequel s'incarnait dans le vent, la pierre ou le bélier aux cornes spiralées, sans se réduire à l'une ou l'autre de ces apparences. Puis le grand prêtre s'effaça devant le souverain qui, seul, franchit le seuil du temple couvert.

*

Quinze mille pains, deux mille gâteaux, cent paniers de viande séchée, deux cents de légumes frais, soixante-dix jarres de vin et cinq cents de bière, des fruits à profusion figuraient au menu du banquet offert par Pharaon pour célébrer la fin de la fête d'Opet. Plus d'une centaine de bouquets montés ornaient les tables où les convives vantèrent les mérites du gouvernement de Ramsès et de la paix égyptienne.

Pazair et Néféret reçurent les plus chaleureuses félicitations de la part des courtisans, le juge en raison de son courage dans l'affaire Qadash, Néféret parce qu'elle venait d'être nommée médecin-chef du royaume à l'unanimité du comité des médecins, après la destitution du criminel. On voulait oublier la fuite du général Asher, toujours recherché, et l'assassinat de Branir, encore inexpliqué, de même que l'énigmatique disparition des vétérans formant la garde d'honneur du sphinx. Le juge demeura insensible à ces démonstrations d'amitié; Néféret, dont le charme et la beauté enchantaient les plus revêches, n'y accorda pas davantage d'importance. Elle ne pouvait oublier le visage affolé d'une fillette aux blessures inguérissables.

Le chef de la police, Kem, assurait la sécurité de la réception. Flanqué de son babouin, il observait chacune des personnalités qui s'approchait du juge, bien décidé à intervenir brutalement si Tueur ou lui-même ressentaient le moindre danger.

– Vous êtes le couple de l'année, déclara Dénès. Faire condamner un notable comme Qadash est un véritable exploit qui honore notre justice; voir accéder une femme aussi remarquable que Néféret à la tête de notre corps médical prouve son excellence.

– Ne forcez pas vos compliments.

– Vous êtes doués, l'un et l'autre, pour triompher des épreuves.

– Je n'ai pas vu la dame Nénophar, s'étonna Néféret.

– Elle est souffrante.

– Permettez-moi de lui souhaiter un prompt rétablissement.

– Nénophar sera sensible à votre délicate attention. Puis-je vous priver de votre mari quelques instants ?

Dénès entraîna Pazair à l'abri d'un pavillon où l'on servait de la bière fraîche et du raisin.

– Mon ami Qadash est un brave homme. Devenir médecin-chef lui a tourné l'esprit; il s'est enivré et s'est comporté de manière déplorable.

– Pas un seul juré n'a plaidé l'indulgence; vous-même êtes demeuré muet et avez voté la mort.

– La loi est explicite, mais elle tient compte du remords.

– Qadash n'en a aucun.

– N'est-il pas désespéré ?

– Au contraire, il fanfaronne et menace.

– Il a vraiment perdu la tête.

– Il est persuadé d'échapper au châtiment suprême.

– La date de l'exécution est-elle fixée ?

– Le tribunal du vizir a rejeté l'appel et confirmé la condamnation. Dans trois jours, le chef de la police remettra le poison au condamné.

– N'avez-vous pas employé le terme de « menace » ?

– S'il était acculé au suicide, Qadash ne sombrerait pas seul dans le néant. Il m'a promis une confession avant d'absorber le breuvage fatal.

– Pauvre Qadash ! Être monté si haut et descendre si

bas... Comment ne pas éprouver tristesse et regret devant cette déchéance ? Adoucissez ses derniers moments, je vous en prie.

– Kem n'est pas un bourreau. Qadash est correctement traité.

– Seul un miracle pourrait le sauver.

– Qui pardonnerait un tel crime ?

– A bientôt, juge Pazair.

*

Le comité des médecins reçut Néféret. Ses adversaires lui posèrent mille questions techniques, dans les domaines les plus variés. Au vu du faible pourcentage d'erreurs, l'élection fut confirmée.

Depuis le décès de Nébamon, quantité de dossiers relatifs à la santé publique demeuraient en suspens. Néféret, néanmoins, demanda le respect d'une période transitoire au cours de laquelle elle formerait son successeur à l'hôpital. Ses nouvelles fonctions lui parurent si écrasantes qu'elle eut envie de s'enfuir, de se réfugier dans un poste de médecin de campagne, de rester auprès des malades pour apprécier chaque minute de leur guérison. Rien ne la préparait à diriger un aréopage de praticiens expérimentés et de courtisans influents, une armée de scribes veillant sur la fabrication et la distribution des remèdes, à prendre des décisions assurant le bien-être et l'hygiène de la population. Naguère, elle s'occupait d'un village ; à présent, d'un royaume si puissant qu'il forçait l'admiration de ses alliés comme de ses ennemis. Néféret rêvait de partir avec Pazair, de se cacher dans une petite maison de Haute Égypte, à la lisière des cultures, face à la cime thébaine, afin de savourer la sagesse des matins et des soirs.

Elle eût aimé se confier à Pazair, mais celui-ci arborait un visage décomposé lorsqu'il rentra du bureau.

– Lis ce décret, demanda-t-il en lui présentant un

papyrus d'une admirable qualité, marqué au sceau de Pharaon. Lis à haute voix, je t'en prie.

– *Moi, Ramsès, je désire que ciel et terre soient en joie. Que ceux qui se cachaient sortent, que personne ne souffre de ses fautes passées, que les prisonniers soient libérés, que les fauteurs de troubles soient apaisés, que l'on chante et danse dans les rues.* Une amnistie ?

– Amnistie générale.

– N'est-ce pas exceptionnel ?

– Je ne connais pas d'autre exemple.

– Pourquoi Pharaon a-t-il pris une telle décision ?

– Je l'ignore.

– Implique-t-elle la libération de Qadash ?

– Amnistie générale, répéta Pazair, choqué. Le crime de Qadash est effacé, le général Asher n'est plus recherché, les assassinats sont oubliés, le procès contre Dénès est abandonné.

– N'es-tu pas pessimiste ?

– C'est l'échec, Néféret. L'échec total et définitif.

– N'en appelleras-tu pas au vizir ?

*

Kem ouvrit la porte de la cellule. Qadash ne paraissait pas inquiet.

– Tu me libères ?

– Comment le sais-tu ?

– Inévitable. Un homme de bien finit toujours par triompher.

– Tu bénéficies d'une amnistie générale.

Qadash recula. La fureur animait le regard du Nubien.

– Ne porte pas la main sur moi, Kem ! Toi, tu ne bénéficierais d'aucune indulgence.

– Quand tu comparaîtras devant Osiris, il te fermera la bouche. Les génies armés de couteaux te lacéreront les chairs pour l'éternité.

– Garde pour toi tes contes enfantins ! Tu m'as traité avec dédain, tes insultes me déplaisent. Dommage... Tu as laissé passer ta chance, comme ton ami Pazair. Profite de ta position ; tu n'es plus chef de la police pour très longtemps.

*

Les jambes et les pieds enflés, les épaules voûtées, le vizir Bagey était en retard. En raison de son état de fatigue, il avait accepté d'être amené à son bureau en chaise à porteurs. De nombreux hauts fonctionnaires, comme chaque matin, désiraient s'entretenir avec lui, lui soumettre les difficultés auxquelles ils se heurtaient, et recueillir son avis. Bien que Pazair n'eût pas de rendez-vous, il le reçut le premier.

Le juge ne contint pas sa colère.

– Cette amnistie est inacceptable.

– Prenez garde à vos paroles, Doyen du porche. Le décret émane de Pharaon en personne.

– Je ne peux y croire.

– C'est pourtant la vérité.

– Avez-vous vu le roi ?

– Il m'a lui-même dicté le texte.

– N'avez-vous pas réagi ?

– Je lui ai fait part de mon étonnement et de mon incompréhension.

– Sans pouvoir le fléchir ?

– Ramsès n'a accepté aucune discussion.

– Il est impossible qu'un monstre comme Qadash échappe au châtiment !

– L'amnistie est générale, juge Pazair.

– Je refuse de l'appliquer.

– Vous devez obéir, comme moi.

– Comment approuver pareille injustice ?

– Je suis vieux, vous êtes jeune. Ma carrière touche à son terme, la vôtre commence. Quel que soit mon avis, je suis contraint de me taire. Vous, ne commettez pas de folie.

– Ma décision est prise, je me moque des conséquences.
– Qadash a été libéré, le procès prévu annulé.
– Asher sera-t-il réintégré à son poste ?
– Sa faute est effacée. S'il peut s'expliquer, il gardera son titre.
– Seul l'assassin de Branir échappe au pardon, puisqu'il n'est pas identifié !
– Je suis aussi amer que vous, mais Ramsès n'a sûrement pas agi à la légère.
– Peu m'importent ses motifs.
– Qui se révolte contre Pharaon se révolte contre la vie.
– Vous avez raison, vizir Bagey. C'est pourquoi je suis incapable d'assumer ma tâche plus longtemps. Dès aujourd'hui, vous recevrez ma démission. Dès cet instant, considérez que je ne suis plus Doyen du porche.
– Réfléchissez, Pazair.
– A ma place, auriez-vous adopté une autre position ?
Bagey ne répondit pas.
– Il me reste une faveur à vous demander.
– Tant que je serai vizir, ma porte vous sera ouverte.
– Un passe-droit serait contraire à la justice que nous aimons de tout notre être, vous et moi. Je vous prie de maintenir Kem à la tête de la police.
– Telle est bien mon intention.
– Qu'adviendra-t-il de Néféret ?
– Qadash invoquera l'antériorité de son élection et ouvrira un procès afin de récupérer le titre de médecin-chef.
– Qu'il ne se donne pas cette peine ; Néféret n'a pas l'intention de se battre. Elle et moi quittons Memphis.
– C'est un affreux gâchis.

*

Pazair imagina Dénès festoyant avec ses amis. Le surprenant décret de Pharaon leur redonnait la plus inespérée des virginités. Il leur suffirait de ne plus commettre de faux pas pour demeurer des citoyens respectables et continuer à fomenter un complot dont la nature restait mystérieuse et, pour Pazair, à jamais inaccessible. Le général Asher ne tarderait pas à réapparaître et saurait sans nul doute justifier son absence. Mais quel rôle avait joué Souti et où se trouvait-il, à condition qu'il fût encore vivant ? Brisé, écœuré, le juge fut soudain survolé par une dizaine d'hirondelles. A ce premier groupe s'adjoignirent un second, puis un troisième, puis plusieurs autres. Une centaine d'oiseaux le frôlèrent en poussant des cris de joie, tout au long de son chemin. Le remerciaient-ils d'avoir sauvé l'un des leurs ? Les badauds s'émurent de ce spectacle insolite; ils songèrent au proverbe : « Qui a la faveur de l'hirondelle bénéficie de celle du roi. » Rapides, gracieuses, enjouées, les ailes bleutées au doux froissement accompagnèrent Pazair à la porte de sa villa.

Néféret était assise au bord de l'étang aux lotus où s'ébattaient des mésanges. Elle n'était vêtue que d'une courte robe transparente, laissant les seins nus. En s'approchant, Pazair fut environné de parfums suaves.

– Nous venons de recevoir des produits frais, expliqua-t-elle, et je prépare les onguents et les huiles parfumées pour les prochains mois. Si tu en manquais le matin, je redouterais tes reproches.

La voix était amusée. Pazair embrassa son épouse dans le cou, ôta son pagne, et s'assit sur l'herbe. Aux pieds de Néféret, des vases de pierre. Ils contenaient de l'oliban, résine brune translucide qui provenait des arbres à encens; de la myrrhe agglomérée en petites masses rouges, recueillie au pays de Pount; de la gomme résine verte de galbanum, importée de Perse; de la résine sombre de ladanum, achetée en Grèce et en Crète. Dans des fioles, plusieurs essences de fleurs. Le médecin utiliserait de l'huile d'olive, du miel et du vin pour former des mélanges subtils.

– J'ai démissionné, Néféret. Au moins, je n'ai plus

rien à craindre, puisque je ne dispose plus d'aucun pouvoir.

– Quelle est l'opinion du vizir ?

– La seule valable : un décret royal ne se discute pas.

– Dès que Qadash réclamera son poste de médecin-chef, nous quitterons Memphis. Il aura le droit pour lui, n'est-il pas vrai ?

– C'est malheureusement exact.

– Ne sois pas triste, mon amour. Notre destin est entre les mains de Dieu, pas dans les nôtres. Ce sont ses volontés qui s'accomplissent, non nos désirs. Notre bonheur, nous pouvons le construire. Je suis soulagée; vivre avec toi, sous la protection d'un palmier centenaire, soigner les humbles, prendre le temps de nous aimer, n'est-ce pas la meilleure des destinées ?

– Comment oublier Branir ? Et Souti... Je ne cesse de penser à lui. Mon cœur est en feu, et je renâcle comme un âne.

– Surtout, ne change pas.

– Je ne pourrai plus t'offrir une grande maison et d'aussi belles robes.

– Je m'en passerai. Autant ôter celle-ci sans tarder.

Néféret fit glisser les bretelles sur ses épaules. Nue, elle s'allongea sur Pazair. Leurs corps s'accordèrent à la perfection, leurs lèvres s'unirent dans un élan si passionné qu'ils frissonnèrent, malgré la douceur du couchant. La peau satinée de Néféret était un paradis où seul le plaisir avait force de loi. Pazair se perdit en elle, ivre, communiant avec la vague qui les emporta.

*

– Encore du vin ! hurla Qadash.

Le serviteur se hâta d'obéir. Depuis que son maître était rentré, il faisait la fête avec deux jeunes Syriens. Plus jamais le dentiste ne toucherait à une fille. Avant sa mésaventure, il n'éprouvait qu'un goût modéré pour l'espèce; désormais, il se contenterait de beaux garçons étrangers qu'il dénoncerait à la police, une fois lassé.

Dans la soirée, il se rendrait à la réunion des conjurés organisée par Dénès. Leur lettre anonyme adressée à Ramsès avait eu les conséquences prévues. Pris dans la nasse, le roi avait été obligé de céder à leurs exigences et de proclamer une amnistie générale où le cas du transporteur se noyait parmi d'autres. Seul point noir : l'éventuel retour du général Asher, qui ne leur était d'aucune utilité. Dénès saurait s'en débarrasser.

*

L'avaleur d'ombres pénétra dans la propriété de Qadash par le jardin. Il marcha sur les bordures en pierre afin de ne laisser aucune trace de son passage dans l'allée sablée, et se faufila vers la cuisine. Accroupi sous la fenêtre, il écouta la conversation des deux serviteurs.

– Je leur apporte une troisième cruche de vin.

– Dois-je en préparer une quatrième ?

– Sans aucun doute. Le vieux et les deux jeunes boivent davantage qu'un régiment assoiffé. J'y vais, sinon il pique une colère.

Le sommelier déboucha une jarre provenant de la ville d'Imaou, dans le Delta, et portant le label « An cinq de Ramsès ». Un vin rouge capiteux, long en bouche, qui débridait les instincts. Son travail achevé, l'homme sortit de la cuisine et se soulagea le long d'un mur d'enceinte.

L'avaleur d'ombres en profita pour remplir sa mission. Dans la jarre, il versa un poison à base d'extraits végétaux et de venin de vipère. Qadash étoufferait, son corps se tordrait dans des convulsions, et il mourrait, en compagnie de ses deux amants étrangers, qui seraient probablement accusés du crime. Personne n'aurait intérêt à ébruiter cette sordide affaire de mœurs.

*

Alors que le dentiste, au terme d'une douloureuse agonie de plusieurs minutes, rendait l'âme au dieu des enfers, Dénès appréciait les caresses d'une belle Nubienne aux fesses rebondies et aux seins lourds. Il ne la reverrait jamais, mais aurait profité d'elle avec sa brutalité coutumière. Les femmes n'étaient-elles pas des bêtes créées pour la satisfaction des mâles ?

Le transporteur regretterait son ami Qadash. Avec lui, il s'était montré irréprochable ; ne lui avait-il pas obtenu le poste de médecin-chef, promis dès le début du complot ? Hélas, le dentiste avait beaucoup vieilli. Au bord de la sénilité, commettant faute sur faute, il était devenu dangereux. En menaçant de faire des révélations au juge Pazair, ne s'était-il pas condamné lui-même ? Sur proposition de Dénès, les conjurés avaient demandé l'intervention de l'avaleur d'ombres. Certes, ils déploraient la perte du poste de médecin-chef ; mais la démission du juge Pazair, vite propagée, comblait leurs vœux. Personne ne s'opposerait plus à leur succès.

Les ultimes étapes approchaient : d'abord s'emparer du poste de vizir, puis du pouvoir suprême.

CHAPITRE 35

Un vent violent balayait la nécropole de Memphis où Pazair et Néféret cheminaient en direction de la demeure d'éternité de Branir. Avant de quitter la grande cité et de partir pour le sud, ils voulaient rendre hommage à leur maître disparu dans d'abominables circonstances et l'assurer que, malgré leurs faibles moyens, ils tenteraient, jusqu'à leur dernier souffle, d'identifier l'assassin.

Néféret avait passé autour de sa taille la ceinture de perles d'améthyste que lui avait offerte Pazair. Frileux, l'ex-Doyen du porche se protégeait avec une écharpe et un manteau de laine. Ils croisèrent le prêtre chargé d'entretenir la tombe et son jardin ; âgé et précautionneux, il recevait un traitement correct de la mairie de Memphis pour veiller sur le parfait état de la sépulture et renouveler les offrandes.

A l'ombre d'un palmier, l'âme du mort, sous la forme d'un oiseau, venait se désaltérer dans le bassin d'eau fraîche après avoir puisé dans la lumière l'énergie de la résurrection. Chaque jour, il se promenait aux abords de la chapelle afin de respirer le parfum des fleurs.

Pazair et Néféret partagèrent le pain et le vin à la mémoire de leur maître, associé à leur repas dont l'écho se répercutait dans l'invisible.

*

– Soyez patients, recommanda Bel-Tran. Vous voir quitter Memphis est une désolation.

– Néféret et moi aspirons à une vie simple et calme.

– Ni l'un ni l'autre n'avez donné votre pleine mesure, insista Silkis.

– S'opposer au destin n'est que vanité.

Pour leur dernière soirée à Memphis, le juge et le médecin avaient accepté l'invitation du directeur de la Double Maison blanche et de son épouse. Bel-Tran, en proie à une crise d'urticaire, s'était laissé convaincre par Néféret de soigner un foie engorgé et d'adopter une meilleure hygiène de vie. Sa plaie à la jambe suintait de plus en plus souvent.

– Buvez davantage d'eau, recommanda le médecin, et insistez auprès de votre futur thérapeute pour qu'il vous prescrive des draineurs. Vos reins sont fragiles.

– Un jour, j'aurai peut-être le temps de m'occuper de moi-même! Le Trésor m'accable de revendications qu'il faut traiter sur l'heure, sans perdre de vue l'intérêt général.

Le fils de Bel-Tran l'interrompit. Il accusa sa sœur de lui avoir volé le pinceau avec lequel il apprenait à tracer de beaux hiéroglyphes, afin de devenir aussi riche que son père. La rouquine, furieuse d'être accusée, fût-ce à raison, n'avait pas hésité à le gifler et à déclencher une crise de larmes. Mère attentive, Silkis emmena les enfants et tenta de mettre un terme au conflit.

– Vous voyez, Pazair, nous avons besoin d'un juge!

– L'enquête serait trop difficile à mener.

– Vous semblez détaché, presque satisfait, s'étonna Bel-Tran.

– Ce n'est qu'une apparence; sans Néféret, j'aurais succombé au désespoir. Cette amnistie a ruiné tous mes espoirs de voir triompher la justice.

– Me retrouver face à Dénès ne m'amuse guère.

Sans vous comme Doyen du porche, je redoute des conflits.

– Faites confiance au vizir Bagey ; il ne nommera pas un incapable.

– On murmure qu'il s'apprête à quitter sa fonction pour jouir d'une retraite bien méritée.

– La décision du roi l'a ébranlé autant que moi, et sa santé n'est guère florissante. Mais pourquoi Ramsès a-t-il agi ainsi ?

– Sans doute croit-il aux vertus de la clémence.

– Sa popularité n'en sort pas renforcée, estima Pazair. Le peuple craint que son pouvoir magique ne s'affaiblisse et qu'il perde peu à peu contact avec le ciel. Rendre la liberté à des criminels n'est pas digne d'un roi.

– Son règne est pourtant exemplaire.

– Comprenez-vous sa décision et l'admettez-vous ?

– Pharaon voit plus loin que nous.

– C'était ma certitude, avant l'amnistie.

– Reprenez-vous, Pazair ; l'État a besoin de vous, comme de votre épouse.

– Je crains d'être aussi obstinée que mon mari, déplora Néféret.

– Quels arguments utiliser pour vous convaincre ?

– Rétablir la justice.

Bel-Tran remplit lui-même les coupes de vin frais.

– Après mon départ, pria Pazair, auriez-vous la bonté de prolonger les recherches, en ce qui concerne Souti ? Kem vous prêtera main-forte.

– J'interviendrai auprès des autorités judiciaires. Ne serait-il pas plus efficace de rester à Memphis et de travailler à mes côtés ? La réputation de Néféret est si assurée que son cabinet médical ne désemplirait pas.

– Mes capacités financières sont très limitées, avoua Pazair ; vous me jugeriez vite encombrant et incompétent.

– Quels sont vos projets ?

– Nous installer dans un village de la rive ouest de Thèbes.

Silkis, qui avait couché ses deux enfants, entendit la réponse de Néféret.

– Renoncez à cette idée, je vous en supplie ! Abandonnerez-vous vos malades ?

– Memphis regorge d'excellents médecins.

– Mais vous êtes le mien, et je ne désire pas en changer !

– Entre nous, dit Bel-Tran avec gravité, ne doit exister aucune difficulté d'ordre matériel. Quels que soient vos besoins, Silkis et moi nous engageons à les satisfaire.

– Notre reconnaissance vous est acquise, mais je ne suis plus en capacité d'occuper un rang élevé dans la hiérarchie. Mon idéal s'est effondré ; mon seul désir est d'entrer dans le silence. La terre et les animaux ne mentent pas ; grâce à l'amour de Néféret, j'espère que les ténèbres seront moins épaisses.

La solennité de ces paroles mit fin à la discussion. Les deux couples évoquèrent la beauté du jardin, la délicatesse des parterres fleuris et la qualité des mets, oubliant le poids des lendemains.

*

– Comment te portes-tu, ma chérie ? demanda Dénès à son épouse, alanguie sur des coussins.

– Fort bien.

– Qu'a décelé le médecin ?

– Rien, puisque je ne suis pas souffrante.

– Je ne comprends pas...

– Connais-tu la fable du lion et du rat ? Le fauve avait attrapé le rongeur et s'apprêtait à le dévorer. Son gibier le supplia de l'épargner ; si petit, comment le rassasierait-il ? Un jour, peut-être, l'aiderait-il à se tirer d'un mauvais pas. Le lion se montra clément. Quelques semaines plus tard, des chasseurs capturèrent le grand fauve et l'enfermèrent dans un filet. Le rat en mâcha les mailles, délivra le lion, et se glissa dans sa crinière.

– N'importe quel écolier connaît cette histoire.
– Tu aurais dû t'en souvenir, lorsque tu as couché avec Tapéni.
Le visage carré du transporteur se contracta.
– Que vas-tu imaginer ?
La dame Nénophar, altière, se releva. Une colère froide l'animait.
– Parce qu'elle fut ta maîtresse, cette garce se comporte comme le rat de la fable. Mais elle est aussi le chasseur ! Elle seule peut te délivrer du filet où elle t'a enfermé. Un chantage ! Voilà ce dont nous sommes victimes, à cause de ton infidélité !
– Tu exagères.
– Non, mon tendre mari. La respectabilité est un bien très coûteux ; ta maîtresse a la langue si bien pendue qu'elle ruinera facilement notre réputation.
– Je la ferai taire.
– Tu la mésestimes. Mieux vaut lui donner ce qu'elle désire ; sinon, nous serons ridiculisés, l'un et l'autre.
Dénès arpenta nerveusement la pièce.
– Tu sembles oublier, chéri, que l'adultère est une faute grave, un véritable vice que la loi punit.
– Il ne s'agit que d'un léger écart de conduite.
– Combien de fois s'est-il répété ?
– Tu divagues.
– Une noble dame à ton bras pour les réceptions, et des jeunesses dans ton lit ! C'en est trop, Dénès. Je désire divorcer.
– Tu es folle !
– Tout à fait sensée, au contraire. Je conserve le domicile conjugal, ma fortune personnelle, le patrimoine que j'ai apporté et mes terres. En raison de ta mauvaise conduite, le tribunal te condamnera à me verser une pension alimentaire, augmentée d'une amende.
Le transporteur serra les dents.
– Tes plaisanteries ne m'amusent pas.
– Ton avenir s'annonce difficile, mon chéri.

– Tu n'as pas le droit de détruire notre existence; n'avons-nous pas vécu ensemble nos plus belles années ?
– Éprouverais-tu un sentiment ?
– Nous sommes complices depuis longtemps.
– C'est toi qui as brisé notre alliance. Le divorce est la seule solution.
– Imagines-tu le scandale ?
– Je le préfère au ridicule. C'est toi qu'il frappera, pas moi ; j'apparaîtrai, à juste titre, comme une victime.
– Cette démarche est insensée. Accepte mes excuses, et continuons à faire bonne figure.
– Tu m'as bafouée, Dénès.
– Ce n'était pas mon intention, tu le sais. Nous sommes associés, ma chère; si tu me ruines, tu cours à ta perte. Nos affaires sont si mêlées qu'une rupture brutale est impossible.
– Je les connais mieux que toi. Tu passes ton temps à parader, moi à travailler.
– Tu oublies que je suis promis à de hautes destinées. Ne souhaites-tu pas les partager ?
– Sois plus clair.
– Ce n'est qu'un orage, ma chère; quel couple n'en connaît pas ?
– Je me croyais à l'abri de ce genre d'intempérie.
– Concluons une trêve afin d'éviter toute précipitation. Elle nous nuirait. Un rongeur comme cette Tapéni serait trop heureux de saper un édifice patiemment construit.
– C'est toi qui traiteras avec elle.
– J'allais t'en prier.

*

Vent du Nord était déjà monté à bord du bateau en partance pour Thèbes; l'âne se régalait de fourrage frais en contemplant le fleuve. Coquine, le singe vert de Néféret, avait échappé à sa maîtresse pour grimper au sommet du mât. Brave, plus réservé et plutôt inquiet à l'idée d'une longue traversée, se tenait dans les jambes de Pazair. Le chien n'appréciait ni le roulis ni le tangage, mais suivrait son maître sur une mer déchaînée.

Le déménagement avait été rapide; l'ex-Doyen du porche abandonnait la villa et son mobilier à un éventuel successeur que Bagey ne consentait pas à désigner, préférant garder la fonction en son sein, en l'absence de candidats sérieux. Avant de se retirer, le vieux vizir rendait ainsi hommage à Pazair qui, à ses yeux, n'avait pas démérité.

Le juge portait la natte de ses débuts, Néféret sa trousse médicale. Autour d'eux, des caisses remplies de jarres et de pots. Ils voyageraient avec des marchands au verbe haut; ils s'entraînaient à vanter la qualité de leurs produits qu'ils vendraient sur le grand marché de Thèbes.

Pazair n'éprouvait qu'une déception: l'absence de Kem. Sans doute le Nubien n'approuvait-il pas son attitude.

– Néféret, Néféret! Ne partez pas!

Le médecin se retourna. Silkis, essoufflée, s'agrippa à son bras.

– Qadash... Il est mort!

– Qu'est-il arrivé?

– Une horreur... Venez à l'écart.

Pazair fit descendre Vent du Nord et appela Coquine. Voyant sa maîtresse s'éloigner, le singe vert sauta sur le quai. Brave fit demi-tour avec satisfaction.

– Qadash et ses deux jeunes amants étrangers se sont empoisonnés, avoua Silkis dans un souffle. Un serviteur a prévenu Kem, qui est resté sur les lieux du drame. L'un de ses hommes vient d'alerter Bel-Tran... Et me voici! Tout est bouleversé, Néféret. Le vote vous désignant comme médecin-chef reprend force de loi... Et vous continuerez à me soigner!

– Êtes-vous certaine que...

– Bel-Tran affirme que votre nomination ne saurait être remise en cause. Vous restez à Memphis!

– Nous n'avons plus de maison, nous...
– Mon mari vous en a déjà trouvé une.
Néféret, indécise, prit la main de Pazair.
– Tu n'as pas le choix, dit-il.
Brave aboya de manière inhabituelle.
Nulle fureur, mais plutôt une joie stupéfaite. Il accueillait ainsi l'arrivée d'un bateau à deux mâts en provenance d'Éléphantine.
A l'avant, un homme jeune aux cheveux longs et une femme blonde aux formes superbes.
– Souti ! hurla Pazair.

*

Le banquet fut improvisé, mais abondant. Bel-Tran et Silkis célébrèrent à la fois la rédemption de Néféret et le retour de Souti. Le héros tint le devant de la scène, narrant des exploits dont chacun voulut connaître le détail. L'aventurier relata son engagement parmi les mineurs, la découverte de l'enfer brûlant, la trahison du policier du désert, la rencontre du général Asher, le départ de ce dernier vers une destination inconnue, et sa propre fuite miraculeuse grâce à l'intervention de Panthère. La Libyenne s'enivra en riant, sans quitter des yeux son amant.
Comme promis, Bel-Tran offrit à Pazair la jouissance d'une petite maison dans le faubourg nord de la ville, jusqu'à l'attribution d'une demeure de fonction à Néféret. Le couple accueillit volontiers Souti et Panthère. La Libyenne s'affala sur un lit et s'endormit aussitôt. Néféret se retira dans sa chambre. Les deux amis montèrent sur la toiture en terrasse.
– Le vent n'est pas chaud ; certaines nuits, dans le désert, il faisait glacial.
– J'ai attendu ton message.
– Impossible de te le faire parvenir ; si tu m'en as envoyé un, il ne m'a pas atteint. Ai-je mal entendu, pendant le dîner : Néféret est vraiment médecin-chef du

royaume, et tu as vraiment démissionné de ton poste de Doyen du porche ?

– Ton ouïe est toujours aussi bonne.

– On t'a chassé ?

– Sincèrement, non. Je suis parti de moi-même.

– Désespères-tu de ce monde ?

– Ramsès a décrété une amnistie générale.

– Tous les assassins innocentés...

– On ne saurait mieux dire.

– Ta belle justice vole en éclats.

– Personne ne comprend la décision du roi.

– Seul le résultat compte.

– J'ai un aveu à te faire.

– Grave ?

– J'ai douté de toi. J'ai cru que tu m'avais trahi.

Souti se tassa sur lui-même, prêt à bondir.

– Je vais te casser la tête, Pazair.

– Juste châtiment, mais tu mérites le même.

– Pourquoi ?

– Parce que tu m'as menti.

– C'est notre premier entretien tranquille. Je n'allais quand même pas dire la vérité à ce bourgeois de Bel-Tran et à sa minaudière. Toi, je n'avais aucun espoir de t'abuser.

– Comment aurais-je pu admettre que tu avais abandonné la piste du général Asher ? Ton récit est correct jusqu'au moment de votre rencontre. Ensuite, je n'y crois plus.

– Asher et ses sbires m'ont torturé, avec l'intention de me faire mourir à petit feu. Mais le désert est devenu un allié, et Panthère fut mon bon génie. Notre amitié m'a sauvé quand j'ai perdu courage.

– Libre de tes mouvements, tu as suivi la piste du général. Quel était son plan ?

– Gagner la Libye en passant par le sud.

– Astucieux. Des complices ?

– Un policier félon et un mineur expérimenté.

– Morts ?

– Le désert est cruel.
– Que cherchait Asher, dans ces solitudes ?
– De l'or. Il comptait jouir de la fortune amassée chez son ami Adafi.
– Tu l'as tué, n'est-ce pas ?
– Sa lâcheté et sa veulerie ne connaissaient pas de limites.
– Panthère fut-elle témoin ?
– Davantage. Elle l'a condamné, en me donnant la flèche que j'ai tirée.
– L'as-tu enterré ?
– Le sable sera son linceul.
– Tu lui as refusé toute chance de survie.
– En méritait-il une ?
– Ainsi, le glorieux général ne bénéficiera pas de l'amnistie...
– Asher a été jugé, j'ai exécuté la sentence qui aurait dû être prononcée, selon la loi du désert.
– Ton raccourci est brutal.
– Je me sens plus léger. Dans mes rêves, le visage de l'homme qu'Asher a torturé et assassiné me paraît enfin apaisé.
– L'or ?
– Prise de guerre.
– Ne redoutes-tu pas une enquête ?
– Ce n'est pas toi qui la mèneras.
– Le chef de la police t'interrogera. Kem est un être droit et peu maniable. De plus, il a perdu son nez à cause d'un vol d'or dont il fut injustement accusé.
– N'est-il pas ton protégé ?
– Je ne suis plus rien, Souti.
– Je suis riche ! Laisser passer une chance pareille serait stupide.
– L'or est réservé aux dieux.
– N'en possèdent-ils pas en abondance ?
– Tu t'engages dans une aventure très dangereuse.
– Le plus difficile est derrière moi.
– Quitteras-tu l'Égypte ?

– Je n'en ai pas l'intention et je désire t'aider.
– Je ne suis plus qu'un petit juge de campagne sans pouvoir, comme autrefois.
– Tu n'abandonneras pas.
– Je n'ai plus les moyens de continuer.
– Piétineras-tu ton idéal, oublieras-tu le cadavre de Branir ?
– Le procès de Dénès allait s'ouvrir ; c'était une étape décisive vers la vérité.
– Les chefs d'accusation présents dans ton dossier sont effacés, mais les autres ?
– Que veux-tu dire ?
– Mon amie Sababou a rédigé un journal intime. Je suis persuadé qu'il contient des détails passionnants ; tu y découvriras peut-être ta pâture.
– Avant que Néféret ne soit enfermée dans un réseau d'obligations, fais-toi examiner. Ta randonnée a dû laisser des traces.
– Je comptais bien la supplier de me remettre sur pied.
– Et Panthère ?
– La Libyenne est fille du désert, elle possède une santé de scorpion. Fasse le ciel qu'elle m'abandonne au plus vite.
– L'amour...
– Il s'use plus vite que le cuivre, et je préfère l'or.
– Si tu le remettais au temple de Coptos, tu bénéficierais d'une récompense.
– Ne plaisante pas. Quelle misère, à côté du contenu de mon chariot ! Panthère veut être très riche. Avoir suivi la piste de l'or et revenir vainqueur... Est-il plus somptueux miracle ? Puisque tu as douté de moi, j'exige une punition sévère.
– Je suis prêt.
– Pendant deux jours, nous disparaissons. Nous partons pêcher dans le Delta. J'ai envie de voir de l'eau, de me baigner, de me rouler dans des prairies grasses et de l'herbe verte, de circuler en barque dans des marécages !

– L'intronisation de Néféret...

– Je connais ton épouse : elle nous accordera cette liberté.

– Et Panthère ?

– Si tu es avec moi, elle aura confiance. Elle aidera Néféret à se préparer ; la Libyenne est experte dans l'art de coiffer et de tresser une perruque. Et nous reviendrons avec d'énormes poissons !

CHAPITRE 36

Généralistes, chirurgiens, oculistes, dentistes et autres spécialistes s'étaient rassemblés pour assister à l'investiture de Néféret. Les praticiens furent admis dans la grande cour à ciel ouvert du temple de la déesse Sekhmet qui propageait les maladies, tout en dévoilant les remèdes capables de les guérir. Le vizir Bagey, dont chacun remarqua la profonde lassitude, présida la cérémonie. Voir une femme accéder au sommet de la hiérarchie médicale ne choquait aucun Égyptien, même si ses collègues masculins ne se privaient pas de certaines critiques, relatives à sa moindre résistance et à son manque d'autorité.

Panthère avait œuvré avec talent. Non seulement elle avait coiffé Néféret, mais encore s'était-elle préoccupée de l'habiller; aussi la jeune femme apparut-elle dans une longue robe de lin éclatante de blancheur. Un large collier de cornaline autour du cou, des bracelets de lapis-lazuli aux poignets et aux chevilles, et une perruque striée lui donnaient une allure royale qui fit forte impression sur l'assistance, en dépit de la douceur du regard et de la tendresse d'un corps léger.

Le doyen d'âge de la corporation des médecins revêtit Néféret d'une peau de panthère pour signifier que, comme le prêtre chargé de donner la vie à la momie royale lors des rites de résurrection, elle avait le devoir d'insuffler une énergie constante dans l'immense corps que formait l'Égypte. Puis il lui remit le sceau de médecin-chef, qui lui donnait autorité sur tous les praticiens du royaume, et l'écritoire sur laquelle elle rédigerait des décrets concernant la santé publique avant de les soumettre au vizir.

Le discours officiel fut de courte durée; il précisa les charges de Néféret et lui enjoignit de respecter la volonté des dieux afin de préserver le bonheur des humains. Lorsque son épouse prêta serment, le juge Pazair se cacha pour pleurer.

*

Malgré des douleurs dont Kem était seul à percevoir l'intensité, le babouin avait recouvré sa vigueur. Grâce aux soins de Néféret, le grand singe ne garderait aucune séquelle de ses graves blessures. Il s'alimentait de nouveau avec son appétit habituel et reprit ses rondes de surveillance.

Pazair et Tueur se donnèrent l'accolade.

– Je n'oublierai jamais que je lui dois la vie.

– Ne le gâtez pas trop, il perdrait sa férocité et se mettrait lui-même en danger. Aucun incident à signaler ?

– Depuis ma démission, je ne cours plus le moindre risque.

– Comment envisagez-vous l'avenir ?

– Une nomination dans un faubourg et servir de mon mieux les petites gens. Si un cas difficile se présente, je vous alerte.

– Croyez-vous encore en la justice ?

– Vous donner raison me déchire le cœur.

– J'ai envie de démissionner, moi aussi.

– Gardez votre poste, je vous en supplie. Au moins, vous arrêterez des délinquants et garantirez la sécurité.

– Jusqu'à la prochaine amnistie... Moi, plus rien ne m'étonne, mais je souffre pour vous.

– Là où nous sommes, même si notre champ d'action est dérisoire, comportons-nous en rectitude. Ma plus grande crainte, Kem, était de ne pas obtenir votre assentiment.

– Je pestais d'être retenu chez Qadash, au lieu de vous saluer, sur le quai.

– Vos conclusions ?

– Triple empoisonnement. Mais qui l'a conçu ? Les deux jeunes gens étaient les fils d'un comédien de passage. Les funérailles ont eu lieu de la manière la plus discrète, sans aucune assistance. Seuls les prêtres spécialisés y participaient. C'est l'affaire la plus sordide dont j'ai eu à m'occuper. Les corps ne reposeront pas en Égypte ; ils ont été remis aux Libyens, en raison des origines de Qadash.

– Une quatrième personne n'aurait-elle pas perpétré un assassinat ?

– Songez-vous à l'homme qui vous poursuivait ?

– Pendant la fête d'Opet, Dénès m'a interrogé afin de connaître le comportement de son ami Qadash. Je ne lui ai pas caché que le dentiste m'avait promis une confession avant de boire le poison.

– Dénès aurait supprimé un témoin gênant...

– Pourquoi tant de violence ?

– D'énormes intérêts doivent être en jeu. Bien entendu, Dénès a utilisé les services d'une créature de l'ombre. Je ne renonce pas à l'identifier. Puisque Tueur est valide, nous reprenons nos investigations.

– Un détail me hante : Qadash semblait certain d'échapper au châtiment suprême.

– Il croyait que Dénès obtiendrait sa libération.

– Sans doute, mais il se comportait avec tant d'arrogance... comme s'il prévoyait la future amnistie.

– Une indiscrétion ?

– J'en aurais eu vent.

– Détrompez-vous ; au contraire, vous fûtes le dernier informé. La cour connaît votre intransigeance et savait que le procès Dénès aurait eu un énorme retentissement.

Pazair refusait l'horrible supposition qui lui taraudait l'esprit : une collusion entre Ramsès le grand et Dénès, la corruption au sommet de l'État, la terre aimée des dieux livrée à de sordides appétits.

Kem perçut le trouble du juge.

– Seuls les faits nous éclaireront. C'est pourquoi je compte remonter une piste qui nous mènera à votre agresseur. Ses confidences seront riches d'intérêt.

– A votre tour d'être prudent, Kem.

*

Le boiteux était l'un des meilleurs vendeurs du marché occulte de Memphis, qui se tenait sur un quai désaffecté, lors de l'arrivée des cargos chargés des produits les plus divers. La police gardait un œil sur ces pratiques ; les scribes des impôts prélevaient les taxes sans état d'âme. Âgé d'une soixantaine d'années, le boiteux aurait pu se retirer depuis longtemps dans sa villa des bords du fleuve, mais il prenait plaisir à mener d'interminables tractations et à berner des amateurs crédules. Sa dernière proie avait été un scribe du Trésor, expert en bois d'ébène. Flattant sa vanité, le boiteux lui avait vendu un mobilier fabriqué dans une essence banale, au prix du bois rare, imité à la perfection.

Une autre belle affaire s'annonçait : un nouveau riche désirait acquérir une collection de boucliers nubiens appartenant à l'une des tribus les plus guerrières. Ressentir le danger, bien à l'abri d'une demeure citadine, était une sensation délicieuse qui méritait un sérieux investissement. En cheville avec d'excellents artisans, le boiteux avait passé commande de faux boucliers, beaucoup plus impressionnants que les armes authentiques. Il les bossellerait lui-même afin qu'ils portent la trace de furieux combats.

Son entrepôt était rempli de semblables merveilles qu'il distillait au compte-gouttes, avec un art inimitable. Seules l'intéressaient les plus grosses proies, fascinantes de bêtise et de suffisance. Quand il ôta le verrou, il rit en songeant au lendemain.

Une peau de bête, noire et couverte de poils, lui tomba sur les épaules au moment où il poussait la porte. Empêtré dans l'abominable dépouille, le boiteux hurla, tomba et quémanda du secours.

– Crie moins fort, exigea Kem, en lui accordant un peu d'air.

– Ah, c'est toi... qu'est-ce qui te prend ?

– Reconnais-tu cette peau ?

– Non.

– Ne mens pas.

– Je suis la franchise même.

– Tu es l'un de mes meilleurs informateurs, reconnut le Nubien, mais c'est le marchand que j'interroge. A qui as-tu vendu un babouin mâle de grande taille ?

– Le commerce d'animaux n'est pas ma spécialité.

– Un spécimen de cette qualité-là aurait dû être engagé dans la police. Seul un gredin de ton espèce a pu négocier un transport illégal.

– Tu me prêtes de noirs desseins.

– Je connais ton avidité.

– Ce n'est pas moi !

– Tu irrites Tueur.

– Je ne sais rien.

– Tueur sera plus convainquant que moi.

Le boiteux n'avait plus d'échappatoire.

– J'avais entendu parler de cet énorme babouin, capturé dans la région d'Éléphantine. Une belle affaire en perspective, mais pas pour moi. En revanche, je pouvais assurer le transport.

– Joli bénéfice, je suppose.

– Des tracasseries et des frais, surtout.

– Ne m'oblige pas à te plaindre. Un seul renseignement m'intéresse : à qui as-tu procuré ce babouin ?

– C'est très délicat...

Le singe policier, le regard fixe, gratta le sol d'une patte impatiente.

– Tu me promets la discrétion ?
– Tueur est-il bavard ?
– Personne ne doit savoir que je t'ai informé. Va voir Courtes-cuisses.

*

Le personnage méritait son surnom. Grosse tête, poitrail velu et jambes trop courtes, mais épaisses et solides. Dès son enfance, il avait porté quantité de caisses et de cageots ; devenu son propre patron, il régnait sur une centaine de petits producteurs dont il écoulait les fruits et les légumes. A côté de ces activités officielles, Courtes-cuisses trempait dans des trafics plus ou moins lucratifs.

Voir apparaître Kem et son singe ne lui causa aucun plaisir.

– Je suis en règle.
– Tu n'aimes guère la police.
– Encore moins depuis que tu la diriges.
– Ta conscience serait-elle tourmentée ?
– Pose tes questions.
– Es-tu si pressé de parler ?
– Ton babouin m'y obligera. Autant en finir tout de suite.
– C'est précisément d'un babouin dont je désire t'entretenir.
– J'ai horreur de ces monstres.
– Tu en as pourtant acheté un au boiteux.

Courtes-cuisses, gêné, fit mine de ranger des cageots.

– Une commande.
– Pour qui ?
– Un drôle de type.
– Son nom ?
– Je l'ignore.
– Décris-le.
– J'en suis incapable.
– Surprenant.

– D'ordinaire, je suis plutôt observateur. L'homme qui m'a commandé un babouin mâle très robuste était une sorte d'ombre, sans consistance et sans trait particulier. Il porte une perruque qui lui mangeait le front, lui couvrait presque les yeux, et une tunique qui dissimulait son corps. Je serais incapable de le reconnaître, d'autant plus que la transaction fut de courte durée. Il n'a même pas discuté le prix.

– Sa voix ?

– Bizarre. Je suis persuadé qu'il la déformait. Sans doute des noyaux de fruits calés entre joues et mâchoire.

– L'as-tu revu ?

– Non.

La piste s'éteignait là. La mission de l'assassin avait sans doute pris fin avec la chute de Pazair et la mort de Qadash.

*

Amusée, Sababou plaça des épingles dans son chignon.

– Visite inattendue, juge Pazair ; souffrez que je termine de me coiffer. Auriez-vous besoin de mes services, à une heure aussi matinale ?

– De vos services, non ; de vous parler, oui.

L'endroit, au luxe ostentatoire, était empreint de parfums capiteux qui tournaient la tête. Pazair chercha en vain une fenêtre.

– Votre épouse est-elle informée de votre démarche ?

– Je ne lui cache rien.

– Tant mieux. C'est un être d'exception et un excellent médecin.

– Vous conservez vos souvenirs par écrit.

– A quel titre m'interrogez-vous ? Vous n'êtes plus Doyen du porche.

– Petit juge sans affectation. Vous êtes libre de ne pas répondre.

– Qui vous a parlé de ma manie ?
– Souti. Il est persuadé que vous détenez des éléments susceptibles de mettre Dénès en difficulté.
– Souti, un garçon merveilleux et un amant extraordinaire... Pour lui, je consens à faire un geste.
Voluptueuse, Sababou se leva et disparut quelques instants derrière une tenture. Elle réapparut porteuse d'un papyrus.
– Voici le document où j'ai noté les travers de mes meilleurs clients, leurs perversités et leurs désirs inavouables. A la relecture, c'est bien décevant. Dans son ensemble, la noblesse de ce pays est saine. Elle fait l'amour avec naturel, sans torture physique ou mentale. Je n'ai rien à vous apprendre. Ce passé ne mérite que l'oubli.
Elle déchira le papyrus en mille morceaux.
– Vous n'avez pas essayé de m'en empêcher. Et si j'avais menti ?
– J'ai confiance en vous.
Sababou regarda le juge d'un œil gourmand.
– Je ne peux ni vous aider, ni vous aimer, et je le déplore. Rendez Néféret heureuse, ne songez qu'à son bonheur et vous vivrez la plus belle des vies.

*

Panthère remonta le long du corps nu de Souti, plus souple qu'une tige de papyrus dansant sous le vent. Elle s'arrêtait, l'embrassait, et reprenait son inexorable progression vers les lèvres de son amant. Las de sa passivité, il brisa cette tendre exploration, et la renversa sur le côté. Leurs jambes se mêlèrent, ils s'étreignirent avec la violence d'un jeune Nil et s'offrirent un plaisir brûlant, à la même seconde. L'un et l'autre savaient que cette perfection du désir et de son accomplissement les liait, mais ni l'un ni l'autre ne consentaient à l'avouer. Panthère était si ardente qu'un seul assaut ne lui suffisait pas ; elle réveilla sans peine l'ardeur de

Souti, grâce à d'intimes caresses. Le jeune homme la traita de « chatte libyenne », évoquant ainsi la déesse de l'amour, partie dans le désert de l'ouest sous forme d'une lionne, et revenue, douce et séduisante, sous celle du félin domestique, jamais apprivoisé de manière définitive. Le moindre geste de Panthère suscitait la passion, chatoyante et douloureuse ; elle jouait de Souti comme d'une lyre, la faisait résonner en harmonie avec sa propre sensualité.

– Je t'emmène déjeuner en ville. Un Grec vient d'ouvrir une taverne où il sert des feuilles de vigne farcies à la viande et un vin blanc de son pays.

– Quand irons-nous récupérer l'or ?

– Dès que je serai capable d'entreprendre l'expédition.

– Tu me sembles presque rétabli...

– Te faire l'amour est plus facile, sinon moins épuisant, que marcher plusieurs jours dans le désert ; je dois encore reprendre des forces.

– Je serai à tes côtés ; sans moi, tu échouerais

– A qui vendre le métal sans être dénoncé ?

– Les Libyens accepteraient.

– Jamais. Tâchons de trouver une solution à Memphis ; sinon, nous séjournerons à Thèbes afin de découvrir une filière. L'opération est dangereuse.

– Et si excitante ! La fortune se mérite.

– Dis-moi, Panthère... qu'as-tu éprouvé en tuant le policier félon ?

– L'angoisse de le rater.

– Avais-tu déjà supprimé un être humain ?

– Je voulais te sauver, et j'ai réussi. Je te tuerai, toi, si tu tentes encore de me quitter.

*

Souti goûta, étonné, à l'atmosphère de Memphis. Elle le déconcerta, lui parut presque étrangère, après sa longue marche dans le désert. Au cœur du quartier du

Sycomore, une foule bigarrée se pressait aux abords du temple de la déesse Hathor pour écouter un héraut, annonçant les dates de la prochaine fête. Des recrues se dirigeaient vers la zone militaire afin d'y recevoir leur équipement. Des marchands conduisaient ânes et chariots vers les entrepôts où ils obtiendraient leurs lots de céréales et de produits frais. Au port de « Bon voyage », les bateaux manœuvraient, les marins prêts à débarquer entonnaient les chants traditionnels de l'arrivée.

Le Grec avait ouvert sa taverne dans une ruelle du faubourg sud, non loin du premier bureau du juge Pazair. Alors que Panthère et Souti s'y engageaient, des cris d'effroi les alertèrent.

Un char, tiré par un cheval fou, dévalait à pleine vitesse la minuscule artère. Affolée, une femme venait de lâcher les rênes. La roue gauche heurta la façade d'une maison, la caisse bascula, la passagère fut projetée sur le sol. Des passants immobilisèrent le coursier.

Souti accourut et se pencha vers la victime.

La tête en sang, la dame Nénophar ne respirait plus.

*

Les premiers soins furent donnés sur place, puis l'épouse de Dénès fut transportée à l'hôpital. Elle souffrait de contusions multiples, d'une triple fracture de la jambe gauche, d'un enfoncement de la cage thoracique, et d'une blessure à la nuque. Sa survie tenait du miracle. Néféret et deux chirurgiens l'opérèrent aussitôt. Grâce à sa robuste constitution, Nénophar échapperait à la mort, mais serait contrainte de se déplacer avec des béquilles.

Comme elle fut rapidement en état de parler, Kem reçut l'autorisation de l'interroger, en compagnie de Pazair.

– Le juge m'accompagne à titre de témoin, précisa le chef de la police. Je préfère qu'un magistrat assiste à notre entretien.

– Pourquoi ces précautions ?
– Parce que je perçois mal les causes de l'accident.
– Un cheval qui s'est emballé... Je ne suis pas parvenue à le contrôler.
– Avez-vous coutume de conduire seule un véhicule comme celui-là ? demanda Pazair.
– Bien sûr que non.
– En ce cas, que s'est-il passé ?
– Je suis montée la première, un serviteur devait prendre les rênes. Un projectile, sans doute une pierre, a touché la jument. Elle a henni, s'est dressée, est partie au galop.
– Ne décrivez-vous pas un attentat ?
Nénophar, dont la tête était bandée, laissa errer son regard.
– Invraisemblable.
– Je soupçonne votre mari.
– C'est odieux !
– Ai-je tort ? Derrière son honorabilité apparente, se cache un être vaniteux et vil, épris de son seul intérêt.
Nénophar parut ébranlée. Pazair élargit la brèche.
– D'autres soupçons pèsent sur vous.
– Sur moi ?
– L'assassin de Branir a utilisé une aiguille en nacre. Vous-même maniez cet outil avec une dextérité remarquable.
Nénophar se redressa, hagarde.
– C'est horrible... Comment osez-vous proférer pareille accusation ?
– Lors du procès qu'empêche l'amnistie, vous auriez été inculpée de trafic d'étoffes, de robes et de draps. Un forfait n'en entraîne-t-il pas un autre ?
– Pourquoi vous acharner ainsi ?
– Parce que votre mari est au centre d'un complot criminel. Ne seriez-vous pas sa meilleure complice ?
Un triste rictus crispa les lèvres de Nénophar.
– Vous êtes mal informé, juge Pazair. Avant cet accident, j'avais l'intention de divorcer.

– Auriez-vous changé d'idée ?

– A travers moi, c'est Dénès qu'on visait. Je ne l'abandonnerai pas en pleine tempête.

– Pardonnez ma brutalité. Je vous souhaite un prompt rétablissement.

*

Les deux hommes s'assirent sur un banc de pierre. Le calme du babouin prouvait qu'ils n'étaient pas observés.

– Votre avis, Kem ?

– Cas flagrant de stupidité chronique et inguérissable. Elle est incapable de comprendre que son mari a tenté de se débarrasser d'elle, parce qu'elle l'aurait réduit à la misère en se séparant de lui. C'est Nénophar qui possède la fortune. Dénès ignorait qu'il jouait un coup gagnant, quelle que fût l'issue de son entreprise ; soit Nénophar mourait dans un accident, soit elle redevenait son alliée ! Difficile de dénicher une grande bourgeoise plus idiote.

– Sentence abrupte, estima Pazair, mais convaincante. Un fait me paraît établi : elle n'est pas l'assassin de Branir.

CHAPITRE 37

Au milieu d'un hiver plus froid qu'à l'ordinaire, Ramsès le grand célébra les fêtes de la résurrection 'Osiris. Après la fertilité du Nil, visible par tous, enait la fécondité de l'esprit vainqueur du trépas; dans haque sanctuaire furent allumées des lampes, afin que rillât l'éternelle lumière de la résurrection.

Le roi se rendit à Saqqara; une journée entière, il e recueillit devant la pyramide à degrés, puis devant a statue de son illustre prédécesseur, le pharaon)jeser.

Ne franchissait l'unique porte ouverte dans l'enceinte ue l'âme du pharaon défunt ou le roi régnant, lors de sa ête de régénération, en présence des divinités du ciel et e la terre.

Ramsès implora ses ancêtres, devenus étoiles au irmament, de lui inspirer la conduite à suivre pour ortir du ravin obscur où ses ennemis invisibles 'avaient précipité. La majesté du lieu, consacré au ilence lumineux de la vie transfigurée, la rasséréna; l emplit son regard des jeux de clarté qui animaient 'escalier géant aux marches de pierre, centre de 'immense nécropole.

Au couchant, la réponse naquit en son cœur.

*

Kem n'était pas un homme de bureau. Aussi inter
rogea-t-il Souti en marchant le long du Nil.

– Étrange aventure que la vôtre. Sortir vivant d
désert n'est pas un mince exploit.

– J'ai de la chance. Elle me protège mieux qu
n'importe quelle divinité.

– C'est une amie volage qu'il ne faut pas trop tenter

– La prudence m'ennuie.

– Éphraïm était un fieffé coquin. Sa disparition n'
pas dû vous attrister.

– Il s'est enfui en compagnie du général Asher.

– Malgré le déploiement des forces de sécurité, il
restent introuvables.

– J'ai constaté leur habileté à se déplacer en évitan
la police du désert.

– Vous êtes un magicien, Souti.

– Compliment ou reproche ?

– Échapper aux griffes d'Asher est un exploit surna
turel. Pourquoi vous a-t-il relâché ?

– Je ne me l'explique pas.

– Il aurait dû vous tuer, convenez-en. Autre poin
étrange : quel but poursuivait le général en se réfugian
dans une région minière ?

– Quand vous l'arrêterez, il vous le révélera.

– L'or est la richesse suprême, le rêve inaccessible
Comme vous, Asher se moquait des dieux ; Éphraïm
connaissait des filons oubliés dont il lui a indiqu
l'emplacement. En accumulant l'or, le général n
redoutait plus l'avenir.

– Asher ne m'a fait aucune confidence.

– N'aviez-vous pas envie de le suivre ?

– J'étais blessé, à bout de forces.

– Je suis persuadé que vous avez supprimé le géné
ral. Vous le haïssiez au point de prendre des risque
considérables.

– Trop rude adversaire, dans mon état.

– J'ai connu cette situation. La volonté peut dicter sa loi au corps le plus épuisé.

– Quand Asher reviendra, il bénéficiera de l'amnistie.

– Il ne reviendra jamais. Les vautours et les rongeurs ont dévoré ses chairs, le vent dispersera ses os. Où avez-vous caché l'or ?

– Je ne possède que ma chance.

– Voler ce métal est une faute impardonnable. Personne n'a réussi à conserver l'or dérobé dans le ventre des montagnes. Restituez-le, avant qu'elle ne vous abandonne.

– Vous êtes devenu un vrai policier.

– J'aime l'ordre. Un pays est heureux et prospère lorsque les êtres et les choses sont à leur juste place. Celle de l'or se trouve à l'intérieur du temple. Rapportez votre butin à Coptos, et ma bouche restera close. Sinon, considérez-moi comme un ennemi.

*

Néféret refusa d'habiter la villa de Nébamon, l'ex-médecin-chef du royaume ; trop d'ondes nocives imprégnaient l'endroit. Elle préféra attendre que l'administration lui octroie une autre demeure et se contenta du modeste logement où elle ne passait que de courtes nuits.

Dès le lendemain de son intronisation, les différents corps de santé avaient sollicité audience, de peur de subir une défaveur. Néféret calma les inquiétudes et réfréna les impatiences ; avant de se préoccuper d'éventuelles promotions, elle devait se pencher sur les besoins de la population. Aussi convoqua-t-elle les préposés à la distribution des eaux afin qu'aucun village ne fût privé du précieux liquide ; puis elle examina la liste des hôpitaux et des dispensaires, constatant que certaines provinces manquaient du strict nécessaire. La répartition des spécialistes et des généralistes entre le sud et le nord ne donnait pas satisfaction. Enfin, dans les premières urgences, il fallait répondre aux pays étrangers qui réclamaient des médecins égyptiens pour soigner d'illustres patients.

La jeune femme commençait à mesurer l'étendue de sa tâche. S'y ajouta l'hostilité polie de praticiens chargés, depuis la mort de Nébamon, de veiller sur la santé de Ramsès; le généraliste, le chirurgien et le dentiste vantèrent leurs qualités et affirmèrent que le monarque était satisfait de leurs soins.

Marcher dans les rues la défatiguait. Si peu de gens connaissaient son visage, surtout dans les quartiers proches du palais, qu'elle déambulait à son aise, après une journée d'entretiens harassants où chaque interlocuteur la mettait à l'épreuve.

Lorsque Souti se porta à sa hauteur, elle s'en étonna.

– Je devais te parler seul à seule.

– Tu exclus Pazair?

– Pour le moment, oui.

– Que crains-tu?

– Mes soupçons sont trop vagues et si affreux... Il s'emballerait à tort. Je préfère te parler d'abord; tu seras juge.

– Panthère?

– Comment as-tu deviné?

– Elle occupe une place certaine dans ta vie... et tu sembles très amoureux.

– Détrompe-toi, notre entente n'est que sensuelle. Mais Panthère...

Souti hésitait. Néféret, qui appréciait une marche rapide, ralentit l'allure.

– Rappelle-toi les circonstances de l'assassinat de Branir, exigea-t-il.

– On lui a planté une aiguille en nacre dans le cou, avec une telle précision que le décès fut instantané.

– Panthère a tué de la même manière le policier félon, en utilisant un poignard. L'homme était pourtant un géant.

– Simple coïncidence.
– Je l'espère, Néféret, je l'espère de tout cœur.
– Ne te tourmente pas davantage. L'âme de Branir m'est si proche, si vivante, que ton accusation aurait suscité en moi une certitude immédiate. Panthère est innocente.

*

Néféret et Pazair ne se cachaient rien. Depuis l'instant où l'amour les avait unis, régnait une complicité que le quotidien n'usait pas et que les conflits ne brisaient pas. Lorsque le juge se coucha, tard dans la nuit, elle s'éveilla et lui fit part des inquiétudes de Souti.
– A l'idée de vivre avec la femme qui aurait assassiné Branir, il se sentait coupable.
– Depuis quand cette folie le hante-t-elle ?
– Un cauchemar a imprimé ce souvenir dans sa mémoire.
– Grotesque. Panthère ne connaissait même pas Branir.
– Quelqu'un aurait pu utiliser ses sinistres dons.
– Elle a frappé le policier par amour ; rassure Souti.
– Tu parais sûr de toi.
– Je suis sûr d'elle et de lui.
– Moi aussi.

*

La visite de la reine mère bouscula l'ordre des audiences. Des chefs de province, venus pour quémander des équipements sanitaires, s'inclinèrent au passage de Touya.
La mère de Ramsès embrassa Néféret.
– Vous voilà à votre vraie place.
– Je regrette mon village de Haute Égypte.
– Ni regret, ni remords : ce sont des futilités. Seule compte votre mission au service du pays.

– Votre santé ?
– Excellente.
– Un examen de routine s'impose.
– Uniquement pour vous rassurer.

En dépit de l'âge et des précédentes affections, la vue de la reine mère était satisfaisante. Néféret la pria néanmoins de suivre le traitement avec rigueur.

– Votre tâche ne sera pas facile, Néféret. Nébamon avait l'art de différer les urgences et d'enterrer les dossiers ; il s'entourait de féaux dépourvus de personnalité. Cette caste molle, étroite d'esprit, conservatrice, s'opposera à vos initiatives. L'inertie est une arme redoutable ; ne vous découragez pas.
– Comment se porte Pharaon ?
– Il réside dans le nord et inspecte des garnisons. J'ai le sentiment que la disparition du général Asher le préoccupe.
– Partagez-vous de nouveau ses pensées ?
– Hélas, non ! Sinon, je lui aurais demandé les raisons de cette méprisable amnistie que notre peuple désapprouve. Ramsès est las, son pouvoir s'use. Les grands prêtres d'Héliopolis, de Memphis et de Thèbes ne tarderont plus à organiser la fête de régénération que chacun, à juste titre, estime nécessaire.
– Le pays sera en liesse.
– Ramsès sera de nouveau rempli de ce feu qui lui a permis de vaincre les ennemis les plus redoutables. N'hésitez pas à réclamer mon aide ; à présent, nos relations revêtent un caractère officiel.

Être ainsi encouragée décupla l'énergie de Néféret.

*

Après le départ des ouvrières, la dame Tapéni inspecta l'atelier. Son œil exercé discernait le moindre vol ; ni un outil ni un morceau d'étoffe ne devaient disparaître de son domaine, sous peine de sanctions immédiates. Seule la rigueur assurait une qualité constante du travail.

Un homme entra.

– Dénès... Que désires-tu ?

Le transporteur referma derrière lui. Massif, le visage fermé, il avança d'un pas lent.

– Nous ne devions pas nous revoir, d'après toi.

– Exact.

– Tu as commis une erreur. Je ne suis pas une femme qu'on abandonne après s'en être servi.

– Tu en as commis une autre. Je ne suis pas un notable qu'on fait chanter.

– Ou tu t'inclines, ou je ruine ta réputation.

– Ma femme vient d'avoir un accident; sans la clémence des dieux, elle serait morte.

– Cet incident ne change rien aux accords conclus avec elle.

– Aucun accord n'a été conclu.

D'une main, Dénès saisit Tapéni à la gorge et la plaqua contre un mur.

– Si tu continues à m'importuner, tu seras, toi aussi, victime d'un accident. Je déteste tes méthodes; avec moi, elles sont vouées à l'échec. Ne tente pas de t'opposer à mon épouse et oublie notre rencontre. Contente-toi de ton métier, si tu désires vivre vieille. Adieu.

Libérée, Tapéni respira goulûment.

*

Souti s'assura qu'il n'était pas suivi. Depuis l'interrogatoire qu'avait mené Kem, il redoutait d'être placé sous surveillance. L'avertissement du Nubien ne devait pas être pris à la légère; même Pazair ne pourrait protéger son ami, si le chef de la police démontrait sa culpabilité.

Par bonheur, les soupçons pesant sur sa maîtresse libyenne s'étaient dissipés; mais Souti et Panthère devaient quitter Memphis sans attirer l'attention du Nubien. Utiliser au mieux leur fabuleuse fortune serait une entreprise délicate qui exigeait des complicités;

aussi le jeune homme contacta-t-il quelques personnages douteux, receleurs patentés de plus ou moins grande envergure, sans dévoiler son secret. Il évoqua une transaction importante, impliquant un long transport.

Courtes-cuisses lui apparut comme un partenaire valable. Le marchand ne posa pas de questions, et accepta de fournir à Souti des ânes robustes, de la viande séchée et des outres d'eau, à l'endroit de son choix. Ramener l'or de la grotte vers la grande cité, le cacher et le négocier pour acquérir une villa somptueuse et mener grande vie présentait bien des risques ; mais Souti prenait un plaisir intense à jouer avec sa chance. Au seuil de la fortune, elle ne l'abandonnerait pas.

Dans trois jours, Panthère et lui embarqueraient pour Éléphantine. Munis de la tablette de bois où Courtes-cuisses avait inscrit ses instructions, ils se procureraient les bêtes et le matériel dans un village où personne ne les connaissait. Puis ils sortiraient de l'antre une partie de l'or, et reviendraient à Memphis avec l'espoir de le troquer dans un marché parallèle que Grecs, Libyens et autres Syriens tentaient d'animer. La valeur marchande du métal jaune était si considérable, le noble matériau circulait si peu, que Souti trouverait bien un acheteur.

Il encourait la prison à vie, sinon la mort. Mais lorsqu'il posséderait la plus belle propriété d'Égypte, n'organiserait-il pas des réceptions magnifiques dont les invités d'honneur seraient Pazair et Néféret ? Il brûlerait ses richesses comme la paille, afin qu'un feu de joie s'élève vers le ciel où des dieux absents riraient avec lui.

*

La voix du vizir était rauque, sa mine tirée.

– Juge Pazair, je vous ai convoqué afin d'évoquer votre conduite.

– Aurais-je commis une faute ?

– Votre opposition à l'amnistie n'est-elle pas trop manifeste ? Vous ne manquez pas une occasion de l'afficher.

– Me taire serait une imposture.

– Êtes-vous conscient de votre imprudence ?

– N'avez-vous pas montré votre hostilité au roi ?

– Je suis un vieux vizir, vous un jeune magistrat.

– Comment l'opinion d'un petit juge de quartier offenserait-elle Sa Majesté ?

– Vous fûtes Doyen du porche. Gardez vos pensées pour vous.

– Ma prochaine nomination dépendrait-elle de mon silence ?

– Vous êtes assez intelligent pour répondre vous-même à cette question. Un juge qui conteste la loi serait-il digne d'exercer ?

– S'il en est ainsi, je renonce à cette fonction.

– Elle est votre raison de vivre.

– La blessure sera inguérissable, je l'admets, mais elle est préférable à l'hypocrisie.

– N'êtes-vous pas trop rigoriste ?

– Venant de vous, cette remarque est un compliment.

– Je déteste la grandiloquence, mais je crois que ce pays a besoin de vous.

– En restant fidèle à mon idéal, j'espère être en harmonie avec l'Égypte des pyramides, de la cime thébaine, et des soleils impérissables. Celle-là ignorait l'amnistie. Si je me trompe, la justice suivra son chemin sans moi.

*

– Bonjour, Souti.

Le jeune homme posa la coupe remplie d'une bière fraîche.

– Tapéni !

– J'ai mis beaucoup de temps à te retrouver. Cette taverne est plutôt sordide, mais tu sembles l'apprécier.
– Comment te portes-tu ?
– Plutôt mal, depuis ton départ.
– Une jolie femme ne souffre pas de solitude.
– Aurais-tu perdu la mémoire ? Tu es mon mari.
– Lorsque j'ai quitté ta maison, notre divorce fut consommé.
– Tu te trompes, chéri ; je considère ta fugue comme une simple absence.
– Notre mariage s'inscrivait dans le cadre d'une enquête ; l'amnistie l'a effacée.
– Je prends notre union au sérieux.
– Cesse de plaisanter, Tapéni.
– Tu es l'époux dont je rêvais.
– Je t'en prie...
– Je te somme de répudier ta putain libyenne et de revenir au domicile conjugal.
– C'est insensé !
– Je ne veux pas tout perdre. Obéis, ou il t'en cuira.
Souti haussa les épaules et but une grande rasade.

*

Brave batifolait devant Pazair et Néféret. Le chien contemplait l'eau du canal, mais évitait de s'en approcher. Le petit singe vert s'agrippait à l'épaule de sa maîtresse.
– Ma décision consterne Bagey, mais je m'y tiendrai.
– Exerceras-tu en province ?
– Nulle part. Je ne suis plus juge, Néféret, parce que je m'oppose à une décision inique.
– Nous aurions dû partir pour Thèbes.
– Tes collègues t'auraient ramenée.
– Ma position est plus instable qu'il n'y paraît. Qu'une femme soit médecin-chef du royaume importune quelques courtisans influents. A la moindre faute, on exigera mon renoncement.

– Je vais réaliser un vieux rêve : devenir jardinier. Dans notre future maison, mon labeur ne sera pas négligeable.

– Pazair...

– Vivre ensemble est un bonheur sans égal. Travaille à la santé de l'Égypte, je soignerai les fleurs et les arbres.

*

Les yeux de Pazair ne le trompaient pas. Il s'agissait bien d'une convocation émanant du juge principal d'Héliopolis, la ville sainte située au nord de Memphis. La cité, dépourvue d'importance économique, ne comprenait que des temples, bâtis autour d'un immense obélisque, rayon de soleil pétrifié.

– On me propose un poste de magistrat préposé aux affaires religieuses, supposa-t-il. Comme il ne se passe jamais rien à Héliopolis, je ne serai pas surmené. D'ordinaire, le vizir nomme des magistrats âgés ou malades.

– Bagey est intervenu en ta faveur, estima Néféret. Au moins, tu conserveras ton titre.

– M'écarter des affaires civiles... Astucieux.

– Ne repousse pas cet appel.

– Si l'on m'impose la moindre servitude, si l'on tente de me faire admettre l'amnistie, ma visite sera de courte durée.

*

A Héliopolis résidaient les rédacteurs des textes sacrés, des rituels et des récits mythologiques destinés à transmettre la sagesse des anciens. A l'intérieur des sanctuaires, ceints de hauts murs, un nombre restreint d'officiants célébrait le culte de l'énergie sous sa forme lumineuse.

Pazair découvrit une ville silencieuse, sans marchands ni échoppes; dans de petites maisons blanches habitaient des prêtres et des artisans chargés de créer ou d'entretenir des objets rituels. Les bruits du monde ne les atteignaient pas.

Le magistrat se présenta au bureau du juge principal où un scribe chenu, visiblement importuné, le reçut en bougonnant. Après avoir examiné la convocation, il s'absenta.

L'endroit était calme, presque endormi, si éloigné de l'agitation de Memphis que Pazair eut peine à croire que des hommes travaillaient là.

Deux policiers surgirent, armés de gourdins.

– Juge Pazair ?

– Que voulez-vous ?

– Suivez-nous.

– Pour quel motif ?

– Ordre supérieur.

– Je refuse.

– Toute résistance est inutile. Ne nous obligez pas à utiliser la force.

Pazair était tombé dans un traquenard. Qui défiait Ramsès en payait le prix; ce n'était pas un poste de juge qu'il obtiendrait, mais une place au cimetière de l'oubli.

CHAPITRE 38

Encadré par les deux policiers, Pazair fut conduit à l'entrée d'un bâtiment oblong, jouxtant le mur d'enceinte du temple de Rê.

La porte s'ouvrit sur un prêtre âgé, au crâne rasé, à la peau ridée et aux yeux noirs, vêtu d'une peau de panthère.

– Juge Pazair ?

– Cette détention est illégale.

– Au lieu de proférer des stupidités, entrez, lavez vos mains et vos pieds, et recueillez-vous.

Intrigué, Pazair obéit. Les deux policiers restèrent au-dehors, la porte se referma.

– Où suis-je ?

– Dans la Maison de Vie d'Héliopolis.

Le juge fut abasourdi. C'était ici, dans ce lieu inaccessible aux profanes, que les sages du temps passé avaient composé les *Textes des pyramides*, dévoilant les mutations de l'âme et le processus de résurrection. Le peuple savait que les plus illustres mages avaient été formés dans cette école mystérieuse où quelques êtres étaient appelés, sans connaître ni le jour ni l'heure.

– Purifie-toi.

Tremblant, le juge s'exécuta.

– On m'appelle le Chauve, révéla le prêtre. Je surveille cette porte et ne laisse entrer aucun élément nocif.

– Ma convocation...

– Ne m'importune pas avec des paroles inutiles.

Du Chauve émanait un magnétisme qui clouait les protestations au fond de la gorge.

– Ôte ton pagne et revêts ce vêtement blanc.

Pazair se sentait transporté dans un autre monde, dépourvu de points de repère. La lumière ne pénétrait dans la Maison de Vie que par d'étroites lucarnes, percées au sommet des murs de pierre, dépourvus d'inscription.

– On me surnomme aussi l'abatteur, révéla le Chauve, parce que je décapite les ennemis d'Osiris. Ici sont conservés les annales des dieux, les livres de science, et les rituels des mystères. Que ta bouche demeure close sur ce que tu verras et entendras. Le destin frappe les bavards.

Le Chauve précéda Pazair dans un long couloir qui aboutissait à une cour sablée. Au centre, un tertre abritait une momie d'Osiris, réceptacle de la vie dans son aspect le plus secret. Appelée « pierre divine », elle était enduite d'onguents et recouverte d'une peau de bélier.

– En elle meurt et renaît l'énergie qui crée l'Égypte, indiqua le Chauve.

Autour de la cour, des bibliothèques et des ateliers réservés aux adeptes admis à travailler dans cette enceinte.

– Que discernes-tu, Pazair ?

– Une butte de sable.

– Ainsi s'incarne la vie. L'énergie jaillit de l'océan où les mondes sont contenus à l'état de germes, elle se matérialise sous la forme d'une éminence. Cherche le plus haut, le plus essentiel, et tu te rapprocheras de l'origine. Entre dans cette salle, et comparais devant ton juge.

Assis sur un trône en bois doré, l'homme était coiffé d'une perruque à boucles qui cachait ses oreilles et vêtu d'une tunique longue. Sur sa poitrine, un large nœud ; dans sa main droite, un sceptre de commandement ;

dans la gauche, une longue canne. Derrière lui, une balance en or.

Préposé aux secrets de la Maison de Vie, chargé de la distribution des offrandes, gardien de la pierre primordiale, le redoutable personnage interpella l'intrus.

– Tu as la prétention d'être un juge honnête.

– Je m'y emploie.

– Pourquoi refuses-tu d'appliquer l'amnistie décrétée par Pharaon ?

– Parce qu'elle est inique.

– En ce lieu clos, devant cette balance, loin du regard des profanes, oses-tu maintenir cet avis ?

– Je le maintiens.

– Je ne peux plus rien pour toi.

Le Chauve agrippa Pazair par l'épaule et l'obligea à se retirer. Ainsi, ces belles paroles faisaient partie du traquenard. L'unique but de ces prêtres était de briser la résistance du juge. La persuasion ayant échoué, ils utiliseraient la violence.

– Entre ici.

Le Chauve claqua la porte de bronze.

Une seule lampe éclairait la petite pièce, dépourvue d'ouverture. Deux canaux, creusés dans la masse, procuraient l'air indispensable.

Un homme regardait Pazair.

Un homme aux cheveux roux, au large front et au nez busqué. A ses poignets, des bracelets d'or et de lapis-lazuli, dont la partie supérieure était ornée de deux têtes de canards sauvages. Le bijou préféré de Ramsès le grand.

– Vous êtes...

Pazair n'osa prononcer le mot « Pharaon » qui lui brûlait les lèvres.

– Toi, tu es Pazair, le magistrat qui a quitté son poste de Doyen du porche et critiqué mon décret d'amnistie.

Le ton était violent, chargé de reproches. Le cœur du juge battait la chamade ; face au souverain le plus puissant de la terre, il perdait ses moyens.

– Eh bien, réponds ! M'a-t-on menti à ton sujet ?

– Non, Majesté.

Le juge prit conscience qu'il avait omis de s'incliner. Il cassa le buste et mit les deux genoux à terre.

– Relève-toi. Puisque tu t'opposes au roi, comporte-toi en guerrier.

Vexé, Pazair se redressa.

– Je ne reculerai pas.

– Que reproches-tu à ma décision ?

– Blanchir des coupables et relaxer des criminels sont des injures aux dieux et des marques de mépris pour la souffrance humaine. Demain, si vous suivez cette pente dangereuse, vous accuserez les victimes.

– Serais-tu infaillible ?

– J'ai déjà commis beaucoup d'erreurs, mais pas au détriment d'un innocent.

– Incorruptible ?

– Mon âme n'est pas à vendre.

– Sais-tu ce qu'est un crime de lèse-majesté ?

– Je respecte la règle de la déesse Maât.

– La connaîtrais-tu mieux que moi, qui suis son fils ?

– L'amnistie est une grave injustice, elle compromet l'équilibre du pays.

– Crois-tu survivre à ces paroles ?

– J'aurais eu la joie de vous offrir ma véritable pensée.

Ramsès changea de ton. A l'agressivité succéda une parole grave et lente.

– Depuis ton arrivée à Memphis, je t'observe. Branir était un sage, il n'agissait pas à la légère. Il t'avait choisi à cause de ta probité ; son autre disciple était Néféret, aujourd'hui médecin-chef du royaume.

– Elle a réussi, j'ai échoué.

– Tu as également réussi, puisque tu es le seul juge d'Égypte en rectitude.

Pazair fut stupéfait.

– Malgré de multiples interventions, dont la mienne,

ton opinion n'a pas varié. Tu as tenu tête au roi d'Égypte, au nom de la justice. Tu es mon dernier espoir. Moi, Pharaon, je suis seul, pris dans un piège abominable. Es-tu prêt à m'aider ou préfères-tu ta tranquillité ?

Pazair s'inclina.

– Je suis votre serviteur.

– Parole de courtisan ou engagement sincère ?

– Mes actes répondent pour moi.

– C'est pourquoi je remets entre tes mains l'avenir de l'Égypte.

– Je... je ne comprends pas.

– Nous sommes dans un endroit sûr ; ici, personne n'entendra ce que je vais te révéler. Réfléchis bien, Pazair ; tu peux encore te retirer. Lorsque j'aurai parlé, tu seras chargé de la mission la plus difficile jamais confiée à un juge.

– La vocation que Branir a éveillée en moi ne souffre pas de dérobade.

– Juge Pazair, je te nomme vizir d'Égypte.

– Mais le vizir Bagey...

– Bagey est âgé et fatigué. A plusieurs reprises, ces derniers mois, il m'a demandé de le remplacer. Ton refus de l'amnistie m'a permis de découvrir son successeur, en dépit des conseils de mes proches qui songeaient à d'autres noms.

– Pourquoi Bagey n'assumerait-il pas la tâche que vous désirez me confier ?

– D'une part, il ne possède plus le dynamisme nécessaire pour mener l'enquête ; d'autre part, je redoute un bavardage parmi les membres de son administration, en place depuis trop longtemps. Si la moindre indiscrétion filtrait, le pays tomberait entre les mains de démons issus des ténèbres. Demain, tu seras le premier personnage du royaume après Pharaon ; mais tu seras seul, sans ami, et sans appui. Ne te confie à personne, bouleverse la hiérarchie, entoure-toi d'hommes nouveaux, mais ne leur accorde aucune confiance.

– Vous parliez d'enquête...

– Voici la vérité, Pazair. Dans la grande pyramide étaient déposés les insignes sacrés de la royauté; ils légitiment le règne de chaque pharaon. La pyramide fut assassinée et violée, ce trésor dérobé. Sans lui, je ne peux célébrer la fête de régénération qu'exigent, à juste titre, les grands prêtres des principaux temples, et l'âme de notre peuple. Dans moins d'un an, lorsque renaîtra la crue du Nil, je serai contraint d'abdiquer au profit d'un voleur et d'un criminel qui demeure tapi dans l'ombre.

– Le décret d'amnistie vous fut donc dicté.

– Pour la première fois, je fus contraint d'agir contre la justice. On m'a menacé de révéler le pillage de la pyramide et de précipiter ma chute.

– Pourquoi l'ennemi n'a-t-il pas pris cette initiative depuis longtemps ?

– Parce qu'il n'est pas prêt; s'emparer du trône exclut l'improvisation. Le moment de mon abdication sera le plus favorable, et l'usurpateur recevra le pouvoir en toute quiétude. Si j'ai accepté de souscrire aux exigences du message anonyme, c'est surtout pour voir qui oserait se dresser contre l'amnistie. A part Bagey et toi, personne n'en a contesté le bien-fondé. Le vieux vizir a droit au repos; tu identifieras les criminels, ou bien nous sombrerons ensemble.

Pazair se remémora les principales phases de ses investigations, depuis l'instant crucial où il avait été le grain de sable au sein d'une machine infernale, en refusant de cautionner la mutation administrative d'un vétéran, membre de la garde d'honneur du sphinx.

– Jamais une telle vague d'assassinats n'a déferlé sur le pays. Je suis persuadé qu'ils sont liés à ce monstrueux complot. Pourquoi a-t-on tué cinq vétérans ? Parce que le sphinx de Guizeh est proche de la grande pyramide. Ces soldats gênaient les conjurés. Ils devaient s'en débarrasser afin de pénétrer dans l'édifice sans être repérés.

– Par quel chemin ?
– Un boyau souterrain que je croyais condamné et qu'il te faudra inspecter. Peut-être des indices subsistent-ils. J'ai longtemps songé que le général Asher était au centre de la machination...
– Non, Majesté ; un simple trompe-l'œil.
– S'il demeure introuvable, c'est qu'il fédère des tribus libyennes contre l'Égypte.
– Asher est mort.
– En possèdes-tu la preuve ?
– Le récit de mon ami Souti.
– L'a-t-il tué ?
Pazair hésita à répondre.
– Tu es mon vizir. Entre toi et moi ne doit subsister aucune ombre ; la vérité sera notre lien.
– Souti a supprimé l'homme qu'il haïssait. Il fut témoin des tortures que le général infligea à un soldat égyptien.
– J'ai longtemps cru à la bonne foi d'Asher, et je me suis trompé.
– Si le procès Dénès s'était tenu, sa culpabilité aurait été mise en évidence.
– Ce transporteur prétentieux !
– Avec ses amis Qadash et Chéchi, il formait un trio redoutable. Le dentiste voulait devenir médecin-chef, le second affirmait travailler à la fabrication d'armes incassables. Chéchi et Dénès sont probablement responsables de l'accident dont fut victime la princesse Hattousa.
– Le complot se limite-t-il à ces trois personnages ?
– Je l'ignore.
– Découvre-le.
– J'ai erré, Majesté ; à présent, je dois tout savoir. Quels sont les objets sacrés qui furent dérobés dans la grande pyramide ?
– Une herminette en fer céleste, utilisée pour ouvrir la bouche de la momie, lors du rituel de résurrection.
– Elle est entre les mains du grand prêtre du temple de Ptah, à Memphis !

– Des amulettes en lapis-lazuli.

– Chéchi organisait un trafic ; celles-là sont sans doute en sécurité à Karnak, chez le grand prêtre Kani.

– Un scarabée en or.

Pazair ressentit un fol espoir.

– Chez Kani également !

Un instant, le nouveau vizir crut qu'il avait sauvé, sans le savoir, les trésors de la pyramide.

– Les pillards, poursuivit Ramsès, ont arraché le masque d'or de Khéops et son collier.

Le juge resta muet. La déception rida son visage.

– S'ils se sont comportés comme les profanateurs du passé, nous ne retrouverons jamais ces précieuses reliques, pas davantage que la coudée en or dédiée à la déesse Maât. Ils les auront fondues et transformées en lingots, écoulés à l'étranger.

Pazair était ému aux larmes. Comment des êtres pouvaient-ils être assez vils pour détruire la beauté ?

– Puisqu'une partie des objets est sauve et l'autre détruite, que détiennent nos adversaires ?

– L'essentiel, répondit Ramsès. Le testament des dieux. Mes orfèvres sont aptes à fabriquer une nouvelle coudée, mais le testament est une pièce unique, transmise de Pharaon en Pharaon. Lors de la fête de régénération, je devrai le montrer aux divinités, aux grands prêtres, aux amis uniques et au peuple d'Égypte. Ainsi le veut la règle des rois, ainsi en était-il hier, ainsi en sera-t-il demain, et je m'y soumettrai. Pendant les mois qui nous séparent de l'échéance, nos ennemis ne resteront pas inactifs ; ils tenteront de m'affaiblir, de corrompre et de ronger. A toi d'inventer des parades et de déjouer leurs plans ; en cas d'échec, je crains que la civilisation de nos pères ne disparaisse. Si des assassins ont eu l'audace de profaner notre sanctuaire le plus vénérable, c'est qu'ils méprisent les valeurs fondamentales dont nous vivons. Face à cet enjeu, ma personne ne compte pas ; mon trône, en revanche, est le symbole d'une dynastie millénaire et d'une tradition sur lesquelles ce pays est bâti. J'aime l'Égypte comme tu l'aimes, au-delà de nos existences, au-delà du temps. C'est sa lumière qu'on veut éteindre. Agis et préserve-la, vizir Pazair.

CHAPITRE 39

Une nuit entière, Pazair médita, assis en scribe devant la statue du dieu Thot, sous sa forme de babouin couronné du disque lunaire. Le temple était silencieux ; sur le toit, les astrologues observaient les étoiles. Encore sous le choc de son entretien avec Pharaon, le juge savourait les dernières heures de paix avant son intronisation, avant de franchir le seuil d'une existence nouvelle qu'il n'avait pas souhaitée. Il songeait à cet instant délicieux où Néféret, Brave, Vent du Nord, Coquine et lui s'apprêtaient à embarquer pour Thèbes, aux jours tranquilles d'un petit village de Haute Égypte, à la douceur de son épouse, à l'écoulement régulier des saisons, loin des affaires de l'État et des ambitions humaines. Mais ce n'était plus qu'un rêve effiloché et inaccessible.

*

Deux ritualistes conduisirent Pazair à la Maison de Vie où l'accueillit le Chauve. Le futur vizir s'agenouilla sur une natte ; le Chauve posa une règle en bois sur sa tête, puis lui offrit de l'eau et du pain.

– Bois et mange, ordonna-t-il. Demeure vigilant en toutes circonstances, sinon ces nourritures deviendront amères. Par ton action que la peine se transforme en joie.

Lavé, épilé, parfumé, Pazair se vêtit d'un pagne à

l'ancienne, d'une robe de lin, et d'une perruque courte Les ritualistes le guidèrent vers le palais royal, autour duquel se pressait une foule curieuse. La veille, les hérauts avaient annoncé la nomination d'un nouveau vizir.

Recueilli, indifférent aux clameurs, Pazair pénétra dans la grande salle d'audience où trônait Pharaon, porteur de la couronne rouge et de la couronne blanche, dont l'emboîtement symbolisait l'union de la Haute et de la Basse Égypte. De part et d'autre du roi siégeaient les amis uniques, dont Bagey, l'ancien vizir, et Bel-Tran, le nouveau directeur de la Double Maison blanche. De nombreux courtisans et dignitaires étaient disposés entre les colonnes; parmi eux, Pazair distingua aussitôt le médecin-chef du royaume. Grave et souriante, Néféret ne le quittait pas des yeux.

Pazair demeura debout, face au roi. Le porteur de la Règle déroula devant lui le papyrus où était inscrit l'esprit des lois.

– Moi, Ramsès, Pharaon d'Égypte, je nomme Pazair vizir, serviteur de la justice, et soutien du pays. En vérité, ce n'est pas une faveur que je t'accorde, car ta fonction n'est ni douce ni agréable, mais amère comme la bile. Agis conformément à la Règle, quelle que soit l'affaire que tu traiteras; rends la justice à chacun, quelle que soit sa condition. Fais en sorte que l'on te respecte à cause de ta sagesse et de tes paroles sereines. Quand tu commandes, soucie-toi d'orienter, n'offense personne, refuse la violence. Ne te réfugie pas dans le mutisme, affronte les difficultés, ne baisse pas la tête devant les hauts fonctionnaires. Que ta manière de juger soit transparente, sans dissimulation, et que chacun en perçoive la raison; l'eau et le vent rapporteront tes propos et tes actes au peuple. Qu'aucun être ne t'accuse d'avoir été injuste envers lui en omettant de l'écouter. N'agis jamais selon tes préférences; juge celui que tu connais comme celui que tu ne connais pas, ne te préoccupe pas de plaire ou de déplaire, ne favorise personne, mais ne commets pas d'excès de rigueur ou d'intransigeance. Châtie le révolté, l'arrogant et le bavard, car ils sèment le trouble et détruisent. Ton unique refuge est la règle de la déesse Maât qui n'a pas varié depuis le temps des dieux et perdurera lorsque l'humanité aura cessé d'exister. Ta seule manière de vivre est la rectitude.

Bagey s'inclina devant Pharaon, et porta la main au cœur de cuivre qu'il portait au cou, afin de l'ôter et de le remettre au monarque.

– Garde ce symbole, décréta Ramsès ; tu t'en es montré digne pendant tant d'années que tu acquiers le droit de l'emporter avec toi dans l'au-delà. Pour l'heure, vis une vieillesse heureuse et paisible, sans oublier de conseiller ton successeur.

L'ancien et le nouveau vizir se donnèrent l'accolade, puis Ramsès décora Pazair d'un cœur de cuivre éclatant, créé par les ateliers royaux.

– Tu es le maître de la justice, précisa Pharaon ; veille sur le bonheur de l'Égypte et de ses habitants. Tu es le cuivre qui protège l'or, le vizir protégeant Pharaon ; agis conformément à ce que j'ordonne, mais ne sois ni veule ni servile, et sache prolonger ma pensée. Chaque jour, tu me rendras compte de ton travail.

Les courtisans saluèrent le nouveau vizir avec déférence.

*

Les chefs des provinces, les gouverneurs des domaines, les scribes, les juges, les artisans, les hommes et les femmes d'Égypte chantèrent les louanges du nouveau vizir. Partout, en son honneur, s'organisèrent des banquets où l'on mangea les meilleures viandes et où l'on but, aux frais de l'État, les bières les plus raffinées.

Quel sort plus enviable que celui du vizir ? Des serviteurs s'empressaient de satisfaire ses moindres désirs, il naviguait dans un bateau de cèdre, les mets servis à sa table étaient succulents, il goûtait des crus rares pendant que des musiciens jouaient des airs charmants, son vigneron lui apportait des raisins violets, son intendant des volailles grillées et parfumées aux herbes, et des poissons à la chair exquise. Le vizir s'asseyait sur des sièges d'ébène et couchait dans un lit en bois doré, au matelas confortable; dans la salle des onctions, un masseur chassait sa fatigue.

Mais tout cela n'était qu'apparence lénifiante. « Plus amère que la bile » serait sa tâche, comme l'affirmait le rituel d'intronisation.

Néféret médecin-chef du royaume, Kani grand prêtre de Karnak, Kem chef de la police... Les dieux n'avaient-ils pas choisi de favoriser des êtres justes, en leur permettant d'offrir leur vie à l'Égypte? Le ciel aurait dû être limpide et le cœur en fête, mais Pazair demeurait sombre et tourmenté.

Dans moins d'un an, la terre aimée des dieux ne serait-elle pas recouverte de ténèbres?

Néféret posa son bras sur l'épaule de Pazair et le serra contre elle. Le vizir ne lui avait rien caché de son entretien avec Ramsès; unis dans le secret, ils en partageaient le poids. Leur regard se perdit dans le ciel de lapis-lazuli où scintillaient les étoiles et l'âme de leur maître Branir.

*

Pazair avait accepté la villa, le jardin et les terres qu'offrait Pharaon à son vizir. Des policiers choisis par Kem furent postés à l'entrée de la vaste propriété, ceinte de murs, et d'autres la surveillèrent en permanence, depuis les maisons voisines. Personne n'approchait de la demeure sans montrer un sauf-conduit ou une convocation en bonne et due forme. Située non loin du palais royal, la résidence formait un îlot de verdure où prospéraient cinq cents arbres, dont soixante-dix sycomores, trente perséas, cent soixante-dix palmiers-dattiers, cent palmiers-doum, dix figuiers, neuf saules, et dix tamaris. Des espèces rares, importées de Nubie et d'Asie, ne figuraient qu'en un exemplaire. Une vigne chatoyante fournissait un cru réservé au vizir.

Le singe vert de Néféret, émerveillé, imaginait mille et une escalades, et autant de festins. Une vingtaine de jardiniers s'occupaient du domaine ; sa partie cultivée était divisée en carrés, entrecoupés de rigoles d'irrigation. Une procession de porteurs d'eau arrosait laitues, poireaux, oignons et autres concombres, poussant sur des gradins.

Au centre du jardin, un puits profond de cinq mètres. A l'abri des vents, un kiosque auquel donnait accès une rampe en pente douce permettait de goûter le soleil d'hiver ; à l'opposé, sous l'ombrage des plus grands arbres et sur le chemin de la brise du nord, un autre servait d'abri lors des périodes chaudes, près d'un bassin rectangulaire, propice à la baignade.

Pazair ne s'était pas séparé de sa natte de juge provincial ; pourtant, l'abondant mobilier comblait les vœux du plus exigeant. La qualité de la moustiquaire le combla, celle des innombrables brosses et balais rassura son épouse, soucieuse de tenir propre une aussi grande maison.

– La salle d'eau est une merveille.

– Le barbier t'attend ; il sera à ton service, chaque matin.

– De même que ta coiffeuse, au tien.

– Parviendrons-nous, parfois, à nous échapper ?

Il la prit dans ses bras.

– Moins d'un an, Néféret. Il nous reste moins d'un an pour sauver Ramsès.

*

Dénès broyait du noir. Certes, il bénéficiait de nouveau du soutien inconditionnel de son épouse, alitée pour longtemps et infirme à vie. Le divorce évité, il gardait sa fortune et avait écarté les menaces de la dame Tapéni. Mais l'horizon s'était brusquement obscurci, avec la nomination inattendue de Pazair. Le plan des conjurés se disloquait; leur triomphe, néanmoins, demeurait assuré, puisqu'ils détenaient le testament des dieux.

Le chimiste Chéchi, nerveux, préconisait la plus grande prudence; après avoir perdu le poste de médecin-chef et échoué dans la conquête du vizirat, les comploteurs devaient se tapir dans l'ombre et user de leur arme infaillible, le temps. Les grands prêtres des temples principaux venaient d'annoncer la date de la fête de régénération du roi, le premier jour du nouvel an, au mois de juillet, lorsque l'apparition de l'étoile Sothis, dans le signe du Cancer, annoncerait la crue du Nil. La veille de son abdication, Ramsès connaîtrait le nom de son successeur et lui transmettrait le pouvoir au vu et au su de tous.

– Le roi s'est-il confié à Pazair ? interrogea Dénès.

– Bien sûr que non, estima Chéchi. Pharaon est condamné au silence; une confidence, et il vacille. Pazair n'est pas plus vertueux qu'un autre. Il rassemblerait aussitôt une coterie contre le monarque.

– Pourquoi a-t-il choisi ce Pazair ?

– Parce que le petit juge est rusé et ambitieux. Il a su séduire Ramsès en affichant une probité illusoire.

– Tu as raison. Le roi commet une énorme erreur.

– Méfions-nous de l'intrigant; il vient de prouver ses capacités.

– L'exercice du pouvoir le grisera. S'il avait été moins stupide, il se serait joint à nous.

– Trop tard. Il joue son propre jeu.

– Ne lui offrons plus l'occasion de nous incriminer.

– Rendons-lui hommage et couvrons-le de cadeaux; il croira à notre soumission.

*

Souti, patient, attendit la fin de l'explosion de colère. Panthère, folle furieuse, avait brisé vaisselle et tabourets, déchiré des vêtements, et même piétiné une perruque de grand prix. La petite maison n'était plus qu'un chaos, mais la blonde Libyenne ne se calmait pas.

– Je refuse, dit-elle.

– Accorde-moi un peu de patience.

– Nous devions partir demain.

– Pazair ne devait pas être nommé vizir, rétorqua Souti.

– Je m'en moque.

– Pas moi.

– Qu'espères-tu donc ? Il t'a déjà oublié ! Partons, comme convenu.

– Rien ne presse.

– Je veux récupérer notre or.

– Il ne s'enfuira pas.

– Hier, tu ne parlais que de notre voyage.

– Je dois voir Pazair et connaître ses intentions.

– Pazair, encore Pazair ! Qaund en serons-nous débarrassés ?

– Tais-toi.

– Je ne suis pas ton esclave.

– Tapéni m'a sommé de te chasser.

– Tu as osé revoir cette harpie !

– Elle m'a interpellé, dans une taverne. Tapéni se considère comme mon épouse légitime.

– Stupide.

– La protection du vizir me sera utile.

*

Le premier hôte de Pazair fut son prédécesseur. Bagey, malgré ses jambes douloureuses, marchait sans canne. Le dos voûté, la voix rauque, il s'assit sous le kiosque d'hiver.

– Votre promotion est méritée, Pazair. Je ne pouvais rêver meilleur vizir.

– Vous êtes mon modèle.

– Ma dernière année de travail fut pénible et décevante ; mon départ était indispensable. Par bonheur, le roi m'a écouté. Votre jeunesse ne sera pas longtemps un handicap ; la fonction mûrit l'homme.

– Que me conseillez-vous ?

– Soyez indifférent aux bavardages, éconduisez les courtisans, étudiez chaque dossier en profondeur, et ne vous départissez pas de la plus extrême rigueur. Je vous présenterai à mes collaborateurs les plus proches, et vous éprouverez leurs compétences.

Le soleil perça les nuages et inonda le kiosque. Voyant Bagey importuné, Pazair le protégea avec un parasol.

– Cette demeure vous plaît-elle ? demanda l'ancien vizir.

– Je n'ai pas encore eu le temps de l'explorer.

– Trop grande pour moi ; ce jardin est un nid de tracas. Je préfère mon logement en ville.

– Sans votre aide, j'échouerai ; acceptez-vous de demeurer à mes côtés et de m'éclairer ?

– C'est mon devoir. Laissez-moi quand même du temps pour m'occuper de mon fils.

– Des difficultés ?

– Son employeur n'est pas content de lui. Je redoute un licenciement, et ma femme est inquiète.

– Si je peux intervenir...

– Je refuse d'avance ; accorder des privilèges serait une faute grave. Si nous commencions à travailler ?

*

Pazair et Souti se donnèrent l'accolade.

L'aventurier regarda autour de lui.

– Ton domaine me plaît. J'en veux un comme celui-ci, et j'y donnerai des fêtes inoubliables.

– Souhaiterais-tu devenir vizir ?

– Le travail m'effraie. Pourquoi as-tu accepté une tâche aussi écrasante ?

– Je suis tombé dans un piège.

– Ma fortune est immense ; évade-toi et nous mordrons la vie à pleines dents.

– Impossible.

– Me refuses-tu ta confiance ?

– Pharaon m'a confié une mission.

– Ne finis pas dans la robe d'un haut fonctionnaire compassé et imbu de son importance.

– Me reproches-tu d'être vizir ?

– Condamnes-tu ma manière de faire fortune ?

– Travaille à mes côtés, Souti.

– Laisser passer ma chance serait un crime.

– Si tu commets un délit, je ne te défendrai pas.

– Cette dérobade marque notre rupture.

– Tu es mon ami et tu le resteras.

– Un ami ne menace pas.

– Je veux t'éviter une erreur fatale ; Kem ne désarmera pas et se montrera impitoyable.

– Duel équilibré.

– Ne le défie pas, Souti.

– Ne me dicte pas ma conduite.

– Reste, je t'en prie. Si tu connaissais l'importance réelle de ma tâche, tu n'hésiterais pas un instant.

– Défendre la loi, quelle utopie ! Si je l'avais respectée, Asher serait toujours vivant.

– Je n'ai pas témoigné contre toi.

– Tu es tendu et inquiet. Que me caches-tu ?

– Nous avons démantelé un complot ; ce n'était qu'une étape. Continuons ensemble.

– Je préfère l'or.

– Restitue-le au temple.

– Me trahiras-tu ?

Pazair ne répondit pas.

– Le vizir efface l'ami, n'est-ce pas ?

– Ne t'égare pas dans le désert, Souti.

– C'est un monde beau et hostile. Quand le pouvoir t'aura déçu, tu m'y rejoindras.

– Je ne cherche pas le pouvoir, mais la sauvegarde de notre pays, de nous-mêmes, de notre foi.

– Bonne chance, vizir. Moi, je reprends la piste de l'or.

Le jeune homme quitta l'admirable jardin sans se retourner. Il avait omis d'évoquer les exigences de Tapéni, mais quelle importance ?

*

Avant que Souti ne franchît le seuil de sa demeure, quatre policiers ceinturèrent le jeune homme et lui lièrent les mains derrière le dos.

Alerté par les bruits de lutte, Panthère surgit, un couteau à la main, et tenta de délivrer son amant. Elle blessa au bras l'un des cerbères, en renversa un autre, fut enfin maîtrisée et garrottée.

Les policiers conduisirent aussitôt le couple au tribunal, forts d'un flagrant délit d'adultère. La dame Tapéni jubilait ; elle n'espérait pas un aussi brillant résultat. A la violation des devoirs conjugaux s'ajoutait la résistance armée aux forces de l'ordre. La plaidoirie de la jolie brune, séduite et abandonnée, plut aux juges, que Panthère insulta. L'argumentation de Souti ne sembla guère convaincante.

Comme Tapéni implora l'indulgence du jury, Panthère ne fut condamnée qu'à une expulsion immédiate du territoire égyptien et Souti à un an d'emprisonnement, au terme duquel il travaillerait pour indemniser son épouse bafouée.

CHAPITRE 40

Pazair regarda le sphinx; les yeux de la statue géante contemplaient le soleil levant, confiants en sa victoire sur les forces de destruction, obtenue à l'issue d'un rude combat dans le monde inférieur. Gardien vigilant du plateau où se dressaient les pyramides de Khéops, de Khéphren et de Mykérinos, il participait à la lutte éternelle dont dépendait la survie de l'humanité.

Le vizir ordonna à une équipe de carriers de déplacer la grande stèle dressée entre les pattes du sphinx. Apparurent un vase scellé et une dalle munie d'un anneau. Deux hommes la soulevèrent, dégageant l'accès d'un couloir étroit, au plafond bas.

Muni d'une torche, le vizir s'y engagea le premier. Non loin de l'entrée, il heurta du pied une coupe en dolérite. Il la ramassa et, courbé, continua sa progression. Un mur l'interrompit. A la lueur de la flamme, il s'aperçut que plusieurs pierres avaient été descellées; une rangée complète pivota. De l'autre côté, la chambre basse de la grande pyramide.

Le vizir parcourut plusieurs fois le chemin qu'avaient emprunté les voleurs, puis examina la coupe. La dolérite, l'une des roches granitiques les plus dures et les plus difficiles à travailler, portait les traces d'un produit très gras.

Intrigué, Pazair consulta le laboratoire du temple de Ptah où les spécialistes identifièrent de l'huile de pierre *, dont l'usage était interdit en Égypte. En brûlant, le combustible salissait les murs des tombes et encrassait les poumons des artisans.

Le vizir exigea une enquête rapide, de la part des mineurs du désert d'occident, et du service chargé des mèches et des huiles d'éclairage. Puis il se rendit pour la première fois dans la salle d'audience où étaient réunis ses principaux collaborateurs.

Maître d'œuvre des travaux de Pharaon, directeur des équipes d'artisans et des corps de métier, chargé de mettre chacun à sa juste place en lui enseignant ses devoirs et en assurant son bien-être, responsable des archives et de l'administration du pays, supérieur des scribes, chef de l'armée, garant de la paix civile et de la sécurité, le vizir devait émettre des paroles tranchées, peser les pensées, calmer les passions, demeurer impassible dans les tempêtes, et accomplir la justice dans les grandes comme dans les petites tâches.

Son vêtement de fonction était un long tablier empesé, taillé dans un tissu épais, et montant jusqu'à la poitrine ; deux brides, passées derrière le cou, le maintenaient. Sur le pagne à devanteau, une peau de panthère ; elle rappelait la nécessaire rapidité d'intervention du premier personnage de l'empire après Pharaon. Une lourde perruque cachait les cheveux, un collier large couvrait le haut du buste.

Chaussé de sandales à lanières, un sceptre dans la main droite, Pazair passa entre deux rangées de scribes, gravit les marches menant à l'estrade où se trouvait une chaise à haut dossier, puis se retourna pour faire face à ses subordonnés. A ses pieds, une étoffe rouge sur laquelle étaient déposés quarante bâtons de commandement destinés à châtier les coupables. Lorsque le vizir accrocha une figurine de Maât à sa mince chaîne en or, l'audience fut ouverte.

* Le pétrole.

– Pharaon a clairement indiqué les devoirs du vizir qui n'ont pas varié depuis la première dynastie, depuis le jour où nos pères ont bâti ce pays. Nous vivons de la vérité dont vit Pharaon, et continuerons ensemble à rendre la justice sans établir de différence entre le pauvre et le riche. Notre gloire consiste à la faire circuler sur la largeur de la terre, afin qu'elle demeure dans le nez des hommes et chasse le mal de leur corps. Protégeons le faible du fort, n'écoutons aucun flatteur, opposons-nous au désordre et à la brutalité. Chacun de vous se doit d'être un exemple; quiconque tirera un bénéfice personnel de sa charge perdra son titre et son poste. Personne n'obtiendra ma confiance grâce à de beaux discours; seuls des actes la nourriront.

La brièveté du discours, la rigueur de son contenu, et la sérénité de la voix stupéfièrent les hauts fonctionnaires. Ceux qui comptaient profiter de la jeunesse et de l'inexpérience du nouveau vizir pour allonger leurs périodes de repos, renoncèrent aussitôt à leurs projets; ceux qui espéraient gagner au change, avec le départ de Bagey, déchantèrent.

Le premier ordre public du vizir donnerait le ton. Parmi ses prédécesseurs, les uns se préoccupaient d'abord de l'armée, les autres de l'irrigation, d'autres encore de la fiscalité.

– Que comparaisse le responsable de la production du miel.

*

Un vent glacé soufflait sur le désert qui encerclait l'oasis de Khargeh. Le vieil apiculteur, condamné à la réclusion jusqu'à la fin de ses jours, songeait à ses ruches, de grandes jarres où les abeilles construisaient leurs rayons. Il récoltait le miel sans protection, car il ne les craignait pas et percevait leur moindre irritation. L'un des symboles de Pharaon n'était-il pas une abeille, travailleuse infatigable, géomètre, alchimiste capable de créer un or comestible ? Du plus rouge au plus transparent, le vieil apiculteur avait récolté cent qualités de miel, jusqu'au jour où un scribe envieux l'avait impliqué dans un vol. Dérober le précieux aliment, dont la police surveillait le transport, était un grave délit. Plus jamais il ne le verserait dans de petits récipients scellés à la cire et numérotés, plus jamais il n'entendrait le bourdonnement de la ruche, sa musique préférée. Lorsque le soleil avait pleuré, quelques larmes, en heurtant le sol, s'étaient transformées en abeilles. Nées de la lumière divine, elles avaient bâti la nature.

Mais le dieu Rê n'éclairait plus qu'un corps décharné de bagnard, occupé à cuisiner des plats infects pour ses camarades d'infortune. Délaissant ses fourneaux, il suivit les autres prisonniers.

Une véritable expédition abordait le bagne : une cinquantaine de soldats, des chars, des chevaux et des chariots. Ne s'agissait-il pas d'une attaque libyenne ? Il se frotta les yeux et distingua des fantassins égyptiens. Les gardiens s'inclinèrent devant un homme qui, sans hésitation, marcha vers la cuisine.

Abasourdi, le vieillard reconnut Pazair.

– Tu... tu as survécu ?

– Tes conseils étaient bons.

– Pourquoi reviens-tu ?

– Je n'ai pas oublié ma promesse.

– Enfuis-toi, vite ! Ils vont te reprendre !

– Rassure-toi, c'est moi qui donne des ordres aux gardiens.

– Alors... tu es redevenu juge ?

– Pharaon m'a nommé vizir.

– Ne te moque pas d'un vieil homme.

Deux soldats amenèrent un scribe gras, affligé d'un double menton.

– Le reconnais-tu ? demanda Pazair.

– C'est lui ! C'est ce menteur qui m'a fait condamner !

– Je te propose un échange : il prend ta place au bagne, et tu occupes la sienne, à la tête du service d'approvisionnement du miel.

Le vieil apiculteur tourna de l'œil et s'affaissa dans les bras du vizir.

*

Rapport clair et concis : le juge félicita le scribe. L'huile de pierre, découverte en grande quantité dans le désert de l'ouest, intéressait au plus haut point les Libyens. A plusieurs reprises, ils avaient tenté de l'extraire afin de la commercialiser, mais l'armée de Pharaon s'était interposée. Les savants égyptiens considéraient le pétrole, selon l'expression d'Adafi, comme un produit nocif et dangereux.

Un seul spécialiste, à la cour, était chargé d'étudier ce combustible, afin d'en déceler les propriétés. Lui seul avait accès au stock conservé dans un entrepôt d'État, sous contrôle militaire. En lisant son nom, le vizir remercia les dieux et se rendit aussitôt au palais royal.

*

– J'ai exploré le souterrain menant du sphinx à la chambre basse de la grande pyramide.

– Que l'accès en soit à jamais scellé, ordonna Pharaon.

– Les maçons sont déjà au travail.

– Quels indices as-tu découverts ?

– Une coupe en dolérite où l'on a brûlé du pétrole, afin de s'éclairer.

– Qui s'est procuré ce produit ?

– Le spécialiste chargé de l'étudier.

– Son nom ?

– Le chimiste Chéchi, esclave et souffre-douleur de Dénès.

– Sais-tu où le trouver ?

– Chéchi se cache chez Dénès, d'après de récentes informations fournies par Kem.

– Ont-ils des complices ou sont-ils l'âme du complot ?

– Je le saurai, Majesté.

*

La dame Tapéni empêcha le char du vizir de s'élancer.

– Je veux vous parler !

Le lieutenant, préposé à la conduite du véhicule et à la sécurité de Pazair, brandit son fouet. Le vizir interrompit son geste.

– Est-ce si urgent ?

Tapéni minauda.

– Mes propos vous passionneront.

Il descendit du char.

– Soyez brève.

– Vous incarnez la justice, n'est-ce pas ? Eh bien, vous serez fier de moi ! Une femme trompée, abusée, traînée dans la boue, n'est-elle pas une victime ?

– Certes.

– Mon mari m'a bafouée, le tribunal l'a puni.

– Votre mari...

– Oui, votre ami Souti. Sa putain libyenne a été expulsée, et lui condamné à un an de prison. Une peine bien légère, et une réclusion bien douce, en vérité ; le tribunal l'a envoyé en exil à Tjarou, en Nubie, où il renforcera la garnison. L'endroit est peu accueillant, paraît-il, mais Souti aura le privilège de collaborer à la défense de son pays contre les barbares nègres. Quand il reviendra, il sera versé dans un corps de postiers et me versera une pension alimentaire.

– Vous deviez vous séparer sans heurts.

– J'ai changé d'avis ; je l'aime, que voulez-vous, et je ne supporte pas qu'on me quitte. Si vous interveniez en sa faveur, vous violeriez la règle de Maât, et je le ferais savoir.

Le sourire était menaçant.

– Souti purgera donc sa peine, admit le vizir, masquant sa colère. Mais à son retour...

– S'il m'agresse, il sera accusé de tentative de meurtre, et déporté dans un bagne. Il est mon esclave, et pour toujours. Son avenir, c'est moi.

– L'enquête sur l'assassinat de Branir n'est pas close, dame Tapéni.

– A vous d'identifier le coupable.

– C'est mon plus cher désir. Ne m'avez-vous pas confié que vous déteniez des secrets ?

– Simple bravade.

– Ou imprudence ? N'êtes-vous pas une excellente manieuse d'aiguille ?

Tapéni sembla troublée.

– Dans mon métier, c'est obligatoire.

– Je m'interroge peut-être à l'excès ; l'assassin n'est-il pas tout proche de moi ?

La jolie brune ne soutint pas le regard du vizir, et tourna les talons.

Pazair aurait dû se rendre chez le chef de la police, mais préféra s'assurer de la véracité des propos de Tapéni. Aussi se fit-il apporter le compte rendu d'audience et le jugement concernant Souti. Les documents confirmèrent le drame. Le vizir se trouvait dans la pire des positions ; comment secourir son ami sans déroger à la loi dont il était le garant ?

Sombre, indifférent à l'orage qui menaçait, il monta sur son char. En compagnie de Kem, il devait mettre au point un plan d'action.

*

Néféret avait grappillé quelques minutes, dans un emploi du temps surchargé, pour soigner la crise de foie de Silkis. Malgré sa jeunesse, l'épouse de Bel-Tran prenait vite des rondeurs, dès lors que la gourmandise surpassait sa volonté de maigrir.

– Deux jours de diète me semblent indispensables.

– J'ai cru mourir... Les nausées emportaient mon souffle !

– Elles soulagent votre estomac.

– Je suis si fatiguée... Mais j'ai honte, à côté de vous ! Moi, je ne m'occupe que de mes enfants et de mon mari.

– Comment se porte-t-il ?

– Il est si heureux de travailler sous les ordres de Pazair, il l'admire tant ! A eux deux, avec leurs qualités respectives, ils assureront la prospérité du pays. Ne redoutez-vous pas la solitude, comme moi ?

– Quels que soient nos impératifs, nous nous verrons chaque jour et échangerons nos pensées. Hors des liens qui nous unissent, nous échouerions.

– Pardonnez-moi mon indiscrétion... Ne souhaitez-vous pas un enfant ?

– Pas avant d'avoir identifié l'assassin de Branir. Nous avons formulé un vœu face aux dieux, et nous nous y tiendrons.

*

Un voile noir recouvrait Memphis. D'épais nuages stationnaient au-dessus de la ville, en raison de l'absence de vent. Nombre de chiens hurlaient. Dénès alluma plusieurs lampes, tant la lumière avait baissé. Après avoir absorbé un calmant, sa femme dormait ; le fameux dynamisme de Nénophar s'était estompé, laissant place à une lassitude permanente. Docile, soumise, elle ne lui causerait plus d'ennuis.

Il rejoignit Chéchi dans l'atelier où le chimiste passait son temps à affûter des lames de couteaux et d'épées ; le technicien à la petite moustache libérait ainsi sa nervosité.

Dénès lui tendit une coupe de bière.

– Repose-toi un peu.

– Des nouvelles de Pazair ?

– Le vizir s'occupe de la récolte du miel. Son discours a impressionné les hauts fonctionnaires, mais ce ne sont que des mots. Les clans ne tarderont pas à s'entre-déchirer ; il ne sera pas de taille.

– Tu es optimiste.

– La patience n'est-elle pas une qualité majeure ? Si Qadash l'avait compris, il serait encore de ce monde. Pendant que le nouveau vizir s'agitera, nous profiterons des plaisirs de l'existence, en attendant ceux du pouvoir absolu.

– Être plus âgé de quelques mois : mon seul rêve.

– Discret, efficace, infatigable... Tu seras un homme d'État remarquable. Grâce à toi, la science égyptienne accomplira un gigantesque bond en avant.

– Le pétrole, les drogues, la métallurgie... Ce pays est sous-exploité. En développant les techniques que Ramsès a dédaignées, nous nous débarrasserons des traditions.

L'exaltation de Chéchi tomba.

– Il y a quelqu'un, dehors.

– Je n'ai rien entendu.

– Je vérifie.

– Sans doute un jardinier.

– Ils ne rôdent pas du côté de l'atelier.

Méfiant, Chéchi dévisagea Dénès.

– Aurais-tu convoqué l'avaleur d'ombres ?

Les traits du transporteur se durcirent.

– Qadash est sorti du bon chemin, pas toi.

Un éclair zébra le ciel, la foudre tomba. Le chimiste sortit de l'atelier, fit quelques pas en direction de la villa, et revint en courant vers Dénès. Ce dernier n'avait jamais vu son complice aussi pâle ; il claquait des dents.

– Un fantôme !

– Calme-toi.

– Une forme plus noire que la nuit, une flamme à la place du visage !

– Reprends-toi, et viens avec moi.

Réticent, le chimiste accepta.

L'aile gauche de la villa brûlait.

– De l'eau, vite!

Dénès s'élança, mais une forme noire sembla jaillir de l'incendie, et lui barra le chemin.

Le transporteur recula.

– Qui... qui êtes-vous?

Le fantôme brandissait une torche.

Recouvrant une partie de son sang-froid, Chéchi saisit un poignard dans l'atelier et marcha sur l'étrange adversaire. Mal lui en prit, car le spectre lui planta la torche dans le visage.

Les chairs grésillèrent, le chimiste hurla et tomba à genoux, tentant d'arracher l'objet de son supplice. La créature ramassa le poignard qu'il avait lâché et lui trancha la gorge.

Horrifié, Dénès courut vers le jardin. La voix du fantôme le cloua sur place.

– Veux-tu encore savoir qui je suis?

Il se retourna. C'était un être humain, non un démon de l'autre monde, qui le défiait. La curiosité remplaça l'effroi.

– Regarde, Dénès. Regarde ton œuvre et celle de Chéchi.

Il faisait si sombre que le transporteur dut se rapprocher.

Au loin, des cris. On commençait à s'apercevoir de l'incendie.

Le fantôme se dévoila. Le fin visage n'était plus qu'une plaie mal cicatrisée.

– Me reconnais-tu?

– Princesse Hattousa!

– Tu m'as détruite, je te détruis.

– Vous avez assassiné Chéchi...

– J'ai châtié mon bourreau. Celui qui a tué, son crime le saisit et s'empare de lui.

Elle trempa son poignard dans les flammes, comme si sa main y était insensible.

– Tu ne t'enfuiras pas, Dénès.

Hattousa avança vers lui, la lame rougie.

D'une ruade, il aurait pu la renverser ; mais la folie de la princesse hittite le dissuada de l'affronter. La police se chargerait de l'arrêter.

Un éclair déchira le ciel, la foudre tomba sur la villa ; une langue de feu se détacha du pan de mur qui s'écroula et embrasa les vêtements de Dénès. Il trébucha, se roula sur le sol pour éteindre les flammes.

Il ne vit pas surgir le fantôme au visage mort.

CHAPITRE 41

Le convoi avançait lentement. Kem le surveilla jusqu'à la frontière; Hattousa, assise à l'arrière d'un chariot, demeurait aussi inerte qu'une statue sans âme. Lorsqu'il l'avait interpellée, sur les lieux du drame, elle n'avait opposé aucune résistance. Des serviteurs, accourus pour éteindre l'incendie, l'avaient vue traîner les cadavres de Chéchi et de Dénès dans le brasier. Une pluie violente s'était abattue sur Memphis, étouffant les flammes et lavant le sang sur les mains de la princesse hittite.

La criminelle ne répondit à aucune des questions du vizir, si bouleversé que sa voix tremblait. Dès qu'il relata les faits à Ramsès, ce dernier ordonna aux momificateurs de préparer de manière sommaire les corps des deux comploteurs et de les enterrer dans un site écarté, loin d'une nécropole, sans aucun rite; par le bras de Hattousa, le mal avait frappé les hommes des ténèbres.

Avec l'accord du vizir, le roi décida de renvoyer la princesse dans son pays; l'annonce de cette libération, qu'elle avait tant espérée, ne déclencha pourtant aucune réaction. Les yeux absents, brisée, Hattousa voguait dans des mondes inaccessibles à d'autres qu'elle-même.

Le document officiel que Kem remit à un officier hittite évoquait une maladie inguérissable, et le nécessaire retour de la princesse dans sa famille. L'honneur du souverain étranger était sauf, aucun incident diplomatique ne troublerait la paix chèrement acquise.

*

Sous la direction vigilante de Pazair, des ouvriers fouillèrent les décombres de la demeure de Dénès, et rassemblèrent leurs maigres trouvailles. Ramsès en personne les examina. On crut que le roi marquait ainsi son intérêt pour le destin tragique du transporteur et du chimiste, alors qu'il recherchait en vain une trace du testament des dieux, dérobé dans la grande pyramide.

La déception fut cruelle.

– Tous les comploteurs ont-ils disparu ?

– Je l'ignore, Majesté.

– Qui soupçonnez-vous ?

– Dénès me semblait être leur chef. Il a tenté de manipuler le général Asher et la princesse Hattousa, afin d'établir des liens avec les puissances étrangères ; sans doute envisageait-il un changement de politique, fondé sur le commerce.

– Sacrifier l'esprit de l'Égypte au matérialisme ambiant... Voilà le plus pernicieux des projets ! Son épouse l'a-t-elle aidé ?

– Non, Majesté. Elle n'a même pas conscience que son mari a tenté de la supprimer. Ses serviteurs l'ont sauvée ; elle a quitté Memphis et réside chez ses parents, dans le nord du Delta. D'après les médecins qui l'ont examinée, elle a perdu la raison.

– Ni elle ni Dénès ne possédaient l'envergure nécessaire pour s'attaquer au trône.

– Supposez que le transporteur ait bien détenu le testament chez lui ; n'aurait-il pas brûlé dans l'incendie ? Si personne ne peut le produire lors de la fête de régénération, ni vous-même, ni votre adversaire, qu'adviendra-t-il ?

Un mince espoir renaissait.

– En tant que vizir, tu réuniras les autorités du pays et leur expliqueras la situation ; puis tu t'adresseras au peuple. Quant à moi, je célébrerai une ère de renouvellement des naissances, marquée par la rédaction d'un nouveau pacte avec les dieux. Peut-être échouerai-je, car le processus est long et difficile ; au moins, ce n'est pas un homme des ténèbres qui prendra le pouvoir. Puisses-tu avoir raison, Pazair ; puisse Dénès être l'instigateur de ce complot.

*

Comme chaque soir, les hirondelles dansaient au-dessus du jardin où Pazair et Néféret se retrouvaient, après une intense journée de travail. Elles les rasaient en poussant un cri aigu et joyeux, virevoltaient à pleine vitesse, traçaient de vastes courbes dans le ciel bleu de l'hiver.

Enrhumé, la respiration contrariée, le vizir avait obtenu une consultation approfondie du médecin-chef.

– Ma santé fragile devrait m'interdire ce poste.

– Elle est un cadeau des dieux, estima Néféret, puisqu'elle t'oblige à réfléchir au lieu de foncer comme un bélier à la vigueur aveugle. De plus, elle n'entrave en rien ton énergie.

– Tu me sembles anxieuse.

– Dans une semaine, je présente au conseil des praticiens les mesures à prendre pour améliorer la santé publique. Certaines ne leur plairont pas, mais je les juge indispensables. L'affrontement sera rude.

Brave et Coquine avaient conclu une trêve. Le chien dormait sur les pieds de son maître, le petit singe vert sous la chaise de sa maîtresse.

– La date de la fête de régénération a été proclamée dans tout le pays, révéla Pazair ; lors de la prochaine crue, Ramsès le grand renaîtra.

– Depuis la disparition de Dénès et de Chéchi, un autre conjuré s'est-il manifesté ?

– Aucun.
– Le testament aurait donc disparu dans les flammes.
– C'est de plus en plus probable.
– Pourtant, tu doutes encore
– Conserver dans sa villa un document d'une telle valeur me paraît aberrant ; mais Dénès était si prétentieux qu'il se croyait invulnérable.
– Souti ?
– Le jugement a été correctement rendu ; aucun vice de forme.
– Comment agir ?
– Je ne vois pas de solution juridique.
– Si tu organises une évasion, réussis un coup de maître.
– Tu lis trop bien dans mes pensées. Cette fois, Kem ne m'aidera pas ; si le vizir participe à une action de ce genre, Ramsès sera éclaboussé et le prestige de l'Égypte terni. Mais Souti est mon ami, et nous nous sommes juré aide et assistance dans n'importe quelle situation.
– Réfléchissons ensemble ; fais-lui au moins savoir que tu ne l'abandonnes pas.

*

Des dizaines de kilomètres devant elle, une outre d'eau et quelques poissons séchés en guise de viatique, seule et sans arme, Panthère n'avait guère de chances de survivre. La police égyptienne l'avait abandonnée à la frontière avec la Libye, lui ordonnant de regagner son pays et de ne jamais revenir sur la terre des pharaons, sous peine d'une lourde condamnation.

Au mieux, elle serait repérée par une bande de bédouins pillards, violée, et gardée en vie jusqu'à ses premières rides.

La blonde Libyenne tourna le dos à son pays natal.

Jamais elle n'abandonnerait Souti. Du nord-ouest du Delta au fort nubien où son amant était enfermé, le voyage serait interminable et dangereux. Elle devrait emprunter de mauvais chemins, trouver de l'eau et de la nourriture, échapper aux bandes errantes. Mais la dame Tapéni ne sortirait pas victorieuse de leur combat à distance.

*

– Soldat Souti ?

Le jeune homme ne répondit pas au gradé.

– Un an de régime disciplinaire dans ma forteresse... Les juges t'ont offert un beau cadeau, mon garçon. Il faudra t'en montrer digne. A genoux.

Souti le fixa droit dans les yeux.

– Une forte tête... J'aime ça. Tu n'apprécies pas l'endroit ?

Le prisonnier regarda autour de lui. Les rives d'un Nil sauvage, le désert, les collines brûlées de soleil, un ciel d'un bleu intense, un pélican qui pêchait, un crocodile se prélassant sur un rocher.

– Tjarou ne manque pas de charme. Votre présence lui fait injure.

– Plaisantin, en plus. Fils de riche, aussi ?

– Vous n'imaginez pas l'étendue de ma fortune.

– Tu m'impressionnes.

– Ce n'est qu'un début.

– A genoux. Quand on s'adresse au commandant de cette forteresse, on est poli.

Deux soldats frappèrent Souti dans le dos. Il s'effondra face contre terre.

– C'est mieux. Tu n'es pas ici pour te reposer, mon garçon. Dès demain, tu monteras la garde dans notre poste le plus avancé ; sans arme, bien sûr. Si une tribu nubienne attaque, nous serons prévenus grâce à toi. Leurs tortures sont si efficaces que les hurlements des victimes s'entendent au loin.

Rejeté par Pazair, séparé à jamais de Panthère, oublié de tous, Souti ne sortirait pas vivant de Tjarou, à moins que la haine ne lui procurât la force de vaincre son destin.

Son or l'attendait, la dame Tapéni aussi.

*

Bak avait dix-huit ans. Issu d'une famille d'officiers, il était plutôt petit, travailleur et courageux. Les cheveux noirs, le visage racé, il possédait une voix chantante et ferme; après avoir hésité entre la carrière des armes et celle des palettes de scribes, il était entré au service des archives, juste avant la nomination de Pazair. Au dernier arrivant incombaient les tâches les plus ingrates, notamment le classement des documents utilisés par le vizir lors de l'étude d'un dossier. C'est pourquoi Bak eut entre les mains les pièces concernant le pétrole; après la mort de Chéchi, elles ne présentaient plus d'intérêt.

Méticuleux, il les rangea dans une boîte en bois que le vizir scellerait lui-même, et qui ne serait réouverte que sur son ordre. L'opération aurait dû être brève, mais Bak prit soin d'examiner chaque papyrus. Bien lui en prit. Sur l'un d'eux manquait l'annotation du vizir, lequel n'avait donc pas pris connaissance du texte. Le détail paraissait sans importance, puisque l'affaire était classée sans suite; néanmoins, le jeune archiviste rédigea un rapport et le remit à son supérieur, afin qu'il suive la voie hiérarchique.

*

Pazair exigeait de lire la totalité des remarques, observations et critiques rédigées par ses subordonnés, quel que fût leur grade; aussi découvrit-il la note de Bak.

Le vizir convoqua le fonctionnaire à la fin de la matinée.

– Qu'avez-vous observé d'anormal?

– Il manque votre cachet sur le rapport d'un employé du Trésor, qui a été révoqué.

– Montrez.

De fait, Pazair découvrit un document inédit. Sans doute un scribe de sa propre administration avait-il omis de l'inclure dans l'étui de papyrus relatifs au pétrole.

« Un grain de sable dans une machination », pensa le vizir, en songeant au petit juge de province qui, par le seul souci du travail bien fait, avait décelé un cancer visant à détruire l'Égypte.

– A partir de demain, vous assurerez le contrôle des archives et me signalerez directement les anomalies. Nous nous verrons chaque jour, en début de matinée.

En sortant du bureau du vizir, Bak courut vers la rue; à l'air libre, il laissa échapper un cri de joie.

*

– Cet entretien me semble un peu solennel, estima Bel-Tran, détendu; nous aurions pu déjeuner chez moi.

– Sans vouloir être cérémoniel, déclara Pazair, je crois que nous devons, vous et moi, nous soumettre à nos fonctions respectives.

– Vous êtes le vizir, je suis le directeur de la Double Maison blanche et le responsable de l'économie; selon la hiérarchie, je vous dois obéissance. Ai-je bien traduit votre pensée?

– Ainsi, nous travaillerons en harmonie.

Bel-Tran avait grossi, son visage rond devenait lunaire. Malgré la qualité de ses tisserandes, il demeurait engoncé dans un pagne trop serré.

– Vous êtes un spécialiste des finances, pas moi; vos conseils seront les bienvenus.

– Conseils ou directives?

– L'économie ne doit pas primer l'art de gouverner, les hommes ne vivent pas que de biens matériels. La grandeur de l'Égypte naît de sa vision du monde, non de sa puissance économique.

Les lèvres et les narines de Bel-Tran se pincèrent, mais il ne rétorqua pas.

– Une broutille m'inquiète. Vous êtes-vous occupé d'un produit dangereux, le pétrole ?

– Qui m'accuse ?

– Le terme est excessif. Le rapport d'un fonctionnaire, que vous avez révoqué, vous met en cause.

– Quels sont ses griefs ?

– Vous auriez levé, pendant une courte période, l'interdiction d'exploiter le pétrole dans une zone bien délimitée du désert de l'ouest et autorisé une transaction commerciale sur laquelle vous avez prélevé un important pourcentage. Opération ponctuelle et fort lucrative. Rien d'illégal, au demeurant, puisque vous aviez obtenu l'accord du spécialiste, le chimiste Chéchi. Mais ce dernier était un criminel, compromis dans un complot contre l'État.

– Qu'insinuez-vous ?

– Cette relation me met mal à l'aise. Il s'agit certainement d'une coïncidence malheureuse ; à titre amical, je sollicite une explication.

Bel-Tran se leva.

Sa physionomie se modifia si brutalement que Pazair en fut ébahi. Au visage affable et chaleureux succéda un faciès haineux et arrogant. La voix, d'ordinaire nerveuse mais pondérée, se chargea de violence et d'agressivité.

– Une explication à titre amical... Que de naïveté ! Que de temps pour comprendre, mon cher Pazair, vizir de pacotille ! Qadash, Chéchi, Dénès, mes complices ? Plutôt mes dévoués serviteurs, qu'ils en eussent conscience ou non ! Si je vous ai soutenu contre eux trois, ce fut à cause des stupides ambitions de Dénès ; il désirait occuper le poste de directeur de la Double Maison blanche et contrôler les finances du pays. Ce rôle ne convenait qu'à moi ; c'était une simple étape pour m'emparer du vizirat, que vous m'avez volé ! L'administration entière me reconnaissait comme le plus compétent, les courtisans ne prononçaient que mon nom lorsque Pharaon les consultait, et c'est vous, obscur juge déchu, que le roi a choisi. Belle manœuvre, mon cher; vous m'avez étonné.

– Vous vous méprenez.

– Pas à moi, Pazair! Le passé ne m'intéresse pas. Ou bien vous jouez votre propre jeu, et vous perdrez tout; ou bien vous m'obéissez, et vous deviendrez très riche, sans avoir les soucis d'un pouvoir que vous êtes incapable d'assumer.

– Je suis le vizir d'Égypte.

– Vous n'êtes rien car Pharaon est condamné.

– Cela signifie-t-il que vous êtes en possession du testament des dieux?

Un rictus de satisfaction s'inscrivit sur le visage lunaire du financier.

– Ainsi, Ramsès s'est confié à vous. Quelle erreur! Il n'est vraiment plus digne de régner. Assez d'atermoiements, mon cher ami; serez-vous avec moi ou contre moi?

– Je n'ai jamais éprouvé un tel dégoût.

– Vos émotions ne m'intéressent pas.

– Comment supportez-vous votre propre hypocrisie?

– C'est une arme plus utile que votre ridicule probité.

– Savez-vous que la rapacité est un mal mortel entre tous et qu'elle vous privera de sépulture?

Bel-Tran éclata de rire.

– Votre morale est celle d'un enfant attardé. Les dieux, les temples, les demeures d'éternité, les rituels... Tout cela est dérisoire et dépassé. Vous n'avez aucune conscience du monde nouveau dans lequel nous entrons. J'ai de grands projets, Pazair; avant même de chasser Ramsès, ce roi sclérosé, attaché à des traditions révolues, je les mettrai en œuvre. Ouvrez les yeux, percevez l'avenir!

– Restituez les objets volés dans la grande pyramide.

– L'or est un métal rare et de grande valeur; pourquoi l'immobiliser sous la forme d'objets rituels que seul un mort contemple? Mes alliés les ont fondus. Je dispose d'une fortune suffisante pour acheter bien des consciences.

– Je peux vous faire arrêter sur l'heure.

– Non, vous ne le pouvez pas. D'un geste, je terrasse Ramsès et vous entraîne dans sa chute. Mais j'interviendrai à mon heure, et selon le plan prévu. M'incarcérer ou me supprimer n'interromprait pas son déroulement. Vous et votre roi êtes pieds et poings liés. Ne suivez plus un mort-vivant, mettez-vous à mon service. Je vous accorde une dernière chance, Pazair; saisissez-la.

– Je vous combattrai sans relâche.

– Dans moins d'un an, votre nom sera effacé des annales. Profitez bien de votre jolie femme; bientôt, tout s'écroulera autour de vous. Votre univers est vermoulu, j'ai rongé les poutres qui le soutenaient. Tant pis pour vous, vizir d'Égypte; vous regretterez de m'avoir mésestimé.

*

Pharaon et son vizir s'entretinrent dans la chambre secrète de la Maison de Vie de Memphis, loin des yeux et des oreilles.

Pazair dévoila la vérité à Ramsès.

– Bel-Tran, le fabricant de papyrus, le notable chargé de diffuser les grands textes, le responsable de l'économie du pays... Je le savais affairiste, ambitieux et âpre au grain, mais ne concevais pas qu'il fût un traître, un destructeur.

– Bel-Tran a eu le temps de tisser sa toile, de nouer des complicités dans toutes les classes de la société, de gangrener les administrations.

– Le démettras-tu sur-le-champ?

– Non, Majesté. Le mal a enfin dévoilé son visage; à

nous de comprendre sa stratégie et d'entamer une lutte sans merci.

– Bel-Tran possède le testament des dieux.

– Il n'est probablement pas seul ; le supprimer ne nous assure pas la victoire.

– Neuf mois, Pazair ; il nous reste neuf mois, la durée d'une gestation. Entre en guerre, identifie les alliés de Bel-Tran, démantèle ses forteresses, désarme les soldats des ténèbres.

– Souvenons-nous des paroles du vieux sage Ptahhotep : *Grande est la Règle, durable son efficacité ; elle n'a pas été perturbée depuis le temps d'Osiris. L'iniquité est capable de s'emparer de la quantité, mais jamais le mal ne mènera son entreprise à bon port. Ne te livre pas à une machination contre l'espèce humaine, car Dieu châtie pareil agissement.*

– Il vivait au temps des grandes pyramides et était vizir, comme toi. Souhaitons qu'il ait raison.

– Ses paroles ont traversé le temps.

– Ce n'est pas mon trône qui est en jeu, mais la civilisation de demain. Ou la trahison l'emporte, ou la justice.

*

De la tombe de Branir, Pazair et Néféret contemplèrent l'immense nécropole de Saqqara, que dominait la pyramide à degrés du pharaon Djéser. Les prêtres du *ka*, serviteurs de l'âme immortelle, entretenaient les jardins des tombes et déposaient des offrandes sur les autels des chapelles ouvertes aux pèlerins. Des tailleurs de pierre restauraient une pyramide de l'Ancien Empire, d'autres creusaient une sépulture. La cité des morts vivait d'une vie sereine.

– Qu'as-tu décidé ? demanda Néféret à Pazair.

– Lutter. Lutter jusqu'au bout.

– Nous découvrirons l'assassin de Branir.

– N'a-t-il pas déjà été châtié ? Dénès, Chéchi et

Qadash ont disparu dans d'horribles circonstances; la loi du désert a condamné le général Asher.

– Le coupable rôde encore, affirma-t-elle; quand l'âme de notre maître connaîtra enfin la paix, une nouvelle étoile apparaîtra.

La tête de la jeune femme se posa doucement sur l'épaule du vizir. Nourri de sa force et de son amour, le juge d'Égypte mènerait un combat perdu d'avance, avec l'espoir que le bonheur de la terre divine ne disparaîtrait pas de la mémoire du Nil, du granit et de la lumière.

Imprimé en France sur Presse Offset par

BRODARD & TAUPIN

GROUPE CPI

8597 – La Flèche (Sarthe), le 16-08-2001
Dépôt légal : mai 1995

POCKET – 12, avenue d'Italie - 75627 Paris cedex 13
Tél. : 01.44.16.05.00